U0382668

# 基于自动化检测车的桥梁损伤识别理论与实践

阳 洋 王 慧 杨 阳 著

科学出版社

北 京

# 内 容 简 介

　　基于自动化检测车的桥梁损伤诊断这一概念提出还不到 20 年，但是自提出到现在，该理论受到了各国学者的关注，产生了诸多研究成果。本书在自动化检测车的基础上，详细介绍了双车系统运行动采、三车系统运行动采和三车系统运行静采方式下的桥梁结构损伤诊断理论。为了让读者更深刻地了解自动化检测车的运行方式，本书为读者提供了数值模拟的运行结果，同时也加入了试验的研究结果，并提供了相应的结果数据和图表。

　　本书适合桥梁检测方面的研究人员、高等院校本科生、研究生参阅，在阅读本书前需要有一定的结构动力学基础和数学基础。

**图书在版编目（CIP）数据**

基于自动化检测车的桥梁损伤识别理论与实践/阳洋，王慧，杨阳著. —北京：科学出版社，2022.11
ISBN 978-7-03-071904-1

Ⅰ. ①基… Ⅱ. ①阳… ②王… ③杨… Ⅲ. ①检测车–应用–桥梁结构–损伤(力学)–识别 Ⅳ. ①U443

中国版本图书馆 CIP 数据核字（2022）第 044822 号

责任编辑：朱小刚 / 责任校对：崔向琳
责任印制：罗　科 / 封面设计：义和文创

科 学 出 版 社　出版
北京东黄城根北街 16 号
邮政编码：100717
http://www.sciencep.com

四川煤田地质制图印刷厂　印刷
科学出版社发行　各地新华书店经销

\*

2022 年 11 月第　一　版　开本：720×1000　B5
2022 年 11 月第一次印刷　印张：15
字数：300 000

定价：**148.00 元**
（如有印装质量问题，我社负责调换）

# 前　言

2004 年，杨永斌团队在全世界首次提出了非传统的桥梁参数识别方法，从理论上推导出了检测车响应中包含的桥梁模态频率信息，并且通过数值模拟方式对其进行了验证。随后，世界各地的学者对基于自动化检测车的桥梁损伤诊断进行了研究，现今已取得了诸多成果。

不同于传统的间接量测法，基于自动化检测车的桥梁损伤诊断能够快速地检测出桥梁损伤的位置和程度，随着检测仪器检测精度的提升及研究方法的改进，基于自动化检测车的桥梁损伤诊断必将在未来大放异彩。

本书系统阐述基于自动化检测车的桥梁损伤诊断的几种方式，这几种方式包含从理论到实践的全过程，能让读者详细地了解该方法的特征及先进性，并通过数值模拟和现场试验展示该方法在桥梁检测中的有效性和合理性。

在本书编写过程中得到了国家重点研发计划(2020YFF0217808)、国家自然科学基金项目(51778090、51911530244)、重庆市技术创新与应用发展专项重点项目(cstc2020jscx-msxm0907)、中国电力建设股份有限公司科技项目(KJ-2020-117)的支持，同时研究生卢会城、袁爱鹏、谭小琨、王立磊、朱元浩、成泉、梁晋秋、蒋明真、项超、贾宝玉龙、许文明等在校期间对本书做出了贡献，在此表示诚挚的感谢。

鉴于作者水平有限，书中难免有疏漏与不足之处，欢迎读者朋友批评指正，作者邮箱：yangyangcqu@cqu.edu.cn。

阳　洋

2022 年 10 月

# 目　　录

# 第 1 章 绪 论

## 1.1 研究背景及意义

我国不仅有悠久的造桥历史，还拥有世界一流的造桥技术。始建于隋代，距今已有 1400 多年历史的赵州桥(图 1.1)，目前仍然完好地横跨于洨河之上，向世人展示出中国古人高超的造桥工艺，明代诗人祝万祉曾有诗句"百尺高虹横水面，一弯新月出云霄"来描述其形态之优美、建造之精巧[1]。中华人民共和国成立之后，尤其是改革开放以来，随着中国经济的飞速发展，对交通基础设施建设的投入不断加大，中国的桥梁建设如雨后春笋般蓬勃发展，不仅在建筑数量上领先于世界其他国家，而且在桥梁建造技术上也处于世界先进水平。例如，2018 年建成通车的港珠澳大桥，桥隧全长 55km，其中主桥 29.6km，其建成通车不仅代表了中国桥梁建造的先进水平，还是我国综合国力的体现[2]。目前，中国已经成为世界上拥有桥梁数目最多的国家，根据《国家公路网规划(2013 年—2030 年)》预计[3]，到 2030 年我国公路总里程将达到 580 万 km，比 2019 年末增加约 80 万 km，可以预见在此期间，我国将会有更多的桥梁修建。在桥梁不断建造的过程中，"老桥"的数量也逐年增多，由《2010 年公路水路交通运输行业发展统计公报》可知[2]，我国建造并投入使用超过十年(2010 年以前建造)的桥梁占现有桥梁总数的 74.93%，未来还会有更多的桥梁进入"老年化"阶段。

图 1.1 赵州桥

随着桥梁建造数目的增多，桥梁服役时间越来越长，桥梁在运营期间的健康状况也越发引起人们的关注。在近三十年，国内外桥梁在运营期间事故时有发生。1994 年，建成通车仅 15 年的韩国圣水大桥发生桥面断裂事故，事故共造成 33 人死亡、17 人受伤[4]。2007 年，通车 40 年的美国密西西比河大桥突然坍塌，事故共造成 13 人死亡、145 人受伤[5]。2018 年，意大利热那亚一高速公路上的一架高架桥突然坍塌，桥身连同多辆汽车一同坠落，如图 1.2 所示，事故共造成 43 人死亡[6]。2001 年，通车仅 11 年的宜宾金沙江大桥吊索和桥面发生断裂事故，如图 1.3 所示，事故共造成 3 人死亡、2 人受伤[7]。2011 年，建成通车 12 年的福建武夷山公馆大桥北端发生坍塌事故，如图 1.4 所示，事故共造成 1 人死亡、22 人受伤[8]。2013 年，建成通车仅 2 年的连霍高速河南段义昌大桥发生坍塌事故[9]，事故共造成 10 人死亡。最近几年，粤赣高速广东河源城南出口匝道桥坍塌事故[9]、台湾宜兰南方澳跨海大桥倒塌事故[10]等，都造成了重大生命和财产损失。

图 1.2　意大利热那亚高架桥事故现场

图 1.3　宜宾金沙江大桥事故现场

通过对一系列桥梁事故的反思和总结可知，桥梁坍塌事故发生的原因主要有以下三点[9]：

(1) 在桥梁的建造过程中，操作不规范、偷工减料使得桥梁结构在建成之后未能达到设计要求；

(2) 在桥梁运营阶段,桥梁的超负荷服役使得桥梁结构的自然老化过程加剧,从而导致桥梁结构产生损伤;

(3) 由自然灾害,如山体滑坡、洪涝等导致的桥梁结构受损。

图 1.4 福建武夷山公馆大桥事故现场

为了降低桥梁在运营阶段发生坍塌事故的概率,保证桥梁在正常运营阶段的健康稳定,有必要对桥梁的健康状况进行监测和评估。

目前,对既有桥梁安全性监测的方式主要有定期监测、荷载试验监测以及长期、短期监测。定期监测主要为常规的巡视检查,其主要做法是以桥梁检测车为载体,通过照相机、裂缝观测仪、探查工具以及现场的辅助器材与设备等,直接观察桥梁表面的裂缝分布、支座受损情况等来评估桥梁的健康状况。该方法一般可以对桥梁的外观及部分结构特性进行监测,对桥梁局部关键结构构件、节点可以进行较为合理的损伤判断,然而其难以全面反映桥梁的整体健康状况,对桥梁结构的损伤程度、剩余寿命也很难做出系统的评估,而且此监测方法需要监测人员在桥下现场作业,存在一定的作业风险[11]。但是,对于量大面广的中跨径、小跨径桥梁,从技术、经济方面考虑,定期监测目前仍然是一种重要的监测手段。荷载试验监测包括静载试验监测和动载试验监测,静载试验监测是在桥梁封闭的状态下直接在桥梁上作用荷载,量测与桥梁结构性能相关的静力参数,如桥梁的变形、挠度、应变、裂缝等,通过分析这些参数,可直接判定全桥的静承载能力,并得出结构的强度、刚度以及抗裂性能;动载试验监测是在封桥的条件下通过特定的移动荷载对待测桥梁进行激励,通过数据采集、信号分析与处理,可以由系统的输入和输出确定结构的力学特性,根据桥梁结构的力学特性来评估结构的健康状况。进行荷载试验监测时需要大量的车辆荷载,且需要进行封桥处理,不仅耗费大量的人力和物力,还会对交通造成影响,因此该方法在实际桥梁的健康状况评估中运用较少。对于目前正处于研究发展阶段的长期、短期监测,其主要监测方式是在桥梁上直接安装大量传感器,如风速仪、加速度仪、应变仪、位移仪、温度仪等，获取桥梁在运营阶段的响应数据，通过对采集到的数据进行分析处理来获取桥梁的模态信息，再基于模态信息对桥梁的健康状况做出全面的评估。针对不同的桥梁，往往需要单独设置一套监测系统，形成"一桥一系统"的监测方案，这会导致监测成本大幅提高。同时，桥梁需要进行实时不间断的监测，这往往会造成大量监测数据的采集和存储，并且监测数据的后期处理也需要耗费很大的精力。长期、短期监测的种种弊端限制了其在绝大多数中跨径、小跨径桥梁中的应用，因此该监测方式目前主要运用在大跨径桥梁上。例如，主跨达 1092m 的沪苏通长江公铁大桥上建立的永久性健康监测系统，其包含 401 个传感器[12]。在桥梁荷载试验监测和长期、短期监测方法中，一个很重要的特点是传感器需要直接安装在待测桥梁上，以获取桥梁的响应信息，这种监测方法称为直接量测法。直接量测法主要通过环境激励、车辆强迫振动激励等方式来激发桥梁振动特性，然后对传感器采集的信号进行分析处理，以获取桥梁的模态参数。该方法虽然可以直接获取桥梁的振动信息，但是往往需要在桥梁上布置大量传感器，在进行荷载试验时也需要进行封桥处理，中断交通，从而使得监测成本提高，检测效率降低，且费时费力。

　　针对直接量测法的种种不足，Yang 等[13]于 2004 年提出了一种利用自动化检测车识别桥梁参数的方法，该方法的一个显著特征是传感器没有直接放置在桥梁上，而是安装在特定的检测车上，基本理念如图 1.5 所示。该方法通过装有传感器的检测车在桥梁上运行来获取车辆的振动信号，再对振动信号进行处理来获得桥梁的模态信息，检测车的作用有两个：①充当激励源，对待测桥梁进行激励，使得桥梁产生振动；②充当信号接收器，通过安装在检测车上的传感器采集车辆的振动信息[14]。该方法在检测时只需要在检测车上安装少量的传感器，且能在不中断交通的条件下，像正常行驶的车辆一样通过桥梁，就可以对桥梁的健康状况进行评估，具有检测成本低、机动性强、检测效率高等优点，并且特别适用于数目众多的中跨径、小跨径桥梁。利用自动化检测车识别桥梁参数具有一系列优势，因此很快就吸引了全世界学者的注意，并投入到对该方法的研究中。

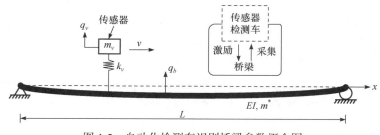

图 1.5　自动化检测车识别桥梁参数概念图

## 1.2 基于自动化检测车的桥梁损伤诊断国内外研究综述

如同医生需要根据患者表现出的症状找到病因，为对桥梁的健康状况进行全面评估，与传统的桥梁直接量测法类似，首先需要获取桥梁的模态信息。2004 年，杨永斌团队在全世界首次提出了非传统的桥梁参数识别方法，从理论上推导出了检测车响应中包含的桥梁模态频率信息，并且通过数值模拟方式对其进行了验证[13]，2005 年，Lin 等[15]进一步通过实桥试验证明了从检测车响应中获取桥梁模态频率的可行性。从理论的提出到数值模拟验证，再到实桥试验验证，这一完整的科学研究工作极大地启发和鼓舞了全世界的研究学者，自此以后，利用自动化检测车对桥梁参数进行识别的研究工作在全世界兴起，并形成了一整套以自动化检测车为基础的桥梁损伤诊断方法。在经过短短的 16 年发展后，其量测对象从最初的桥梁模态频率发展到如今的模态振型、模态阻尼比以及桥梁的损伤，研究层次也从理论推导、数值模拟发展到更接近实际情况的实验室缩尺试验和野外实桥试验。考虑到未来的推广应用，检测车采用的组成形式也从最初的接近单自由度理论模型的单轴车发展到贴近实际、自稳性能更好的双轴车。为了更好地展示各学者的研究成果，本章按照时间的顺序，依次从桥梁模态识别、桥梁损伤识别以及试验研究三个方面对基于自动化检测车的桥梁损伤诊断国内外研究现状做一个综述。

### 1.2.1 桥梁模态识别

能够直接反映出桥梁健康状况的桥梁模态参数包括频率、振型、阻尼比以及刚度。桥梁频率最容易被激发出来，因此它也是利用检测车最早识别出来的桥梁模态参数。

2005 年，Yang 等[16]从车-桥相互作用的理论推导中发现检测车响应中包含桥梁响应的信息，基于此，他们通过有限元模型对该结论进行了验证，从检测车响应中识别出了桥梁的模态频率。在理论推导时将车辆响应解中包含的桥梁响应阶次从一阶扩展到高阶，这为进一步从检测车响应中提取桥梁的高阶模态频率提供了理论支撑[16]。但是，在数值模拟过程中发现，通过直接对车体响应进行快速傅里叶变换(fast Fourier transform，FFT)来获取桥梁的高阶振动频率，其识别分辨率并不高。2009 年，Yang 等[17]改进了获取桥梁频率的方法，将经验模态分解(empirical mode decomposition，EMD)引用到对车辆响应的处理中，并结合快速傅里叶变换成功地识别到桥梁的高阶频率。同年，Yang 等[18]为提高识别桥梁频率的成功率，对检测车的关键参数进行了研究，发现检测车和桥梁的初始加速度振幅比对桥梁频率识别的影响较大；陈上有等[19]也进行了相关参数分析，在数值模拟中，发现路面粗糙度对桥梁频率识别的影响较大。2011 年，Chang 等[20]忽略轮胎变形，将检测车车轮采用无质量圆盘模拟，发现点模型会在系统中引入高频振动，这会降低车体频率在车辆响应中的贡献。2012 年，为了研究实际桥梁中路面粗糙度对提取模态频率的影响，Yang 等[21]采用 ISO 8608:1995(E)标准中规定的路面粗糙度[22]来模拟真实桥面的粗糙度，从理论上推导出了在有粗糙度的桥面上车体响应的封闭解，从而解释了路面粗糙度对桥梁频率识别的不利影响。2013 年，为改善路面粗糙度对提取桥梁频率的不利影响，Yang 等[23]提出了采用两辆检测车响应频谱相减的方法，从残谱中获取较高分辨率的桥梁频率。同年，Yang 等在数值模拟中发现检测车响应的频谱图中车体频率幅值大于桥梁频率幅值，甚至会掩盖桥梁频率，这使得桥梁频率的识别变得非常困难。为了更好地识别出桥梁频率，Yang 等[24]提出了以带通滤波为基底并结合奇异谱分析来提取桥梁频率的方法，结果表明该方法可以很好地消除车体频率的不利影响。Malekjafarian 等[25]将频域分解(frequency domain decomposition，FDD)法用于提取桥梁频率，结果表明该方法优于快速傅里叶变换。2014 年，Li 等[26]提出了一种以车辆响应为目标函数，并采用广义模式搜索算法(generalized pattern search algorithm，GPSA)的桥梁频率优化识别方法，该方法不是从车辆响应的频域中提取桥梁模态频率，而是通过时域优化的方法获取桥梁频率，数值模拟表明该方法能够在一定的噪声条件下很好地识别出桥梁一阶频率，相比于遗传算法(genetic algorithm，GA)，其具有更高的计算效率，不过在数值模拟中并未考虑路面粗糙度。2016 年，Kong 等[27]提出了将两辆检测车加速度信号在时域内相减获得残余响应，然后对残余响应进行快速傅里叶变换来获取桥梁频率的方法，数值模拟表明在有路面粗糙度的情况下，该方法与文献[23]中采用加速度频谱相减获取桥梁频率相比，能够获得更高阶数的桥梁频率。同年，为消除路面粗糙度对提取桥梁频率的不利影响，Yang 等[28]将改进的随机子空间(stochastic subspace identification，SSI)法应用于桥梁频率的提取，在考虑路面粗糙度的条件下，该方法能识别 20Hz 以下的桥梁频率。2018 年，Yang 等[29]提出了车-桥接触点这一概念，车-桥接触点响应就是桥梁响应，其不受车体频率的影响，数值模拟的结果表明采用车-桥接触点响应提取桥梁频率或振型优于车辆响应。2018 年，Yang 等[30]考虑到单轴检测车在实际中的不稳定性，提出了一种双轴检测车模型，该模型在考虑车辆阻尼的同时，无须额外的信号处理技术就能识别出高路面粗糙度下的桥梁频率。同年，Yang 等[31]应用 EMD 技术，研究了不同路面粗糙度下车辆阻尼对识别桥梁一阶振动频率的影响。数值模拟表明，较高的车辆阻尼有助于降低车辆频率和路面粗糙度对识别桥梁频率的干扰，从而使第一桥梁频率识别更加明显。2020 年，Sitton 等[32]基于车-桥耦合(vehicle-bridge interaction，VBI)模型，从理论上推导出了单轴检测车经过两跨连续梁时车辆响应的封闭解，并采用傅里叶变换从车辆响应频谱中识别出桥梁的一阶频率。

通过国内外学者对基于自动化检测车识别桥梁频率的研究可以发现，车辆响应中不仅包含桥梁的振动响应，同时也包含车辆自身的振动响应及由路面粗糙度产生的响应。因此，研究者将研究重点聚集在两个方面：①减小车体自身频率、路面粗糙度等干扰因素对车体响应的影响，如通过车-桥接触点响应、滤波处理等来提取桥梁频率；②增大桥梁响应，如通过桥梁上的随机车流来激励桥梁振动。本书的试验研究也证实了车-桥接触点在识别桥梁振动频率方面具有优势。

在利用自动化检测车成功识别出桥梁频率之后，国内外学者将研究方向转向另一个重要的桥梁模态参数——振型的提取。2012 年，Zhang 等[33]对检测车加速度响应加窗之后进行短时傅里叶变换，提取每一窗中桥梁频率的幅值，将幅值做比并开方得到桥梁的模态振型。2014 年，Yang 等[34]基于车-桥相互作用理论，从车辆响应解的组成成分出发，采用带通滤波技术从车体响应中获取桥梁一阶频率响应，然后采用希尔伯特变换(Hilbert transform，HT)构造出滤波后响应的瞬时振幅，从而得到桥梁一阶模态振型。同年，Malekjafarian 等[35]采用两辆单轴检测车，利用短时频域分解(short-time frequency domain decomposition，STFDD)法分段构造出桥梁局部模态值，然后采用重标法重新构造出分辨率更高的桥梁模态。2014 年，Oshima 等[36]采用两辆装有激振器的拖车和两辆装有传感器的检测车组成的车辆系统，在对桥梁施加激励的条件下，通过对检测车响应信号进行奇异值分解(singular value decomposition，SVD)来分段构造出桥梁振型。2016 年，OBrien 等[37]对文献[35]中的短时频域分解法进行了改进，从而构造出了精度更高的模态振型。同年，为降低路面粗糙度对提取桥梁模态振型的不利影响，Kong 等[27]采用两辆单轴检测车一前一后依次经过桥梁，将两辆单轴检测车的响应信号相减获得残余响应，然后对残余响应进行短时傅里叶变换提取桥梁振型。2017 年，Malekjafarian 等[38]从 Zhang 等[33]和 Oshima 等[36]的研究中受到启发，通过拖车上的激振器对桥梁施加特定频率的激励，从而激发出桥梁模态振型，采用希尔伯特-黄变换(Hilbert-Huang transform，HHT)对采集到的检测车两轴的加速度信号进行处理，进而构造出了桥梁振型，数值模拟表明该方法在无路面粗糙度下能获取较高精度的模态振型，在较好的路面粗糙度条件下采用响应信号相减的方法也能获得模态振型。除了直接对检测车响应进行处理来获取桥梁模态振型，还有学者通过检测车在桥梁上移动时导致车-桥系统频率的改变来获取桥梁模态振型。2018 年，He 等[39]改变质量不对称的双轴检测车在桥梁上的停靠位置，使车-桥系统频率发生变化，利用频率的变化来构造出桥梁模态振型。2019 年，Zhang 等[40]从理论上推导出了车辆在桥梁上移动时车-桥系统的瞬时频率与桥梁模态值之间的关系，并通过对车辆振动响应进行数值优化分析得出车-桥系统的瞬时频率，进而获取桥梁模态振型，数值模拟和缩尺试验表明，该方法能够构造出桥梁模态振型。在 He 等[39]

和 Zhang 等[40]的研究中，车辆均被理想化为刚度无限大的质量块模型，这在实际中是很难做到的。

在本书的研究中，车辆被简化成更接近实际的弹簧质量块模型，首次从理论上推导出车-桥系统频率与车辆停靠位置桥梁模态值之间的关系，进而利用车-桥系统频率构造出桥梁模态振型，车辆停靠在桥梁上采集振动信号，因此车体振动信号并不会受到路面粗糙度的干扰。

桥梁的模态频率和振型均获取后，桥梁另外一个重要的动力参数——阻尼比的识别吸引了学者关注的目光，有研究者[41]指出，桥梁阻尼比要比桥梁频率和振型对桥梁损伤更加敏感，但是在实际中，桥梁阻尼比相对于频率和振型的作用机理更复杂，因此目前对采用自动化检测车来识别桥梁阻尼比的研究并不多。2009年，McGetrick 等[42]根据车体响应频谱图中车体频率与桥梁频率的峰值变化来识别桥梁阻尼比，但是当桥面存在粗糙度时该方法的识别结果会变差。González 等 [43]及其团队[44]利用双自由度检测车检测通过桥梁时车桥之间产生的相互作用力，采用模型迭代方法对桥梁阻尼比进行识别，该团队进一步利用识别的桥梁阻尼比来识别桥梁损伤的情况，并针对该方法的实际应用进行了参数研究。2019年，Yang 等[45]基于双轴检测车通过桥梁的模型，根据不同时刻下桥面上同一扫描点响应的衰减特性，从理论上推导出桥梁阻尼比的封闭解，并通过数值模拟对此识别方法进行验证，结果表明该方法能够减轻路面粗糙度的影响，并能够较准确地识别出桥梁的一阶模态阻尼比。以上关于桥梁阻尼比的识别研究都只是在理论推导和数值模拟验证阶段，并没有通过实桥试验进行验证。

除了上述三个桥梁动力参数，也有学者对另一个桥梁参数——刚度的识别展开了研究。2014年，Li 等[26]以车辆响应为目标函数，基于广义模式搜索算法识别简支梁桥的整体抗弯刚度。2016年，也有学者基于统计矩的时域方法和桥梁模态振型的频域方法识别桥梁的单元刚度[46]。

### 1.2.2　桥梁损伤识别

1.2.1 节介绍了利用自动化检测车识别桥梁模态参数的研究现状，但是其最终目的是评估桥梁的健康状况。如同医生给患者看病，首先需要知道患者的症状，然后根据其症状来诊断病情。在识别出"桥梁症状"——模态参数之后，一些学者为进一步诊断出"桥梁的病症"也做了许多尝试。

2006年，Bu 等[47]受 Yang 的启发，尝试从检测车的响应中识别桥梁损伤，数值模拟表明：在考虑了测量噪声、模型误差以及路面粗糙度的情况下，利用正则化技术可以有效地识别出桥梁损伤。2008年，Kim 等[48]基于车-桥耦合运动方程推导出了拟静力公式，将单元刚度指数(element stiffness index, ESI)作为损伤指标，在考虑路面粗糙度的条件下识别出桥梁损伤。2010年，Nguyen 等[49]利用小波变换对检测车的位移响应进行了分析，根据小波变换的峰值位置判断出了桥梁裂缝的位置，并指出该方法在低速条件下识别效果更好。2011 年，Yin 等[50]将检测车分别通过有损桥梁和无损桥梁，通过对检测车的垂直位移响应进行对比识别出斜拉桥缆索张力的损失和桥面的损伤。2012 年，Meredith 等[51]对移动荷载作用下的桥梁加速度响应先采用移动平均滤波器进行处理，再进行 EMD 得到滤波后的固有模态函数，利用固有模态函数的峰值识别桥梁的损伤位置，数值模拟表明：在应用 EMD 之前进行滤波处理能够改善损伤识别效果。2013 年，González 等[52]将移动荷载作用下的桥梁加速度响应分成静力、动力和损伤三部分，根据损伤响应部分的幅值推断出传感器与桥梁损伤位置的距离，进而识别出损伤的位置。2014年，Li 等[53]提出了一种基于模态应变能和遗传算法的损伤识别方法来识别连续梁的损伤位置。2014 年，Oshima 等[36]提出了一种从多辆单轴检测车的响应中提取桥梁模态振型进而评估桥梁健康状态的方法。数值模拟中，采用重型卡车来增大桥梁的振动响应。研究发现，对于支座损伤严重的情况，损伤状态可以直接通过模态振型识别，但是也指出了该方法对噪声具有较低的鲁棒性。2015 年，Kong 等[54]基于模态参数、频响函数以及车辆响应传递率的方法在频域内对损伤识别进行了研究，根据车辆响应之间的传递率关系，构建了相应的损伤指标进行损伤识别，数值模拟结果表明，采用车辆响应传递率能够识别出桥梁在损伤状态下的模态频率和振型的平方。2015 年，Li 等[55]提出了一种基于遗传算法的损伤识别方法，该方法通过在车辆响应中获取桥梁在无损和损伤状态下的频率，采用遗传算法搜索出桥梁的损伤位置，并通过数值模拟验证了该方法在有路面粗糙度和环境噪声下的有效性。2015 年，Hester 等[56]建立了三维车-桥耦合模型，发现滤波后桥梁加速度响应的面积会随着损伤的增加而增大，基于此，可根据桥梁损伤前后的面积对比判断是否存在损伤。数值模拟表明，该方法在有路面粗糙度和环境噪声的条件下能成功识别出桥梁损伤。2016 年，Feng 等[57]利用桥梁位移响应的功率谱密度函数识别桥梁一阶模态，并利用桥梁一阶模态曲率识别桥梁损伤。数值模拟表明，该方法对桥梁上存在的单损伤、多损伤均能有效识别。OBrien 等[58]采用基于模态振型平方的损伤指标检测损伤位置，结果表明，当车辆行驶速度不超过 8m/s 时，可以准确识别出损伤位置。2017 年，Hester 等[59]分析了车辆响应由静态、动态和损伤三部分组成，采用小波驱动算法识别桥梁损伤。2017 年，OBrien 等[60]将 EMD应用于车辆响应，获取与驱车分量响应相关的固有模态函数，通过损伤前后固有模态函数的改变识别桥梁损伤，数值模拟表明，该方法能识别出桥梁损伤位置，但是对路面粗糙度较敏感。同年，他又提出了基于瞬时曲率和运动参考曲率(motion reference curvature，MRC)的方法来识别损伤位置[61]。2018 年，Zhang 等[62]基于车-桥接触点响应，采用希尔伯特变换从接触点响应中获得了驱车动分量响应，并利用其构造瞬时振幅平方(instantaneous amplitude square，IAS)识别桥梁损伤，通过数值模拟验证了该方法的可行性。然后,又揭示 IAS 的不连续放大特性,验证了在环境噪声和车辆噪声下该损伤指标的可行性[63]。

### 1.2.3 试验研究

任何方法运用到实际中,除了前期在理论推导和数值模拟方面做的深入研究,试验验证也是必不可少的一环,因为理论推导和数值模拟往往是建立在许多假设之上的理想化过程,而实际过程中存在各种影响,这些只能通过试验来进行验证。下面简要阐述各国学者在室内缩尺模型和野外所做的试验研究工作。

2006 年,Law 等[64]基于响应的最小二乘法和正则化技术识别出了桥梁的模态参数,并通过数值模拟和实验室试验,验证了该方法的有效性。2012 年,Zhang 等[33]将装有敲击设备的检测车通过桥梁,利用桥梁损伤前后模态振型平方之间的差异来构造损伤指标进行损伤识别,并说明车速为 2m/s 时识别效果最好。2013 年,该团队基于桥梁的挠曲曲率关系,提出了一种全局滤波技术的损伤检测算法来识别桥梁的局部损伤,通过数值模拟和实验室试验验证了该方法的有效性,并且发现当车速增大时识别效果变差[65]。2014 年,Chang 等[66]提出了一种拟静力损伤识别方法,实验室缩尺模型试验结果表明:在路面粗糙度及环境条件改变的情况下,该方法仍然能够识别损伤的位置和损伤的程度,并且当车速越大、车体频率与桥梁频率越接近时,该方法识别到损伤的可能性越大。2014 年,Lederman 等[67]采用信号处理和机器学习相结合的方法,对车辆和桥梁的振动数据进行分析来识别桥梁损伤。在实验室的缩尺模型中,通过附加在桥梁上的质量块来模拟桥梁损伤,试验结果表明该方法能够有效识别损伤的位置和损伤的程度。McGetrick 等[68]通过基于小波的方法对车辆响应进行处理,进而识别桥梁损伤,首先通过理论分析对比了几种损伤指标的优劣,然后通过实验室模型试验对该方法进行验证。2015 年,McGetrick 等[69]将轴中心安装有加速度传感器的双轴检测车通过表面粗糙的简支钢梁,对采集到的车辆加速度进行处理后评估出钢梁的刚度。2017 年,Urushadze 等[70]通过模型试验识别出了桥梁频率。2017 年,Kim 等[71]在实验室中进行试验,其中车辆系统由拖车和两辆检测车组成,试验表明:桥梁频率可在车辆响应的傅里叶频谱中识别出来,可利用车辆响应频谱分布模式的变化进行损伤检测,并可对桥梁表面粗糙度进行识别。2019 年,Cantero 等[72]研究了车辆通过桥梁时频率的变化规律。缩尺试验表明,车辆经过桥梁时的频率变化与车辆和桥梁的频率比有关。

在理论推导和数值模拟得到充分的研究和论证后,国内外学者对基于自动化检测车的桥梁损伤诊断方法在实际中的应用充满信心,其试验验证方式也不再局限于实验室缩尺模型试验,而是通过野外实桥试验对其进行验证,下面对此进行简要阐述。

2005 年，Lin 等[15]利用单轴检测车通过待测桥梁首次从车辆响应中得到了桥梁频率，并指出在低速和有随机车流的情况下更利于提取桥频，然后对检测车的参数进行研究发现，车体结构越接近单自由度模型，车体频率越远离桥梁频率，识别结果越好。2012 年，Kim 等[71]通过在三轴重型卡车上安装传感器，让卡车以恒定的速度通过待测桥梁，通过对采集到的加速度信号处理来提取桥梁频率。2012 年，Siringoringo 等[73]采用双轴轻型商用车作为检测车，使其匀速通过桥梁，通过对采集到的加速度信号进行处理来识别桥梁频率。2013 年，Yang 等[74]重点研究了配备不同类型车轮的检测车对提取桥梁频率的影响，通过现场试验成功识别到多座桥梁的频率。2014 年，Chang 等[75]通过理论推导发现，停靠在桥梁上的车辆对桥梁频率会产生影响，并且通过野外试验和模型试验验证了这一理论。同年，McGetrick 等[76]提出了一种基于小波损伤指标和模式识别的桥梁检测方法，首先通过数值模型验证了该方法的有效性，然后通过现场桥梁试验对该方法进行了验证，试验表明：在车辆响应和桥梁响应中构造的损伤指标具有很大的相似性，但是该方法很难识别出不同类型的桥梁损伤。2018 年，Yang 等[77]使拖车拖动质量和刚度成比例，但频率和阻尼比相同的大、小两辆检测车依次通过桥梁，将两辆检测车信号相减来消除路面粗糙度的影响并识别出桥梁模态振型，结合直接刚度法反演出桥梁单元刚度，通过定义损伤指标——刚度折减系数(stiffness deduction coefficient)来识别桥梁损伤。数值模拟和野外实桥试验表明，该损伤识别方法具有很好的损伤识别效果。2020 年，Yang 等[78]设计了一种单轴检测车野外实桥试验，使单轴检测车在桥梁上分别以移动和静止停靠的两种方式采集振动响应，结果表明，由单轴检测车信号反演出的车-桥接触点响应信号能识别出更高阶的桥梁振动频率，验证了文献[29]中关于车-桥接触点响应在识别桥频率方面更具优势的结论。

## 1.3　本书的理论与实践

基于自动化检测车的桥梁损伤诊断这一概念提出还不到 20 年，但是自提出到现在，该理论在世界各地受到了各国学者的关注，产生了诸多研究成果。本书根据团队实践系统阐述了基于自动化检测车的桥梁损伤诊断的几种方式，这几种方式包含该概念从理论到实践的全过程，并且代表了该概念从开始较粗糙的检测方式到现在最新的研究成果，能让读者循序渐进的同时，把握基于自动化检测车的桥梁损伤诊断的本质，为有志于研究该方向的学者提供帮助。

本书介绍的基于自动化检测车的桥梁损伤诊断的几种方式均包含理论推导、数值模拟和试验研究，对每一种方式均进行了详细介绍。第 2 章主要介绍基于双车系统运行动采方式的桥梁结构损伤诊断理论,以车-桥耦合理论为基础,利用检测车得到的信号提取出桥梁的频率和模态,再通过改进的直接刚度法得到所检测的桥梁刚度,从而识别桥梁损伤。第2章还给出了基于双车系统运行动采方式的理论基础、算例和桥梁刚度识别的步骤,并且考虑了车速、车体频率和桥梁阻尼比等参数的影响。第3章是在双车动采的基础上再加一辆检测车,即牵引车-检测车-检测车系统,该三车系统利用两辆检测车的加速度信号相减来消除路面粗糙度的影响,提高了桥梁损伤检测的准确性。

　　虽然理论上运用两辆检测车的加速度信号相减可以消除路面粗糙度的影响,但实际过程中往往有一定的误差,因此一种利用检测车的桥梁静采方式也逐渐进入研究人员的视野。该方式保证检测车在一个测点采集信号时不运动,这样路面粗糙度就不会产生影响。第4章介绍利用三车系统运行静采方式来进行桥梁损伤诊断的一种方法,并且给出接触点理论,提高桥梁模态识别的准确性,该章同样包括理论基础、算例以及各参数对识别效果的影响。但是在研究过程中,研究人员发现,利用静采方式来识别桥梁模态必须保证检测车的质量足够大,否则难以构造出桥梁模态振型。第 5 章研究多车-桥系统,给出多辆检测车条件下的车-桥系统频率与桥梁模态关系的理论解,并且利用三车-桥系统进行算例分析及研究参数的影响。第6章在第4章和第5章的基础上增加数据处理方式,给出基于随机子空间法的运行静采桥梁理论。

　　理论终究要用实践来检验,第2章～第6章给出基于自动化检测车的桥梁损伤诊断方式的各种理论基础和数值模拟。第7章详细介绍相应的现场试验,包括试验所用的仪器、正式试验前的准备试验、试验结果以及对试验结果的分析,通过现场试验验证各种基于自动化检测车的桥梁损伤诊断方式的实用性。

# 第 2 章　基于双车系统运行动采方式的桥梁结构损伤诊断理论

## 2.1　引　　言

随着国民经济的飞速发展,桥梁建设作为枢纽工程发展突飞猛进,与此同时,桥梁的健康状态也引起了人们的广泛关注。考虑到目前我国的桥梁数量居于世界首位,同时老桥危桥众多,因此需要一种能够综合满足机动性、经济性、安全性、适用性的桥梁快速检测评估的方法。基于自动化检测车来识别桥梁结构的损伤正是在这样一种情况下提出的,这种方法以一种双车系统运行动采方式来进行桥梁结构的损伤诊断,很好地解决了量大面广的中小桥梁的健康检测问题。

基于双车系统运行动采方式的桥梁结构损伤诊断的整体研究思路如图 2.1 所示,在实验室进行的模型试验中,基本采用在桥梁另一端放置电动机来牵引检测车运动,在野外实桥试验中则需要牵引车来拖动检测车运行,这就构成了双车-桥系统。通过双车-桥系统可以从检测车的加速度响应中识别桥梁频率和模态,进而识别桥梁的损伤。基于此,将牵引车简化成弹簧质量模型,在理论中推导出光滑路面和有粗糙度路面上检测车的响应,以此为基础给出利用双车系统运行动采方式来进行桥梁结构损伤诊断的流程。

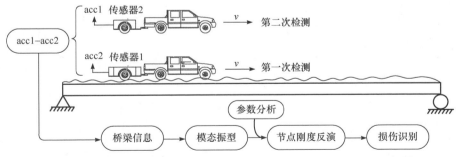

图 2.1　基于双车系统运行动采方式的桥梁结构损伤诊断整体研究思路

以一个简支梁结构为例,利用牵引车分别拖动大、小两辆参数成比例的检测车以同一路径通过桥梁,利用大、小检测车的加速度响应相减的方法来消除路面粗糙度的影响。然后对消除路面粗糙度影响的响应(acc1−acc2)先滤波再利用短时频域分解法提取桥梁一阶模态振型，利用改进的直接刚度法[23]进行桥梁节点刚度反演并进行参数分析，最后进行损伤识别。

## 2.2　理 论 基 础

### 2.2.1　双车-桥系统响应理论解

图 2.2 为双车-桥系统的简化模型，单轴检测车简化为被弹簧支撑的质量块，其弹簧刚度为 $k_{v1}$、阻尼为 $c_{v1}$、质量块的质量为 $m_{v1}$。为便于理论推导，牵引车也简化为被弹簧支撑的质量块，其弹簧刚度为 $k_{v2}$、阻尼为 $c_{v2}$、质量块的质量为 $m_{v2}$。桥梁简化为简支梁，其跨径为 $L$、单位长度质量为 $m^*$、截面的抗弯刚度为 $EI$、阻尼为 $c$。两辆车以匀速 $v$ 通过桥梁。

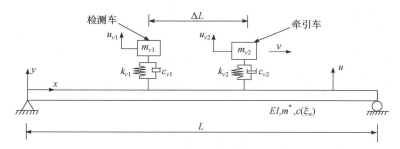

图 2.2　双车-桥系统的简化模型

同时进行以下假设：
(1) 桥梁为均匀且等截面的欧拉-伯努利梁；
(2) 检测车的质量远小于桥梁的质量；
(3) 检测车在进入桥梁前处于完全静止的状态；
(4) 桥面为光滑路面。
对于检测车，其振动控制方程为

$$m_{v1}\ddot{u}_{v1}(t)+k_{v1}\left[u_{v1}(t)-u(x,t)\big|_{x=vt}\right]\left[+c_{v1}[\dot{u}_{v1}(t)-\dot{u}(x,t)\big|_{x=vt}\right]=0 \tag{2.1}$$

对于牵引车，其振动控制方程为

$$m_{v2}\ddot{u}_{v2}(t)+k_{v2}\left[u_{v2}(t)-u(x,t)\big|_{x=vt_a}\right]\left[+c_{v2}[\dot{u}_{v2}(t)-\dot{u}(x,t)\big|_{x=vt_a}\right]=0 \tag{2.2}$$

$$t_a=t+\Delta L/v=t+t_s \tag{2.3}$$

对于桥梁，其控制方程为

$$m^*\ddot{u}(x,t)+c\dot{u}(x,t)+EIu''''(x,t)=f_{c,1}(t)\delta(x-vt)+f_{c,2}(t)\delta(x-vt_a) \tag{2.4}$$

式中，$u_{v1}(t)$ 为检测车从静止时的平衡位置起产生的竖向位移；$u_{v2}(t)$ 为牵引车从静止时的平衡位置起产生的竖向位移；$u(x,t)$ 为桥梁的竖向位移；$(\dot{\cdot})=\mathrm{d}(\cdot)/\mathrm{d}t$ 为对时间 $t$ 的一阶导；$(\ddot{\cdot})=\mathrm{d}^2(\cdot)/\mathrm{d}t^2$ 为对时间 $t$ 的二阶导；$u''''(x,t)$ 为桥梁位移对检测车位置 $x$ 的四次微分；$\delta$ 为狄拉克函数(Dirac function)；$f_{c,1}(t)$、$f_{c,2}(t)$ 为车辆通过桥梁时产生的位移差引起的互制力，可以表示为

$$f_{c,1}(t)=-m_{v1}g+k_{v1}\left[u_{v1}(t)-u(x,t)\big|_{x=vt}\right]+c_{v1}\left[\dot{u}_{v1}(t)-\dot{u}(x,t)\big|_{x=vt}\right] \tag{2.5}$$

$$f_{c,2}(t)=-m_{v2}g+k_{v2}\left[u_{v2}(t)-u(x,t)\big|_{x=vt_a}\right]+c_{v2}\left[\dot{u}_{v2}(t)-\dot{u}(x,t)\big|_{x=vt_a}\right] \tag{2.6}$$

接着用振型叠加法进行求解，简支梁的位移 $u(x,t)$ 可以表示为

$$u(x,t)=\sum_{n=1}^{\infty}\sin\frac{n\pi x}{L}q_n(t) \tag{2.7}$$

式中，$q_n(t)$ 为桥梁第 $n$ 阶振动模态所对应的广义坐标。

将式(2.7)代入式(2.4)，同时乘以模态函数 $\sin(n\pi x/L)$，并对 $x$ 从 0 积分至 $L$，结合假设条件(2)(检测车的质量远小于桥梁的质量，即 $m_{v1}/(m^*L)\ll 1$、$m_{v2}/(m^*L)\ll 1$)，可以得到

$$\ddot{q}_n(t)+2\xi_n\omega_n\dot{q}_n(t)+\omega_n^2 q_n(t)=\left(-\frac{2m_{v1}g}{m^*L}\right)\sin\left(\frac{n\pi vt}{L}\right)+\left(-\frac{2m_{v2}g}{m^*L}\right)\sin\left(\frac{n\pi vt_a}{L}\right) \tag{2.8}$$

式中，$\omega_n$ 桥梁的第 $n$ 阶自振频率，$\omega_n=\dfrac{n^2\pi^2}{L^2}\sqrt{\dfrac{EI}{m^*}}$；$\xi_n$ 为桥梁阻尼比，$\xi_n=\dfrac{c}{2m^*L\omega_n}$。

结合假设条件(3)，检测车未进入桥梁时，桥梁开始处于完全静止的状态，即 $u(x,0)=0$、$\dot{u}(x,0)=0$，代入式(2.7)，可得 $q_n(0)=0$、$\dot{q}_n(0)=0$，代入式(2.8)，求解得

$$\begin{aligned}
q_n(t)=&\left\{\mathrm{e}^{-\xi_n\omega_n t}\left[A\cos\left(\omega_n\sqrt{1-\xi_n^2}\right)t+B\sin\left(\omega_n\sqrt{1-\xi_n^2}\right)t\right]\right.\\
&\left.+C\sin\left(\frac{n\pi v}{L}\right)t+D\cos\left(\frac{n\pi v}{L}\right)t\right\}\sin\left(\frac{n\pi vt}{L}\right)
\end{aligned} \tag{2.9}$$

其中，$A$、$B$、$C$、$D$ 表达式为

$$\begin{aligned}
A=&-\frac{2m_{v1}gL^3}{n^4\pi^4 EI}\times\frac{2\xi_n[n\pi v/(L\omega_n)]}{\{1-[n\pi v/(L\omega_n)]^2\}^2+\{2\xi_n[n\pi v/(L\omega_n)]\}^2}\\
&-\frac{2m_{v2}gL^3}{n^4\pi^4 EI}\times\cos\left(\frac{n\pi vt_s}{L}\right)\times\frac{2\xi_n(n\pi v/L\omega_n)}{\{1-[n\pi v/(L\omega_n)]^2\}^2+\{2\xi_n[n\pi v/(L\omega_n)]\}^2}\\
&-\frac{2m_{v2}gL^3}{n^4\pi^4 EI}\times\sin\left(\frac{n\pi vt_s}{L}\right)\times\frac{[n\pi v/(L\omega_n)]^2-1}{\{1-[n\pi v/(L\omega_n)]^2\}^2+\{2\xi_n[n\pi v/(L\omega_n)]\}^2}
\end{aligned} \tag{2.10}$$

$$B = -\frac{2m_{v1}gL^3}{n^4\pi^4EI} \times \frac{2\xi_n^2 - 1 + [n\pi v/(L\omega_n)]^2}{\{1-[n\pi v/(L\omega_n)]^2\}^2 + \{2\xi_n[n\pi v/(L\omega_n)]\}^2} \times \frac{n\pi v\sin\left(\omega_n\sqrt{1-\xi_n^2}\right)t}{L\omega_n\sqrt{1-\xi_n^2}}$$

$$-\frac{2m_{v2}gL^3}{n^4\pi^4EI} \times \cos\left(\frac{n\pi v t_s}{L}\right) \times \frac{2\xi_n^2 - 1 + [n\pi v/(L\omega_n)]^2}{\{1-[n\pi v/(L\omega_n)]^2\}^2 + \{2\xi_n[n\pi v/(L\omega_n)]\}^2} \times \frac{\sin\left(\omega_n\sqrt{1-\xi_n^2}\right)t}{\omega_n\sqrt{1-\xi_n^2}}$$

$$-\frac{2m_{v2}gL^3}{n^4\pi^4EI} \times \sin\left(\frac{n\pi v t_s}{L}\right) \times \frac{\xi_n\omega_n\{[n\pi v/(L\omega_n)]^2 - 1\} - 2\xi_n[n\pi v/(L\omega_n)] \times n\pi v/L}{\{1-[n\pi v/(L\omega_n)]^2\}^2 + \{2\xi_n[n\pi v/(L\omega_n)]\}^2}$$

$$\times \frac{1}{\omega_n\sqrt{1-\xi_n^2}} \tag{2.11}$$

$$C = -\frac{2m_{v1}gL^3}{n^4\pi^4EI} \times \frac{1 - [n\pi v/(L\omega_n)]^2}{\{1-[n\pi v/(L\omega_n)]^2\}^2 + \{2\xi_n[n\pi v/(L\omega_n)]\}^2}$$

$$-\frac{2m_{v2}gL^3}{n^4\pi^4EI} \times \cos\left(\frac{n\pi v t_s}{L}\right) \times \frac{1 - [n\pi v/(L\omega_n)]^2}{\{1-[n\pi v/(L\omega_n)]^2\}^2 + \{2\xi_n[n\pi v/(L\omega_n)]\}^2} \tag{2.12}$$

$$-\frac{2m_{v2}gL^3}{n^4\pi^4EI} \times \sin\left(\frac{n\pi v t_s}{L}\right) \times \frac{2\xi_n[n\pi v/(L\omega_n)]}{\{1-[n\pi v/(L\omega_n)]^2\}^2 + \{2\xi_n[n\pi v/(L\omega_n)]\}^2}$$

$$D = -\frac{2m_{v1}gL^3}{n^4\pi^4EI} \times \frac{-2\xi_n[n\pi v/(L\omega_n)]}{\{1-[n\pi v/(L\omega_n)]^2\}^2 + \{2\xi_n[n\pi v/(L\omega_n)]\}^2}$$

$$-\frac{2m_{v2}gL^3}{n^4\pi^4EI} \times \cos\left(\frac{n\pi v t_s}{L}\right) \times \frac{-2\xi_n[n\pi v/(L\omega_n)]}{\{1-[n\pi v/(L\omega_n)]^2\}^2 + \{2\xi_n[n\pi v/(L\omega_n)]\}^2} \tag{2.13}$$

$$-\frac{2m_{v2}gL^3}{n^4\pi^4EI} \times \sin\left(\frac{n\pi v t_s}{L}\right) \times \frac{1 - [n\pi v/(L\omega_n)]^2}{\{1-[n\pi v/(L\omega_n)]^2\}^2 + \{2\xi_n[n\pi v/(L\omega_n)]\}^2}$$

将式(2.9)代入式(2.7)，积化和差处理后，可以得到桥梁的竖向位移为

$$u(x,t) = \sum_{n=1}^{\infty} e^{-\xi_n\omega_n}\frac{A}{2}\left[\sin\left(\omega_n\sqrt{1-\xi_n^2} + \frac{n\pi v}{L}\right)t - \sin\left(\omega_n\sqrt{1-\xi_n^2} - \frac{n\pi v}{L}\right)t\right]$$

$$+ \sum_{n=1}^{\infty} e^{-\xi_n\omega_n}\frac{B}{2}\left[\cos\left(\omega_n\sqrt{1-\xi_n^2} - \frac{n\pi v}{L}\right)t - \cos\left(\omega_n\sqrt{1-\xi_n^2} + \frac{n\pi v}{L}\right)t\right] \tag{2.14}$$

$$+ \sum_{n=1}^{\infty} \frac{C}{2}\left[1 - \cos\left(\frac{2n\pi v}{L}\right)t\right] + \sum_{n=1}^{\infty} \frac{D}{2}\sin\left(\frac{2n\pi v}{L}\right)t$$

将式(2.1)整理得

$$\ddot{u}_{v1}(t) + 2\xi_{v1}\omega_{v1}\dot{u}_{v1}(t) + \omega_{v1}^2 u_{v1}(t) = 2\xi_{v1}\omega_{v1}\dot{u}(x,t)\big|_{x=vt} + \omega_{v1}^2 u(x,t)\big|_{x=vt} \tag{2.15}$$

其中

$$\omega_{v1} = \sqrt{\frac{k_{v1}}{m_{v1}}}, \quad \xi_{v1} = c_{v1}/(2m\omega_{v1}) \tag{2.16}$$

　　将式(2.14)代入式(2.15)，并利用 Duhamel(杜阿梅尔)积分，求得检测车的竖向位移。这里主要关心车辆信号中含有桥频的项，即含有桥梁右频 $\omega_n\sqrt{1-\xi_n^2}+n\pi v/L$ 或桥梁左频 $\omega_n\sqrt{1-\xi_n^2}-n\pi v/L$ 相关项的解。式(2.14)的第一项和第二项含有桥频，这两项在形式上仅有 cos 和 sin 的差别，因此两者的解应该具有相同的形式，仅系数不同。由于全解过于冗长，这里仅展示式(2.14)中第一项代入式(2.15)的解，具体为

$$
\begin{aligned}
u_{v1}(t) = &\sum_{n=1}^{\infty} e^{-\xi_v\omega_v t}\frac{\xi_{v1}\omega_{v1}A}{2\omega_v\sqrt{1-\xi_v^2}}\left[\frac{-\xi_n\omega_n(\xi_n\omega_n-\xi_{v1}\omega_{v1})-\left(\omega_n\sqrt{1-\xi_n^2}+n\pi v/L\right)\left(\omega_n\sqrt{1-\xi_n^2}+n\pi v/L+\omega_{v1}\sqrt{1-\xi_{v1}^2}\right)}{(\xi_n\omega_n-\xi_{v1}\omega_{v1})^2+\left(\omega_n\sqrt{1-\xi_n^2}+n\pi v/L+\omega_{v1}\sqrt{1-\xi_{v1}^2}\right)^2}\right. \\[2mm]
&+\frac{\xi_n\omega_n(\xi_n\omega_n-\xi_{v1}\omega_{v1})+\left(\omega_n\sqrt{1-\xi_n^2}+n\pi v/L\right)\left(\omega_n\sqrt{1-\xi_n^2}+n\pi v/L-\omega_{v1}\sqrt{1-\xi_{v1}^2}\right)}{(\xi_n\omega_n-\xi_{v1}\omega_{v1})^2+\left(\omega_n\sqrt{1-\xi_n^2}+n\pi v/L-\omega_{v1}\sqrt{1-\xi_{v1}^2}\right)^2} \\[2mm]
&+\frac{\xi_n\omega_n(\xi_n\omega_n-\xi_{v1}\omega_{v1})-\left(\omega_n\sqrt{1-\xi_n^2}-n\pi v/L\right)\left(\omega_n\sqrt{1-\xi_n^2}-n\pi v/L+\omega_{v1}\sqrt{1-\xi_{v1}^2}\right)}{(\xi_n\omega_n-\xi_{v1}\omega_{v1})^2+\left(\omega_n\sqrt{1-\xi_n^2}-n\pi v/L+\omega_{v1}\sqrt{1-\xi_{v1}^2}\right)^2} \\[2mm]
&\left.-\frac{\xi_n\omega_n(\xi_n\omega_n-\xi_{v1}\omega_{v1})-\left(\omega_n\sqrt{1-\xi_n^2}-n\pi v/L\right)\left(\omega_n\sqrt{1-\xi_n^2}-n\pi v/L-\omega_{v1}\sqrt{1-\xi_{v1}^2}\right)}{(\xi_n\omega_n-\xi_{v1}\omega_{v1})^2+\left(\omega_n\sqrt{1-\xi_n^2}-n\pi v/L-\omega_{v1}\sqrt{1-\xi_{v1}^2}\right)^2}\right]\times\cos\left(\omega_{v1}\sqrt{1-\xi_{v1}^2}\right)t \\[3mm]
&+\sum_{n=1}^{\infty} e^{-\xi_{v1}\omega_{v1}t}\frac{\xi_{v1}\omega_{v1}A}{2\omega_{v1}\sqrt{1-\xi_{v1}^2}}\left[\frac{\left(\omega_n\sqrt{1-\xi_n^2}+n\pi v/L\right)(\xi_n\omega_n-\xi_{v1}\omega_{v1})-\xi_n\omega_n\left(\omega_n\sqrt{1-\xi_n^2}+n\pi v/L+\omega_{v1}\sqrt{1-\xi_{v1}^2}\right)}{(\xi_n\omega_n-\xi_{v1}\omega_{v1})^2+\left(\omega_n\sqrt{1-\xi_n^2}+n\pi v/L+\omega_{v1}\sqrt{1-\xi_{v1}^2}\right)^2}\right. \\[2mm]
&+\frac{\left(\omega_n\sqrt{1-\xi_n^2}+n\pi v/L\right)(\xi_n\omega_n-\xi_{v1}\omega_{v1})-\xi_n\omega_n\left(\omega_n\sqrt{1-\xi_n^2}+n\pi v/L-\omega_{v1}\sqrt{1-\xi_{v1}^2}\right)}{(\xi_n\omega_n-\xi_{v1}\omega_{v1})^2+\left(\omega_n\sqrt{1-\xi_n^2}+n\pi v/L-\omega_{v1}\sqrt{1-\xi_{v1}^2}\right)^2} \\[2mm]
&+\frac{\left(\omega_n\sqrt{1-\xi_n^2}+n\pi v/L\right)(\xi_n\omega_n-\xi_{v1}\omega_{v1})+\xi_n\omega_n\left(\omega_n\sqrt{1-\xi_n^2}-n\pi v/L+\omega_{v1}\sqrt{1-\xi_{v1}^2}\right)}{(\xi_n\omega_n-\xi_{v1}\omega_{v1})^2+\left(\omega_n\sqrt{1-\xi_n^2}-n\pi v/L+\omega_{v1}\sqrt{1-\xi_{v1}^2}\right)^2} \\[2mm]
&\left.+\frac{\left(\omega_n\sqrt{1-\xi_n^2}-n\pi v/L\right)(\xi_n\omega_n-\xi_{v1}\omega_{v1})+\xi_n\omega_n\left(\omega_n\sqrt{1-\xi_n^2}-n\pi v/L-\omega_{v1}\sqrt{1-\xi_{v1}^2}\right)}{(\xi_n\omega_n-\xi_{v1}\omega_{v1})^2+\left(\omega_n\sqrt{1-\xi_n^2}-n\pi v/L-\omega_{v1}\sqrt{1-\xi_{v1}^2}\right)^2}\right]\times\sin\left(\omega_{v1}\sqrt{1-\xi_{v1}^2}\right)t \\[3mm]
&+\sum_{n=1}^{\infty} e^{-\xi_{v1}\omega_n t}\frac{\xi_{v1}\omega_{v1}A}{2\omega_v\sqrt{1-\xi_v^2}}\left[\frac{\xi_n\omega_n(\xi_n\omega_n-\xi_{v1}\omega_{v1})+\left(\omega_n\sqrt{1-\xi_n^2}+n\pi v/L\right)\left(\omega_n\sqrt{1-\xi_n^2}+n\pi v/L+\omega_{v1}\sqrt{1-\xi_{v1}^2}\right)}{(\xi_n\omega_n-\xi_{v1}\omega_{v1})^2+\left(\omega_n\sqrt{1-\xi_n^2}+n\pi v/L+\omega_{v1}\sqrt{1-\xi_{v1}^2}\right)^2}\right. \\[2mm]
&\left.-\frac{\xi_n\omega_n(\xi_n\omega_n-\xi_{v1}\omega_{v1})+\left(\omega_n\sqrt{1-\xi_n^2}+n\pi v/L\right)\left(\omega_n\sqrt{1-\xi_n^2}+n\pi v/L-\omega_{v1}\sqrt{1-\xi_{v1}^2}\right)}{(\xi_n\omega_n-\xi_{v1}\omega_{v1})^2+\left(\omega_n\sqrt{1-\xi_n^2}+n\pi v/L-\omega_v\sqrt{1-\xi_{v1}^2}\right)^2}\right]\times\cos\left(\omega_n\sqrt{1-\xi_n^2}+n\pi v/L\right)t \\[3mm]
&+\sum_{n=1}^{\infty} e^{-\xi_{v1}\omega_n t}\frac{\xi_{v1}\omega_{v1}A}{2\omega_{v1}\sqrt{1-\xi_{v1}^2}}\left[\frac{\left(\omega_n\sqrt{1-\xi_n^2}+n\pi v/L\right)(\xi_n\omega_n-\xi_{v1}\omega_{v1})-\xi_n\omega_n\left(\omega_n\sqrt{1-\xi_n^2}+n\pi v/L+\omega_{v1}\sqrt{1-\xi_{v1}^2}\right)}{(\xi_n\omega_n-\xi_{v1}\omega_{v1})^2+\left(\omega_n\sqrt{1-\xi_n^2}+n\pi v/L+\omega_{v1}\sqrt{1-\xi_{v1}^2}\right)^2}\right.
\end{aligned}
$$

$$
\begin{aligned}
&-\frac{\left(\omega_n\sqrt{1-\xi_n^2}+n\pi v/L\right)\left(\xi_n\omega_n-\xi_{v1}\omega_{v1}\right)-\xi_n\omega_n\left(\omega_n\sqrt{1-\xi_n^2}+n\pi v/L-\omega_{v1}\sqrt{1-\xi_{v1}^2}\right)}{\left(\xi_n\omega_n-\xi_{v1}\omega_{v1}\right)^2+\left(\omega_n\sqrt{1-\xi_n^2}+n\pi v/L-\omega_{v1}\sqrt{1-\xi_{v1}^2}\right)^2}\times\sin\left(\omega_n\sqrt{1-\xi_n^2}+n\pi v/L\right)t \\
&+\sum_{n=1}^{\infty}\mathrm{e}^{-\xi_n\omega_nt}\frac{\xi_{v1}\omega_{v1}A}{2\omega_{v1}\sqrt{1-\xi_{v1}^2}}\left[\frac{-\xi_n\omega_n(\xi_n\omega_n-\xi_{v1}\omega_{v1})+\left(\omega_n\sqrt{1-\xi_n^2}-n\pi v/L\right)\left(\omega_n\sqrt{1-\xi_n^2}-n\pi v/L+\omega_{v1}\sqrt{1-\xi_{v1}^2}\right)}{\left(\xi_n\omega_n-\xi_{v1}\omega_{v1}\right)^2+\left(\omega_n\sqrt{1-\xi_n^2}-n\pi v/L+\omega_{v1}\sqrt{1-\xi_{v1}^2}\right)^2}\right. \\
&+\frac{\xi_n\omega_n(\xi_n\omega_n-\xi_{v1}\omega_{v1})-\left(\omega_n\sqrt{1-\xi_n^2}-n\pi v/L\right)\left(\omega_n\sqrt{1-\xi_n^2}-n\pi v/L-\omega_{v1}\sqrt{1-\xi_{v1}^2}\right)}{\left(\xi_n\omega_n-\xi_{v1}\omega_{v1}\right)^2+\left(\omega_n\sqrt{1-\xi_n^2}-n\pi v/L-\omega_{v1}\sqrt{1-\xi_{v1}^2}\right)^2}\left.\right]\times\cos\left(\omega_n\sqrt{1-\xi_n^2}-n\pi v/L\right)t \\
&+\sum_{n=1}^{\infty}\mathrm{e}^{-\xi_n\omega_nt}\frac{\xi_{v1}\omega_{v1}A}{2\omega_{v1}\sqrt{1-\xi_{v1}^2}}\left[\frac{\left(\omega_n\sqrt{1-\xi_n^2}-n\pi v/L\right)(\xi_n\omega_n-\xi_{v1}\omega_{v1})+\xi_n\omega_n\left(\omega_n\sqrt{1-\xi_n^2}-n\pi v/L+\omega_{v1}\sqrt{1-\xi_{v1}^2}\right)}{\left(\xi_n\omega_n-\xi_{v1}\omega_{v1}\right)^2+\left(\omega_n\sqrt{1-\xi_n^2}-n\pi v/L+\omega_{v1}\sqrt{1-\xi_{v1}^2}\right)^2}\right. \\
&-\frac{\left(\omega_n\sqrt{1-\xi_n^2}-n\pi v/L\right)(\xi_n\omega_n-\xi_{v1}\omega_{v1})+\xi_n\omega_n\left(\omega_n\sqrt{1-\xi_n^2}-n\pi v/L-\omega_{v1}\sqrt{1-\xi_{v1}^2}\right)}{\left(\xi_n\omega_n-\xi_{v1}\omega_{v1}\right)^2+\left(\omega_n\sqrt{1-\xi_n^2}-n\pi v/L-\omega_{v1}\sqrt{1-\xi_{v1}^2}\right)^2}\left.\right]\times\sin\left(\omega_n\sqrt{1-\xi_n^2}-n\pi v/L\right)t
\end{aligned}
$$

$$(2.17)$$

显然，由式(2.17)可以看出，在车体加速度响应中，除了自身的振动频率 $\omega_v\sqrt{1-\xi_v^2}$ 成分，其余的成分均和桥梁相关，即桥梁左频 $\omega_n\sqrt{1-\xi_n^2}-n\pi v/L$ 和桥梁右频 $\omega_n\sqrt{1-\xi_n^2}+n\pi v/L$，理论上可以认为(左频＋右频)/2 为桥频，实际中当车速 $v$ 数值相比于跨径 $L$ 很小时，$n\pi v/L$ 较小，接近零。车辆响应中含有桥梁信息，因此可以尝试从车辆响应中识别桥梁模态参数。

实际上，与桥梁 $n$ 阶模态频率相关的响应分量可以从检测车的响应中分离出来[55]。本节用带通滤波器(band-pass filter，BPF)得到频带限制在 $\omega_n\sqrt{1-\xi_n^2}-n\pi v/L \sim \omega_n\sqrt{1-\xi_n^2}+n\pi v/L$ 的信号，即包含桥梁第 $n$ 阶模态的瞬态响应，以式(2.17)为例，滤波后得到

$$
\begin{aligned}
u_{v1}(t)=&\sum_{n=1}^{\infty}\mathrm{e}^{\xi_n\omega_nt}\frac{\xi_{v1}\omega_{v1}A}{2\omega_{v1}\sqrt{1-\xi_{v1}^2}}\left[\frac{\left(\omega_n\sqrt{1-\xi_n^2}+n\pi v/L\right)(\xi_n\omega_n-\xi_{v1}\omega_{v1})-\xi_n\omega_n\left(\omega_n\sqrt{1-\xi_n^2}+n\pi v/L+\omega_{v1}\sqrt{1-\xi_{v1}^2}\right)}{\left(\xi_n\omega_n-\xi_{v1}\omega_{v1}\right)^2+\left(\omega_n\sqrt{1-\xi_n^2}+n\pi v/L+\omega_{v1}\sqrt{1-\xi_{v1}^2}\right)^2}\right. \\
&-\frac{\left(\omega_n\sqrt{1-\xi_n^2}+n\pi v/L\right)(\xi_n\omega_n-\xi_{v1}\omega_{v1})-\xi_n\omega_n\left(\omega_n\sqrt{1-\xi_n^2}+n\pi v/L-\omega_{v1}\sqrt{1-\xi_{v1}^2}\right)}{\left(\xi_n\omega_n-\xi_{v1}\omega_{v1}\right)^2+\left(\omega_n\sqrt{1-\xi_n^2}+n\pi v/L-\omega_{v1}\sqrt{1-\xi_{v1}^2}\right)^2}\left.\right]\times\sin\left(\omega_n\sqrt{1-\xi_n^2}+n\pi v/L\right)t \\
&+\sum_{n=1}^{\infty}\mathrm{e}^{\xi_n\omega_nt}\frac{\xi_{v1}\omega_{v1}A}{2\omega_{v1}\sqrt{1-\xi_{v1}^2}}\left[\frac{\left(\omega_n\sqrt{1-\xi_n^2}-n\pi v/L\right)(\xi_n\omega_n-\xi_{v1}\omega_{v1})+\xi_n\omega_n\left(\omega_n\sqrt{1-\xi_n^2}-n\pi v/L+\omega_{v1}\sqrt{1-\xi_{v1}^2}\right)}{\left(\xi_n\omega_n-\xi_{v1}\omega_{v1}\right)^2+\left(\omega_n\sqrt{1-\xi_n^2}-n\pi v/L+\omega_{v1}\sqrt{1-\xi_{v1}^2}\right)^2}\right. \\
&-\frac{\left(\omega_n\sqrt{1-\xi_n^2}-n\pi v/L\right)(\xi_n\omega_n-\xi_{v1}\omega_{v1})+\xi_n\omega_n\left(\omega_n\sqrt{1-\xi_n^2}-n\pi v/L-\omega_{v1}\sqrt{1-\xi_{v1}^2}\right)}{\left(\xi_n\omega_n-\xi_{v1}\omega_{v1}\right)^2+\left(\omega_n\sqrt{1-\xi_n^2}-n\pi v/L-\omega_{v1}\sqrt{1-\xi_{v1}^2}\right)^2}\left.\right]\times\sin\left(\omega_n\sqrt{1-\xi_n^2}-n\pi v/L\right)t
\end{aligned}
$$

$$(2.18)$$

在改进的直接刚度法[79]中，利用结构的一阶模态来进行损伤识别研究即可，本节中，与桥梁一阶模态相关的车辆响应分量 $R_1$ 可以表示为

$$R_1 = \mathrm{e}^{\xi_1 \omega_1 t}\left[ A_1 \sin\left(\omega_1\sqrt{1-\xi_1^2} + \pi v/L\right)t + A_2 \sin\left(\omega_1\sqrt{1-\xi_1^2} - \pi v/L\right)t\right] \qquad (2.19)$$

其中

$$A_1 = \frac{\xi_{v1}\omega_{v1}A}{2\omega_{v1}\sqrt{1-\xi_{v1}^2}}\left[\frac{\left(\omega_1\sqrt{1-\xi_1^2}+\pi v/L\right)(\xi_1\omega_1-\xi_{v1}\omega_{v1})-\xi_1\omega_1\left(\omega_1\sqrt{1-\xi_1^2}+\pi v/L+\omega_{v1}\sqrt{1-\xi_{v1}^2}\right)}{(\xi_1\omega_1-\xi_v\omega_v)^2+\left(\omega_1\sqrt{1-\xi_1^2}+\pi v/L+\omega_{v1}\sqrt{1-\xi_{v1}^2}\right)^2}\right.$$

$$\left.+\frac{-\left(\omega_1\sqrt{1-\xi_1^2}+\pi v/L\right)(\xi_1\omega_1-\xi_{v1}\omega_{v1})+\xi_1\omega_1\left(\omega_1\sqrt{1-\xi_1^2}+\pi v/L-\omega_{v1}\sqrt{1-\xi_{v1}^2}\right)}{(\xi_1\omega_1-\xi_{v1}\omega_{v1})^2+\left(\omega_1\sqrt{1-\xi_1^2}+\pi v/L-\omega_{v1}\sqrt{1-\xi_{v1}^2}\right)^2}\right]$$

$$(2.20)$$

$$A_2 = \frac{\xi_{v1}\omega_{v1}A}{2\omega_{v1}\sqrt{1-\xi_{v1}^2}}\left[\frac{-\left(\omega_1\sqrt{1-\xi_1^2}-\pi v/L\right)(\xi_1\omega_1-\xi_{v1}\omega_{v1})+\xi_1\omega_1\left(\omega_1\sqrt{1-\xi_1^2}-\pi v/L+\omega_{v1}\sqrt{1-\xi_{v1}^2}\right)}{(\xi_1\omega_1-\xi_{v1}\omega_{v1})^2+\left(\omega_1\sqrt{1-\xi_1^2}-\pi v/L+\omega_{v1}\sqrt{1-\xi_{v1}^2}\right)^2}\right.$$

$$\left.+\frac{\left(\omega_1\sqrt{1-\xi_1^2}-\pi v/L\right)(\xi_1\omega_1-\xi_{v1}\omega_{v1})-\xi_1\omega_1\left(\omega_1\sqrt{1-\xi_1^2}-\pi v/L-\omega_{v1}\sqrt{1-\xi_{v1}^2}\right)}{(\xi_1\omega_1-\xi_{v1}\omega_{v1})^2+\left(\omega_1\sqrt{1-\xi_1^2}-\pi v/L-\omega_{v1}\sqrt{1-\xi_{v1}^2}\right)^2}\right]$$

$$(2.21)$$

若瞬态效应可以忽略，则 $R_1 / \mathrm{e}^{-\xi_1\omega_1 t}$ 可以记为

$$R_{11} = R_1 / \mathrm{e}^{-\xi_1\omega_1 t} = A_1 \sin\left(\omega_1\sqrt{1-\xi_1^2}+\pi v/L\right)t + A_2 \sin\left(\omega_1\sqrt{1-\xi_1^2}-\pi v/L\right)t$$

$$(2.22)$$

式(2.22)中对 $t$ 进行两次微分，即可得到第一阶振型对应的加速度信号：

$$\ddot{R}_{11} = \overline{\overline{A}}_1 \sin\left(\omega_1\sqrt{1-\xi_1^2}+\pi v/L\right)t + \overline{\overline{A}}_2 \sin\left(\omega_1\sqrt{1-\xi_1^2}-\pi v/L\right)t \qquad (2.23)$$

其中

$$\overline{\overline{A}}_1 = \left(\omega_1\sqrt{1-\xi_1^2}+\pi v/L\right)^2 \times (-A_1),\quad \overline{\overline{A}}_2 = \left(\omega_1\sqrt{1-\xi_1^2}-\pi v/L\right)^2 \times (-A_2) \qquad (2.24)$$

将式(2.24)进行希尔伯特变换，可得

$$H[\ddot{R}_{11}] = \overline{\overline{A}}_1 \cos\left(\omega_1\sqrt{1-\xi_1^2}+\pi v/L\right)t + \overline{\overline{A}}_2 \cos\left(\omega_1\sqrt{1-\xi_1^2}-\pi v/L\right)t \qquad (2.25)$$

一般情况下，$\pi v/L$ 相比于 $\omega_1$ 比较小，即 $\pi v/L \approx 0$，可以忽略其影响，此时有 $\overline{\overline{A}}_1 = -\overline{\overline{A}}_2$，则加速度信号的瞬时振幅为

$$A(t) = \sqrt{\ddot{R}_{11}^{\,2} + H(\ddot{R}_{11})^2} = \sqrt{(\overline{\overline{A_1}} + \overline{\overline{A_2}}) - 4\overline{\overline{A_1}}\,\overline{\overline{A_2}}\sin^2\frac{\pi vt}{L}} = 2\sqrt{\overline{\overline{A_1}}\,\overline{\overline{A_2}}}\left|\sin\frac{\pi vt}{L}\right| \tag{2.26}$$

又因为 $vt = x$ ，式(2.26)可以改写为

$$A\left(\frac{x}{v}\right) = 2\sqrt{\overline{\overline{A_1}}\,\overline{\overline{A_2}}}\left|\sin\frac{\pi x}{L}\right| \tag{2.27}$$

可以发现，由式(2.27)得到的瞬时振幅与桥梁的一阶模态振型呈线性关系，因此如果能从检测车的反应中分解出桥梁的模态反应，就可以从检测车的反应中提取出桥梁的模态振型。

### 2.2.2　考虑路面粗糙度的双车-桥系统响应理论解

路面粗糙度对检测车采集信号的影响一直都是一个难以克服的问题，也是众多学者广泛讨论的课题。在实际过程中，响应中的粗糙度频率会遮掩桥频，非常不利于识别桥梁的模态参数，本节从理论上来探讨路面粗糙度对检测车信号的影响。首先将图 2.2 中的光滑路面改为粗糙路面，即 2.2.1 节中的假设条件(4)不成立，物理模型如图 2.3 所示。图中各参数同 2.2.1 节，路面粗糙度用 $r(x)$ 表示，为了简化推导难度，采用 2.2.1 节中的假设条件(1)~(3)。

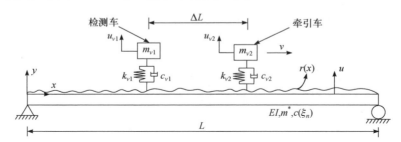

图 2.3　考虑路面粗糙度的双车-桥系统简化模型

检测车受力平衡，可以得到其控制方程为

$$m_{v1}\ddot{u}_{v1}(t) + k_{v1}\left[u_{v1}(t) - u(x,t)\big|_{x=vt} - r(x)\big|_{x=vt}\right] + c_{v1}\left[\dot{u}_{v1}(t) - \dot{u}(x,t)\big|_{x=vt} - \dot{r}(x)\big|_{x=vt}\right] = 0 \tag{2.28}$$

牵引车的控制方程为

$$\begin{aligned} &m_{v2}\ddot{u}_{v2}(t) + k_{v2}\left[u_{v2}(t) - u(x,t)\big|_{x=vt_a} - r(x)\big|_{x=vt_a}\right] \\ &+ c_{v2}\left[\dot{u}_{v2}(t) - \dot{u}(x,t)\big|_{x=vt_a} - \dot{r}(x)\big|_{x=vt_a}\right] = 0 \end{aligned} \tag{2.29}$$

桥梁的控制方程为

$$m^*\ddot{u}(x,t)+c\dot{u}(x,t)+EIu''''(x,t)=f_{c,1}^*(t)\delta(x-vt)+f_{c,2}^*(t)\delta(x-vt_a) \qquad (2.30)$$

式中，$u(x,t)$ 为桥梁 $x$ 处绝对竖向位移；$u_{v1}(t)$、$u_{v2}(t)$ 分别为检测车和牵引车从平衡位置起产生的竖向位移。$t_a$ 为牵引车的时刻，与 $t$ 的关系如下：

$$t_a=t+\Delta L/v=t+t_s \qquad (2.31)$$

$f_{c,1}^*(t)$ 和 $f_{c,2}^*(t)$ 分别为检测车和牵引车与桥梁间的互制力，表达式如下：

$$
\begin{aligned}
f_{c,1}^*(t)=&-m_{v1}g+k_{v1}\left[u_{v1}(t)-u(x,t)\big|_{x=vt}-r(x)\big|_{x=vt}\right]\\
&+c_{v1}\left[\dot{u}_{v1}(t)-\dot{u}(x,t)\big|_{x=vt}-\dot{r}(x)\big|_{x=vt}\right]
\end{aligned} \qquad (2.32)
$$

$$
\begin{aligned}
f_{c,2}^*(t)=&-m_{v2}g+k_{v2}\left[u_{v2}(t)-u(x,t)\big|_{x=vt_a}-r(x)\big|_{x=vt_a}\right]\\
&+c_{v2}\left[\dot{u}_{v2}(t)-\dot{u}(x,t)\big|_{x=vt_a}-\dot{r}(x)\big|_{x=vt_a}\right]
\end{aligned} \qquad (2.33)
$$

运用振型叠加法，简支梁的位移 $u(x,t)$ 可以表示为

$$u(x,t)=\sum_{n=1}^{\infty}\sin\frac{n\pi x}{L}q_n(t) \qquad (2.34)$$

将式(2.34)代入式(2.30)，同时乘以模态函数 $\sin(n\pi x/L)$，并对 $x$ 从 0 积分至 $L$，整理后可得

$$\ddot{q}_n(t)+2\xi_n\omega_n\dot{q}_n(t)+\omega_n^2 q_n(t)=\frac{2f_{c,1}^*(t)}{m^*L}\sin\left(\frac{n\pi vt}{L}\right)+\frac{2f_{c,1}^*(t)}{m^*L}\sin\left(\frac{n\pi vt_a}{L}\right) \qquad (2.35)$$

将式(2.32)和式(2.33)代入式(2.35)，整理可得

$$
\begin{aligned}
&\ddot{q}_n(t)+2\xi_n\omega_n\dot{q}_n(t)+\omega_n^2 q_n(t)\\
&=2\sin\left(\frac{n\pi vt}{L}\right)\left\{\frac{-m_{v1}g}{m^*L}+\frac{k_{v1}\left[u_{v1}(t)-u(x,t)\big|_{x=vt}-r(x)\big|_{x=vt}\right]}{m^*L}\right.\\
&\left.+\frac{c_{v1}\left[\dot{u}_{v1}(t)-\dot{u}(x,t)\big|_{x=vt}-\dot{r}(x)\big|_{x=vt}\right]}{m^*L}\right\}+2\sin\left(\frac{n\pi vt_a}{L}\right)\left\{\frac{-m_{v2}g}{m^*L}\right.\\
&\left.+\frac{k_{v2}\left[u_{v2}(t)-u(x,t)\big|_{x=vt_a}-r(x)\big|_{x=vt_a}\right]}{m^*L}+\frac{c_{v2}\left[\dot{u}_{v2}(t)-\dot{u}(x,t)\big|_{x=vt_a}-\dot{r}(x)\big|_{x=vt_a}\right]}{m^*L}\right\}
\end{aligned}
$$

$$(2.36)$$

结合式(2.28)和式(2.29)，利用假设条件(2)(检测车的质量远小于桥梁的质量 $m^*L$ )，不考虑车辆质量惯性力的贡献，为了简化推导，假设以下数学式等于 0：

$$\frac{k_{v1}\left[u_{v1}(t)-u(x,t)\big|_{x=vt}-r(x)\big|_{x=vt}\right]}{m^*L}+\frac{c_{v1}\left[\dot{u}_{v1}(t)-\dot{u}(x,t)\big|_{x=vt}-\dot{r}(x)\big|_{x=vt}\right]}{m^*L} \tag{2.37}$$

$$=\frac{m_{v1}\ddot{u}_{v1}(t)}{m^*L}\approx 0$$

$$\frac{k_{v2}\left[u_{v2}(t)-u(x,t)\big|_{x=vt_a}-r(x)\big|_{x=vt_a}\right]}{m^*L}+\frac{c_{v2}\left[\dot{u}_{v2}(t)-\dot{u}(x,t)\big|_{x=vt_a}-\dot{r}(x)\big|_{x=vt_a}\right]}{m^*L} \tag{2.38}$$

$$=\frac{m_{v2}\ddot{u}_{v2}(t)}{m^*L}\approx 0$$

因此，式(2.36)可以改写为

$$\ddot{q}_n(t)+2\xi_n\omega_n\dot{q}_n(t)+\omega_n^2 q_n(t)=\left(-\frac{2m_{v1}g}{m^*L}\right)\sin\left(\frac{n\pi vt}{L}\right)+\left(-\frac{2m_{v2}g}{m^*L}\right)\sin\left(\frac{n\pi vt_a}{L}\right) \tag{2.39}$$

式(2.39)与式(2.8)相同，因此可按照 2.2.1 节方法得到桥梁响应 $u(x,t)$ ，即当式(2.37)和式(2.38)成立时，路面粗糙度不会影响桥梁响应。

获得桥梁响应后，接下来求解本章所关注的车辆响应，这里主要关注路面粗糙度对检测车响应的影响，将式(2.28)改写如下：

$$\ddot{u}_{v1}(t)+2\xi_{v1}\omega_{v1}\dot{u}_{v1}(t)+\omega_{v1}^2 u_{v1}(t)$$
$$=2\xi_{v1}\omega_{v1}\left[\dot{u}(x,t)\big|_{x=vt}+\dot{r}(x)\big|_{x=vt}\right]+\omega_{v1}^2\left[u(x,t)\big|_{x=vt}+r(x)\big|_{x=vt}\right] \tag{2.40}$$
$$=\underbrace{2\xi_{v1}\omega_{v1}\dot{u}(x,t)\big|_{x=vt}+\omega_{v1}^2 u(x,t)\big|_{x=vt}}_{\text{①}}+\underbrace{2\xi_{v1}\omega_{v1}\dot{r}(x)\big|_{x=vt}+\omega_{v1}^2 r(x)\big|_{x=vt}}_{\text{②}}$$

其中

$$\omega_{v1}=\sqrt{\frac{k_{v1}}{m_{v1}}}, \quad \xi_{v1}=\frac{c_{v1}}{2m\omega_{v1}} \tag{2.41}$$

由式(2.40)等号右边可以发现，车辆受到两个激励源：桥梁振动和路面粗糙度。同时发现，式(2.40)等号右边①部分与式(2.15)等号右边相同，说明桥梁振动对车体的影响相同。路面粗糙度引起的车辆响应，即②部分引起的车辆响应是接下来推导的重点。

本章路面粗糙度采用 ISO 8608:1995(E)[22]所建议的功能密度函数来模拟。在该标准中，按照路面平整的优劣将路面粗糙度分为 A～H 八个等级，其中等级 A 为最佳路面，等级 H 为最差路面，其功能密度函数 $G_d(n)$ 如下：

$$G_d(n) = G_d(n_0)\left(\frac{n}{n_0}\right)^{-w} \tag{2.42}$$

式中，$n$ 为每单位长度的空间频率；$w$ 为常数 2；$n_0$ 为 0.1cycle/m；$G_d(n_0)$ 为位移功能密度函数值，由路面粗糙度等级确定。然而文献[38]提到该标准的路面粗糙度幅值过大，与现场实测的路面粗糙度不匹配，建议取标准中提供的函数值几何平均值的平方根，即各级路面粗糙度位移功能密度函数值 $G_d(n_0)$ 取值如下。

(1) A 级：$G_d(n_0) = 4 \times 10^{-6}\,\mathrm{m^3}$。

(2) B 级：$G_d(n_0) = 8 \times 10^{-6}\,\mathrm{m^3}$。

(3) C 级：$G_d(n_0) = 16 \times 10^{-6}\,\mathrm{m^3}$。

各级路面粗糙度下的位移振幅值 $d$ 可表示为

$$d = \sqrt{2G_d(n)\Delta n} \tag{2.43}$$

式中，$\Delta n$ 为空间频率的采样间隔。

然后以不同空间频率的余弦函数叠加来模拟路面粗糙度 $r(x)$，可表示为

$$r(x) = \sum_i d_i \cos(n_{s,i}x + \theta_i) \tag{2.44}$$

式中，$n_{s,i}$ 为第 $i$ 个空间频率；$d_i$、$\theta_i$ 分别为第 $i$ 个余弦函数的振幅和随机相位角。

本节空间频率的采样间隔 $\Delta n$ 取 0.04cycle/m，空间频率 $z_s$ 选用 1～100cycle/m。

将式(2.44)代入式(2.40)，可以得到由路面粗糙度引起的检测车的位移响应为

$$
\begin{aligned}
u_{v1,r}(t) = \sum_{i=1}^{\infty} &\frac{d_i}{\left[1-\left(n_{s,i}\,v/\omega_{v1}\right)^2\right]^2 + \left(2\xi_{v1}n_{s,i}\,v/\omega_{v1}\right)^2} \\
&\times \Bigg\{ \mathrm{e}^{-\xi_{v1}\omega_{v1}t}\Bigg\{-\left[1-\left(n_{s,i}\,v/\omega_{v1}\right)^2\right]\cos\theta_i - \left(2\xi_{v1}n_{s,i}\,v/\omega_{v1}\right)^2\cos\theta_i \\
&-2\xi_{v1}\left(n_{s,i}\,v/\omega_{v1}\right)^3\sin\theta_i\Bigg\}\cos\left(\omega_{v1}\sqrt{1-\xi_{v1}^2}\right)t + \mathrm{e}^{-\xi_{v1}\omega_{v1}t}\frac{1}{\omega_{v1}\sqrt{1-\xi_{v1}^2}} \\
&\times \Bigg\{\left[1-\left(n_{s,i}\,v/\omega_{v1}\right)^2 + \left(2\xi_{v1}n_{s,i}\,v/\omega_{v1}\right)^2\right]\left(n_{s,i}v\sin\theta_i - \xi_{v1}\omega_{v1}\cos\theta_i\right) \\
&-2\xi_{v1}\left(n_{s,i}\,v/\omega_{v1}\right)^3\left(n_{s,i}v\cos\theta_i + \xi_{v1}\omega_{v1}\sin\theta_i\right)\Bigg\}\sin\left(\omega_{v1}\sqrt{1-\xi_{v1}^2}\right)t \\
&+\left[1-\left(n_{s,i}\,v/\omega_{v1}\right)^2 + \left(2\xi_{v1}n_{s,i}\,v/\omega_{v1}\right)^2\right]\cos(n_{s,i}vt + \theta_i) \\
&+2\xi_{v1}\left(n_{s,i}\,v/\omega_{v1}\right)^3\sin(n_{s,i}vt + \theta_i)\Bigg\}
\end{aligned}
$$

$$\tag{2.45}$$

由式(2.45)可以发现，在双车模型中，考虑路面粗糙度的影响后，车体频率响应中会增加多组路面粗糙度频率 $n_{s,i}vt$ 的干扰，车体频率响应会因路面粗糙度而发生改变，但是桥频响应维持不变，由路面粗糙度引起的检测车响应只与检测车自身的属性(车体频率 $\omega_{v1}$)有关。考虑到实际过程中位移信号采集精度比较差，因此在试验中仍采用检测车的加速度信号。对式(2.45)中时间 $t$ 进行二次微分，即可得到路面粗糙度对检测车加速度响应的影响，该响应也只与检测车自身的属性(车体频率 $\omega_{v1}$ 和阻尼比 $\xi_{v1}$)有关。基于此，本节提出采用相同的牵引车分别拖动车体频率和阻尼比相同(大检测车的车体质量 $m_{v3}$、竖向刚度 $k_{v3}$ 以及车辆阻尼 $c_{v3}$ 分别与小检测车的车体质量 $m_{v2}$、竖向刚度 $k_{v2}$ 以及车辆阻尼 $c_{v2}$ 呈等倍关系)、大小不同的两辆检测车以同一路径通过桥梁，如图 2.4 所示，通过对两辆检测车的加速度响应作差，达到消除路面粗糙度影响的效果，即

$$\Delta \ddot{u} = \ddot{u}_{v2} - \ddot{u}_{v3} \tag{2.46}$$

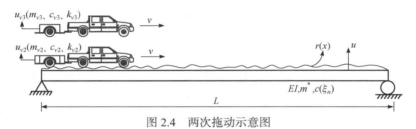

图 2.4 两次拖动示意图

对所获得的消除路面粗糙度影响后的车辆加速度信号采用本章后续阐述的方法进行数据处理，提取桥梁模态振型，对桥梁节点刚度进行识别。

### 2.2.3 带通滤波器

从传感器得到的信号，由于车辆是载体，由式(2.17)可以看出，信号中含有车体频率和桥频信息，一般情况下车体频率响应往往占主要成分。当车体频率和桥频接近时，很难区分二者，会影响桥频的识别，本节通过选择带通滤波器来设置带宽，提取所需桥频带宽带内的响应，滤掉车体频率等其他干扰信号，带通滤波器的工作原理如图 2.5 所示。

### 2.2.4 提取模态振型

传统的直接量测法可以通过在桥面布置大量的传感器，将特定桥梁模态的振幅按照传感器的安装位置连接起来，即模态振型。而在基于自动化检测车的桥梁损伤诊断中，移动的检测车等效成多个桥面上的传感器，但是每组数据均没有同步性，随着车速的不同，有着不同的相位差。因此，如何从检测车的响应中获取桥梁的模态振型是一个很值得研究的课题。

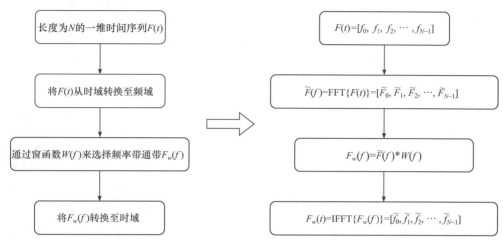

图 2.5　带通滤波器的工作原理

IFFT 表示快速傅里叶逆变换

车辆响应随时间和空间的变化而变化,即车辆响应是桥梁上车辆位置和时间的函数,短时频域分解法作为一种有用的工具,能够同时表示时域和频域的信号[80]。研究发现[65],在车-桥耦合系统中,对检测车信号采用短时频域分解法对检测车信号进行分析,每一窗频域信号中,桥频对应的信号幅值比近似等于对应的桥梁模态振型的平方比,即

$$\begin{aligned}&\varphi_{n,m}^2(x_1):\varphi_{n,m}^2(x_2):\cdots:\varphi_{n,m}^2(x_N)\\&\approx\left|S(x_1,\omega_{n,m})\right|:\left|S(x_2,\omega_{n,m})\right|:\cdots:\left|S(x_N,\omega_{n,m})\right|\end{aligned} \tag{2.47}$$

基于此,本章采用该方法来识别桥梁模态振型,以一阶振型为例,首先对式(2.46)得到的竖向加速度响应采用带通滤波器去除桥梁一阶频率以外的一切干扰信号,然后应用短时频域分解法分析滤波后的信号,其中窗宽采用两倍的单元长度,提取到每一窗中一阶桥频对应信号的幅值,再对其作比并进行归一化处理,最后开根号,所得结果即桥梁一阶模态振型。

### 2.2.5　基于改进直接刚度法的刚度识别

对于欧拉-伯努利梁,在微小的变形下,改进的直接刚度法利用弯矩-曲率的关系来计算抗弯刚度[79,81],其截面的抗弯刚度 $EI$ 表示为

$$EI=\frac{M}{\mathrm{d}^2\varphi/\mathrm{d}x^2}=\frac{M}{\varphi''} \tag{2.48}$$

式中,$M$ 为梁的截面弯矩;$\varphi$ 为梁的位移模态;$\varphi''$ 为梁的曲率模态。

假定模态位移在每个单元范围内呈线性变化,当把模态位移看成外力项施加在

单元上时，考虑梁上 $x_i$ 到 $x_{i+1}$ 段，如图 2.6 所示，利用单元的平衡关系，根据达朗贝尔原理可以计算求出第 $i$ 个单元在第 $n$ 阶模态下单元节点弯矩 $M_{i+1}$ 和剪力 $V_{i+1}$。

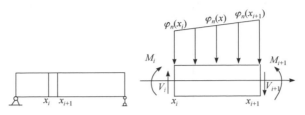

图 2.6　第 $i$ 个单元上的模态位移、弯矩和剪力

根据单元的平衡关系，可以得到沿梁长分布的弯矩和剪力：

$$M_{i+1} = M_i - \int_{x_i}^{x_{i+1}} \omega_n^2 \rho A \varphi_n (x)(x_{i+1}-x)\mathrm{d}x + V_i (x_{i+1}-x_i) \tag{2.49}$$

$$V_{i+1} = V_i - \int_{x_i}^{x_{i+1}} \omega_n^2 \rho A \varphi_n (x)\mathrm{d}x \tag{2.50}$$

式中，$\rho$、$A$ 为结构的质量密度和截面面积。

针对曲率的识别，Yang 等[24]针对以往使用惩罚函数来获取曲率时需要人为设置权重的缺点，提出了对模态数据进行中心差分的方法来提取曲率。并基于以上改进，在太平洋地震工程研究中心、美国加利福尼亚大学伯克利分校开发的 OpenSees 软件的可视化系统 OpenSeesNavigator 中加入了集成该方法的系统识别工具箱[82]，将识别出来的模态振型导入 OpenSeesNavigator 系统识别工具箱，即可获得结构各个单元的节点刚度。为解决边单元节点刚度识别效果不佳的问题，对边单元模态数据进行延拓[83](图 2.7)，较好地解决了边单元节点刚度识别精度的问题，通过节点刚度的变化，可以直观地初步判定结构的损伤位置和损伤程度。

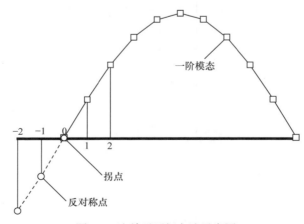

图 2.7　边单元延拓方法示意图

## 2.3　单轴车-桥耦合有限元模型

在前面的理论研究中，为了便于推导对车-桥系统引入了一些假设，证明可以从车-桥耦合模型中提取桥梁的关键参数，为该方法的学术研究提供了理论支撑。但是，更真实、更复杂的情况需要数值模拟或实际试验来验证，这样在理论推导中的大部分假设就可以适当抛弃，扩大该方法的应用范围。检测车响应和桥梁响应的解析解是针对简单桥型进行推导的，对于其他桥型，可以利用有限元法进行模拟。实际上，从检测车响应中识别桥梁的参数不受任何假设条件的限制，因为只要车与桥接触，桥梁响应就会经过轮胎传递到车体上，用检测车来识别桥梁的模态参数和损伤状态的关键技术在于对车体的数据进行加工处理，获取所需信息。

Yang 等[84]在研究高速列车与桥梁的耦合振动问题上，提出了车-桥耦合(VBI)单元，改善了以往在模拟车-桥耦合振动时出现的问题，是目前国内外车-桥耦合振动中使用频率最高的模拟方式。

在有限元模拟过程中，将桥梁分为若干个单元，为了能够考虑到车桥之间的耦合，梁单元仅考虑单元两端节点的竖向自由度和转动自由度，即一个梁单元共有四个自由度。当梁单元上有一辆检测车时，与普通梁单元不同的是，需要额外考虑一个自由度，即车辆的竖向自由度，如图 2.8 所示；当梁单元上有两辆检测车时，需要额外考虑两个自由度，如图 2.9 所示。综上可知，当梁单元上有一辆检测车时，形成的 VBI 单元共有五个自由度；当梁单元上有两辆检测车时，形成的 VBI 单元共有六个自由度。

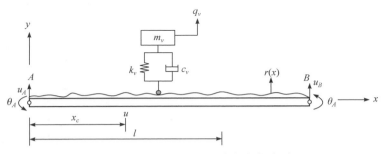

图 2.8　考虑路面粗糙度的单车-桥耦合单元

当桥梁上某梁单元有一辆检测车时，形成五个自由度的 VBI 单元，此时的运动方程可以表示为[85]

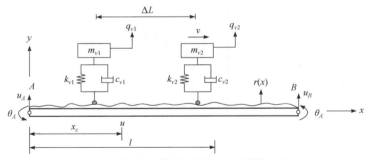

图 2.9　考虑路面粗糙度的双车-桥耦合单元

$$
\begin{bmatrix} m_v & 0 \\ 0 & [m_b] \end{bmatrix} \begin{Bmatrix} \ddot{q}_v \\ \{\ddot{u}_b\} \end{Bmatrix} + \begin{bmatrix} c_v & -c_v\{N(x_c)\}^{\mathrm{T}} \\ -c_v\{N(x_c)\}^{\mathrm{T}} & [c_b]+c_v\{N(x_c)\}\{N(x_c)\}^{\mathrm{T}} \end{bmatrix} \begin{Bmatrix} \dot{q}_v \\ \{\dot{u}_b\} \end{Bmatrix}
$$

$$
+ \begin{bmatrix} k_v & -c_v v\{N'(x_c)\}^{\mathrm{T}}-k_v\{N(x_c)\}^{\mathrm{T}} \\ -k_v\{N(x_c)\} & [k_b]+c_v v\{N(x_c)\}\{N'(x_c)\}^{\mathrm{T}}+k_v\{N(x_c)\}\{N(x_c)\}^{\mathrm{T}} \end{bmatrix} \begin{Bmatrix} q_v \\ \{u_b\} \end{Bmatrix} \quad (2.51)
$$

$$
= \begin{Bmatrix} k_{v1}r(x_c)+c_{v1}vr'(x_c) \\ -m_v g\{N(x_c)\}-k_{v1}r(x_c)\{N(x_c)\}-c_{v1}vr'(x_c)\{N(x_c)\} \end{Bmatrix}
$$

式中，$[m_b]$、$[k_b]$、$[c_b]$ 分别为普通梁单元的质量矩阵、刚度矩阵和阻尼矩阵，对于图 2.8 中的梁单元，其质量矩阵 $[m_b]$ 为

$$
[m_b]=\frac{m^* l}{420}\begin{bmatrix} 156 & 22l & 54 & -13l \\ 22l & 4l^2 & 13l & -3l^2 \\ 54 & 13l & 156 & -22l \\ -13l & -3l^2 & -22l & -4l^2 \end{bmatrix} \quad (2.52)
$$

式中，$m^*$ 为梁单元单位长度质量。相应地，梁单元的刚度矩阵 $[k_b]$ 为

$$
[k_b]=\frac{2EI}{l^3}\begin{bmatrix} 6 & 3l & -6 & 3l \\ 3l & 2l^2 & -3l & l^2 \\ -6 & -3l & 6 & -3l \\ 3l & l^2 & -3l & 2l^2 \end{bmatrix} \quad (2.53)
$$

式中，$EI$ 为梁的抗弯刚度。

一般桥梁阻尼都比较小，通常情况下，梁的阻尼矩阵 $[c_b]$ 用瑞利阻尼(Rayleigh damping)来模拟，表示为

$$
[c_b]=\alpha [m_b]+\beta [k_b] \quad (2.54)
$$

系数 $\alpha$、$\beta$ 取值为

$$
\begin{bmatrix} \alpha \\ \beta \end{bmatrix}=2\frac{\omega_m\omega_n}{\omega_n^2-\omega_m^2}\begin{bmatrix} \omega_n & -\omega_m \\ -1/\omega_n & 1/\omega_m \end{bmatrix}\begin{bmatrix} \xi_m \\ \xi_n \end{bmatrix} \quad (2.55)
$$

式中，$\xi_m$ 和 $\xi_n$ 为用于考虑结构阻尼的、与两个特定频率 $\omega_m$ 和 $\omega_n$ 相关的阻尼比。由于实际中的桥梁阻尼比比较小，通常假设应用于两个控制频率的阻尼比相同，即 $\xi_m = \xi_n = \xi$，$\omega_m$ 和 $\omega_n$ 取桥梁的前两阶频率，则 $\alpha = 2\xi\omega_1\omega_2/(\omega_1+\omega_2)$、$\beta = 2\xi/(\omega_1+\omega_2)$，$\omega_1$、$\omega_2$ 为桥梁的前两阶频率。

另外，式(2.51)中，$\{u_b\}$ 为梁单元自由度对应的位移或者转角组成的列向量；$\{\dot{u}_b\}$、$\{\ddot{u}_b\}$ 分别为 $\{u_b\}$ 对时间 $t$ 的一阶导数、二阶导数；$r(x_c)$ 为检测车位置 $x_c$ 对应的路面粗糙度；$r'(x_c)$ 为粗糙度函数在 $x_c$ 的一阶导数；$\{N(x_c)\}$ 为检测车位置 $x_c$ 对应的三次 Hermite(埃尔米特)插值函数；$\{N'(x_c)\}$ 为检测车位置 $x_c$ 对应的三次 Hermite 插值函数的一阶导数，$\{N(x_c)\}$ 表示为

$$
\{N(x_c)\} = \left\{ \begin{array}{c} N_1 \\ N_2 \\ N_3 \\ N_4 \end{array} \right\} = \left\{ \begin{array}{c} 1 - 3\left(\dfrac{x_c}{l}\right)^2 + 2\left(\dfrac{x_c}{l}\right)^3 \\[2mm] x_c\left(1 - \dfrac{x_c}{l}\right)^2 \\[2mm] 3\left(\dfrac{x_c}{l}\right)^2 - 2\left(\dfrac{x_c}{l}\right)^3 \\[2mm] \dfrac{x_c^2}{l}\left(\dfrac{x_c}{l} - 1\right) \end{array} \right\} \tag{2.56}
$$

当某梁单元上有两辆检测车时，形成六个自由度的 VBI 单元，在五个自由度的 VBI 单元的基础上推导出的运动方程可以表示为

$$
\begin{bmatrix} m_{v1} & 0 & 0 \\ 0 & m_{v2} & 0 \\ 0 & 0 & [m_b] \end{bmatrix} \left\{ \begin{array}{c} \ddot{q}_{v1}(t) \\ \ddot{q}_{v2}(t) \\ \ddot{q}_b(t) \end{array} \right\} + \begin{bmatrix} c_{v1} & 0 & -c_{v1}\{N(x_c)\}^{\mathrm{T}} \\ 0 & c_{v2} & -c_{v2}\{N(x_c)\}^{\mathrm{T}} \\ -c_{v1}\{N(x_c)\} & -c_{v2}\{N(x_c)\} & [c_b]+[c_{c1}]+[c_{c2}] \end{bmatrix}
$$

$$
\times \left\{ \begin{array}{c} \dot{q}_{v1}(t) \\ \dot{q}_{v2}(t) \\ \dot{q}_b(t) \end{array} \right\} + \begin{bmatrix} k_{v1} & 0 & -k_{v1}\{N(x_c)\}^{\mathrm{T}} - c_{v1}\{N(x_c)\}^{\mathrm{T}}v \\ 0 & k_{v2} & -k_{v2}\{N(x_c)\}^{\mathrm{T}} - c_{v2}\{N(x_c)\}^{\mathrm{T}}v \\ -k_{v1}\{N(x_c)\} & -k_{v2}\{N(x_c)\} & [k_b]+[k_{c1}]+[k_{c2}] \end{bmatrix}
$$

$$
\times \left\{ \begin{array}{c} q_{v1}(t) \\ q_{v2}(t) \\ q_b(t) \end{array} \right\} = \left\{ \begin{array}{c} c_{v1}vr'(x_c)+k_{v1}r(x_c) \\ c_{v2}vr'(x_c)-k_{v2}r(x_c) \\ -[m_{v1}g+m_{v2}g+c_{v1}vr'(x_c)+c_{v2}vr'(x_c)+k_{v1}r(x_c)+k_{v2}r(x_c)]\{N(x_c)\} \end{array} \right\}
$$

$$
\tag{2.57}
$$

其中

$$[c_{c1}] = c_{v1}\{N(x_c)\}\{N(x_c)\}^{\mathrm{T}} \tag{2.58}$$

$$[c_{c2}] = c_{v2}\{N(x_c)\}\{N(x_c)\}^{\mathrm{T}} \tag{2.59}$$

$$[k_{c1}] = c_{v1}v\{N(x_c)\}\{N'(x_c)\}^{\mathrm{T}} + k_{v1}\{N(x_c)\}\{N(x_c)\}^{\mathrm{T}} \tag{2.60}$$

$$[k_{c2}] = c_{v2}v\{N(x_c)\}\{N'(x_c)\}^{\mathrm{T}} + k_{v2}\{N(x_c)\}\{N(x_c)\}^{\mathrm{T}} \tag{2.61}$$

可以看到式(2.51)和式(2.57)中的 VBI 单元既考虑了梁单元的自由度，又考虑了车体的竖向自由度，形式和普通梁单元相似，多一辆检测车即增加一个自由度。该单元非常好用，因此贯穿本章所有的数值模拟。

观察式(2.51)式(2.57)中等号右边可以发现，车辆与桥梁之间所产生的接触或相互作用力是由车辆的重力 $m_v g\{N(x_c)\}$ 和路面粗糙度 $r(x)$ 产生的，特别要注意的是，$r(x)$ 只影响接触力，而不影响式(2.51)和式(2.57)等号左边出现的系统矩阵，因此 $r(x)$ 的存在并不改变整个 VBI 系统的频率。

在应用 MATLAB 编程进行矩阵组装时，将整根梁分成若干单元，每个时刻车辆所在的梁单元均需要采用 VBI 单元模拟，无车辆的梁单元采用普通梁单元，然后拓展到整个车辆过桥的过程，得到整个时间范围内的系统矩阵，质量矩阵、阻尼矩阵、刚度矩阵满足

$$[M]\{\ddot{U}\} + [C]\{\dot{U}\} + [K]\{U\} = \{F\} \tag{2.62}$$

式中，$[M]$、$[C]$、$[K]$ 分别为系统的质量矩阵、阻尼矩阵、刚度矩阵；$\{F\}$ 为作用在结构上的等效节点荷载向量。本章研究中采用纽马克 $\beta$ 法 ( Newmark$\beta$-method)来求解任意时刻下的车辆和桥梁响应，采用 $\beta = 0.25$、$\gamma = 0.5$ 来保证系统无条件稳定。

## 2.4　基于双车系统的桥梁节点刚度识别步骤

由理论推导可知，分别拖动频率和阻尼比相同，质量、刚度和阻尼呈比例关系的大、小两辆检测车，使其加速度响应相减来消除路面粗糙度的影响，然后从新的信号中提取桥梁模态振型，利用改进的直接刚度法反演得到桥梁的刚度，根据刚度的变化可以直接进行损伤位置和损伤程度的初步判断，整个流程如图 2.10 所示，其具体步骤为：

(1) 分别获取大、小检测车的加速度响应 acc1 和 acc2，两者相减得 acc1−acc2；

(2) 对 acc1−acc2 进行滤波，提取所需频带通带范围的桥梁响应；

(3) 对(2)中的桥梁响应用短时频域分解法提取桥梁模态振型；

(4) 基于桥梁模态振型，利用改进的直接刚度法进行桥梁刚度反演，根据刚度变化进行损伤识别。

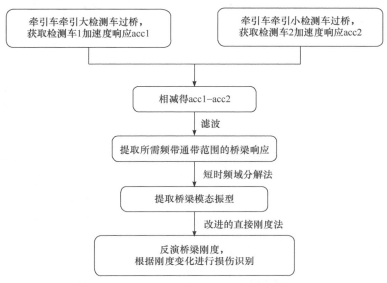

图 2.10　基于双车系统的简支梁刚度识别步骤

## 2.5　算例验证

本节将通过数值模拟探索基于双车系统识别简支梁刚度的可行性。算例采用常用的简支梁，参数为：跨径 $L=30\text{m}$，单位长度质量 $m^*=19116\text{kg}$，截面面积 $A=7.965\text{m}^2$，截面惯性矩 $I=2.9597\text{m}^4$，弹性模量 $E=29\text{GPa}$，无损桥梁的节点刚度理论值为 $8.58\times10^{10}\,\text{N}\cdot\text{m}^2$，桥梁一阶频率 $f_{b1}=3.698\,\text{Hz}$，桥梁二阶频率为 $f_{b2}=14.79\text{Hz}$。

本数值模拟中三车参数取值为：$m_{v1}=3000\text{kg}$，$k_{v1}=30000\text{N/m}$，$m_{v2}=1000\text{kg}$，$k_{v2}=10000\text{N/m}$，$m_{v3}=2000\text{kg}$，$k_{v3}=20000\text{N/m}$，大检测车参数为小检测车的 2 倍。这里暂不考虑阻尼，牵引车分别拖动两辆检测车，以速度 $v=1\text{m/s}$ 间隔 $\Delta L=2\text{m}$ 通过桥梁。在数值模拟中，采样时间间隔为 $\Delta t=0.01\text{s}$。

在利用短时频域分解法提取模态时，将桥梁分为 10 个单元，分别为 E1～E10，如图 2.11 所示，其余数字为节点编号（$j=1,2,\cdots,11$），图 2.10 流程反演得到的刚度结果为桥梁各节点的抗弯刚度，需要注意的是，本章中反演得到的刚度节点为2～10，节点 1 和 11 正好为入桥和出桥的位置，由于支座的约束，该位置振动很弱，很难精确识别模态振型，且经过两次微分后获得的曲率误差较大，识别出的刚度与理论刚度差距较大，因此不考虑边单元的节点刚度。

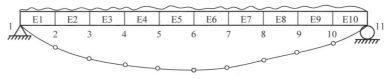

图 2.11　桥梁模型中单元和节点编号

　　路面粗糙度采用式(2.44)来模拟。为了验证本章提出的方法消除路面粗糙度的可能性，分别进行 A 级、B 级、C 级路面粗糙度及光滑路面四种工况下的检测车通过无损桥梁的数值模拟。

　　在桥频识别方面，通过理论部分可以看出路面粗糙度对检测车的信号影响比较大，主要分析以下三种信号：①大检测车加速度响应 acc1，如图 2.12(a)所示；②小检测车加速度响应 acc2；③大检测车加速度响应与小检测车加速度响应相减 acc1−acc2，如图 2.12(b)所示。图 2.12 仅展示了大检测车加速度响应 acc1 和大检测车加速度响应与小检测车加速度响应相减 acc1−acc2 的频谱图，小检测车加速度响应 acc2 的规律与大检测车加速度响应 acc1 相同，因此不展示。由图可以发现，当检测车行驶在有粗糙度的路面上时，基本上很难直接识别出桥频，但是图 2.12(b)中的信号可以明显地识别出车体频率 $f_v$、桥梁一阶频率 $f_{b1}$、桥梁二阶频率 $f_{b2}$，在这里因为检测车的车速很小，识别出的桥梁一阶频率为 3.667Hz，很接近桥梁的真实基频 3.698Hz，识别出的桥梁二阶频率为 13.87Hz，接近桥梁的真实二阶桥频 14.79Hz 本节提出的方法可以有效减小路面粗糙度的影响，提高识别桥频的精度。

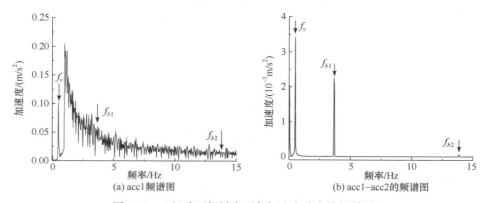

图 2.12　C 级路面粗糙度下各加速度响应的频谱图

　　接下来直接从加速度响应的角度分析路面粗糙度的影响。由图 2.13 可以发现，路面粗糙度对检测车加速度响应的影响较大，随着等级的增加，影响越大，但是通过两辆检测车加速度响应相减的方式得到的在各级路面粗糙度下和在光滑路面下大、小检测车的加速度响应是基本重合的。由此可见，无论是在频域还是在时域，本节提出的方法都可以有效消除路面粗糙度的影响。

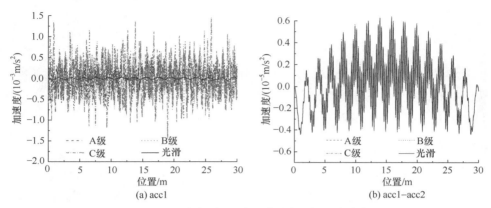

(a) acc1　　　　　　(b) acc1-acc2

图 2.13　不同路面粗糙度下检测车的加速度响应

　　为消除桥梁基频信号以外的一切干扰信号，采用带通滤波器对 acc1-acc2 滤波，本节只需要提取桥梁的一阶频率对应的桥梁响应，然后采用短时频域分解法对其进行处理，获取桥梁各节点对应的模态振型，与简支梁理论标准模态对比，如图 2.14 所示。将获得的桥梁各节点模态振型导入 OpenSeesNavigator 系统识别工具箱进行桥梁结构各节点刚度反演，结果如图 2.15 所示。

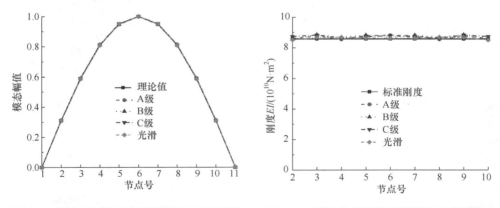

图 2.14　桥梁一阶模态振型识别结果(双车系统)　图 2.15　桥梁节点刚度反演结果(双车系统)

　　由图 2.14 和图 2.15 可知，对于无损简支梁，无论有无路面粗糙度，利用加速度相减的方法均可以有效地提取桥梁一阶模态。对于反演出来的桥梁节点刚度，光滑路面工况下识别出来的结果更接近真实值，随着路面粗糙度等级的增加，识别结果的相对误差有变大的趋势，但最大的相对误差在 5%以内，可以满足工程需求。需要注意的是，路面粗糙度实际上没有完全消除，这是因为在模拟中，式(2.37)和式(2.38)不是完全等于零,但是该方法可以有效消除路面粗糙度带来的影响。

# 2.6　参　数　分　析

2.5 节用算例验证了本章提出的方法可以有效消除路面粗糙度的影响和识别桥梁刚度,本节将基于现实情况考虑车速、车体频率、车辆阻尼、桥梁阻尼比和噪声水平等参数对桥梁各节点刚度识别结果的影响。

## 2.6.1　车速的影响

在关于车-桥耦合的相关研究中,检测车的车速往往是一个重要的参数,尤其是考虑了路面粗糙度后,车速对桥梁动态响应的精度识别影响尤为明显,本节将检测车的速度分别设为 0.5m/s、1m/s、2m/s 和 5m/s 对其进行研究,路面粗糙度等级为 C 级,其余参数同 2.5 节,桥梁各节点刚度反演结果如图 2.16 所示。

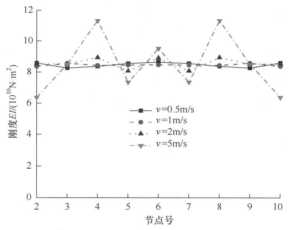

图 2.16　不同车速下桥梁各节点刚度反演结果

由图 2.16 可以看出,随着速度的增加,识别的结果呈现出变差的趋势,当 $v=5\text{m/s}$ 时,识别结果比较差,当 $v=1\text{m/s}$ 和 $v=0.5\text{m/s}$ 时识别结果较好,考虑到实际操作的难易程度,本方法建议的最佳检测车速度为 1m/s。

## 2.6.2　车体频率的影响

利用自动化检测车识别桥梁损伤成功与否,检测车的参数选择至关重要,而影响车体的主要参数就是车体的质量和刚度。车体频率会通过频谱泄漏影响识别效果,为此,本节将通过改变质量和刚度来研究车体频率对桥梁刚度识别结果的影响。小检测车参数如表 2.1 所示，大检测车的质量和刚度为小检测车的 2 倍，路面粗糙度等级取 C 级，计算结果如图 2.17 所示。

表 2.1　小检测车参数

| 序号 | 车体质量 $m_v$/kg | 竖向刚度 $k_v$/(N/m) | 车体频率 $f_v$/Hz |
| --- | --- | --- | --- |
| 1 | 5000 | 50000 | 0.503 |
| 2 | 1000 | 50000 | 1.125 |
| 3 | 500 | 50000 | 1.592 |
| 4 | 1000 | 200000 | 2.251 |
| 5 | 1000 | 300000 | 2.757 |
| 6 | 1000 | 500000 | 3.559 |

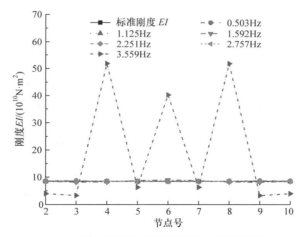

图 2.17　不同车体频率下桥梁节点刚度识别结果

由图 2.17 可知，当车体频率越接近桥梁一阶频率时，识别结果会越差；当车体频率低于 2.757Hz 时，识别结果较好；当车体频率等于 3.559Hz 时，无法识别出桥梁刚度；当车体频率与桥梁一阶频率接近时，频谱泄漏的影响越来越明显，导致识别的模态振型较差，因此识别出的刚度结果也较差。

### 2.6.3　车辆阻尼的影响

本节研究在有车辆阻尼的情况下，本章提出方法的识别效果，理论推导中提到消除路面粗糙度的影响，需要两辆检测车的车体频率和阻尼比相同，根据 $\xi_v = c_v/(2m\omega_v)$，为保证阻尼比一样，阻尼和质量应成比例增大。本节研究在大检测车的车辆阻尼分别为 0N·s/m、100N·s/m、200N·s/m、500N·s/m、1000N·s/m 工况下，小检测车的参数为大检测车的 1/2，路面粗糙度等级为 C 级，其余参数同 2.5 节，反演得到相应的节点刚度如图 2.18 所示。

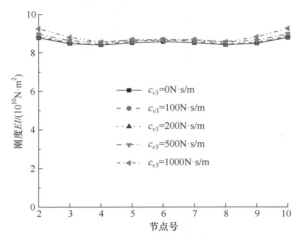

图 2.18　不同车辆阻尼下节点刚度识别结果

由图 2.18 可以看出，适当的车辆阻尼下反演的刚度结果较接近，说明在低阻尼下车辆阻尼对识别结果的影响不大，识别结果较理想，这是因为车辆阻尼对车辆信号有衰减作用，对提取桥梁信息有利。图 2.19 为有阻尼下 acc1-acc2 的频谱图，由图可以发现，桥频信号的幅值远大于车体频率的幅值，便于识别车体频率，这对带通滤波提取桥梁基频对应的响应也是有利的。

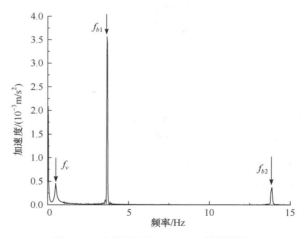

图 2.19　有阻尼下 acc1-acc2 的频谱图

### 2.6.4　桥梁阻尼比的影响

车辆阻尼的存在会影响车辆响应,桥梁阻尼比的存在同样也会影响桥梁响应。从车辆响应中提取桥梁响应时,车辆响应衰减对提取桥梁响应是有利的,但是桥梁阻尼比的存在会导致桥梁响应衰减,不利于桥梁相关信息的识别。本节分别考虑桥梁阻尼比 $\xi_n$ 为 0 和 0.005 两种工况,其余参数同 2.5 节。从车辆竖向加速度滤波中得到桥梁一阶频率对应的响应,并提取桥梁一阶模态振型,最后进行节点刚度反演。

对有无桥梁阻尼比工况下的 acc1-acc2 进行傅里叶变换,得到的频谱如图 2.20 所示。由图可见,桥梁阻尼比对车辆信号的影响主要表现在车辆信号中桥频部分信号的衰减,衰减程度高达 79.42%。由 acc1-acc2 滤波得到的一阶桥频对应的信号如图 2.21 所示。

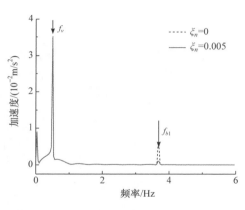

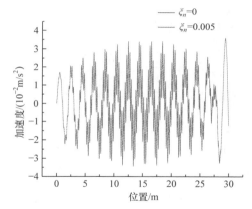

图 2.20　有无桥梁阻尼比工况下 acc1-acc2 的频谱图

图 2.21　acc1-acc2 滤波得到的一阶桥频对应的信号

在理论推导中,由式(2.19)可以发现,当桥梁阻尼比为 0 时,$e^{\xi_n \omega_n t}=1$,但是当桥梁阻尼比不为 0 时,$e^{\xi_n \omega_n t}$ 为变数,本书将其称为衰减系数。通过观察可以发现,$\xi_n$ 和 $\omega_n$ 均为定值,衰减系数仅随时间 $t$ 变化,$t$ 为采样时刻。因此,本节提出将滤波得到的桥梁信号除以衰减系数 $e^{\xi_n \omega_n t}$($\omega_n$ 取一阶桥频 $2\pi f_{b1}$)来尝试消除桥梁阻尼比带来的信号衰减的影响,处理后得到的加速度响应如图 2.22 所示。

由图 2.22 可以发现,除以衰减系数后,与桥梁阻尼比为 0 的情况基本吻合,说明采用该方法可以有效消除桥梁阻尼比的影响。识别出来的桥梁节点刚度如图 2.23 所示,由结果可以明显看出,除以衰减系数可以有效消除桥梁阻尼比的影响。

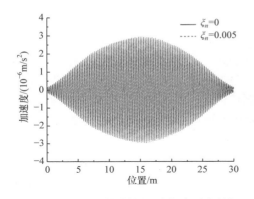

图 2.22　还原得到的桥梁一阶频率对应的加
速度响应

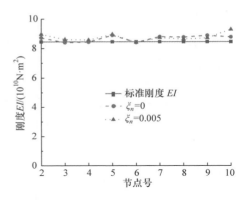

图 2.23　桥梁节点刚度识别结果

### 2.6.5　噪声的影响

在实际测量过程中，安装在检测车上的传感器采集信号时不可避免地会受到测量噪声的污染，影响测量的准确性。本节通过信噪比(signal to noise ratio，SNR)指标来对大、小检测车的加速度信号添加噪声，信噪比的定义如下：

$$SNR = 10 \times lg \frac{\frac{1}{N}\sum_{i=1}^{N} y_i^2}{\frac{1}{N}\sum_{i=1}^{N} \sigma_i^2} \tag{2.63}$$

式中，$N$ 为数据点个数；$y_i$ 为第 $i$ 时刻含有噪声的检测车加速度响应；$\sigma_i$ 为第 $i$ 时刻的噪声水平。

信噪比单位为 dB，其值越大，表示噪声影响越小，信号被污染程度越低；其值越小，表示噪声影响越大，信号被污染程度越高。在这里为了减少随机误差的影响(类似于现场的多次测量)，采用文献[83]中的做法，即采用多次测量求平均的方法来减少噪声的影响。本节对每个水平的噪声进行 10 次模拟，取其平均值来进行模态振型识别和刚度反演，即大、小检测车的加速度响应在同一噪声下 10 次模拟的平均值作为该噪声水平下的测量信号。

图 2.24 绘制了 20～50dB 不同噪声水平下节点刚度反演的结果。由图可以看出，当 SNR 大于 20dB 时，识别的结果最大误差不超过 8%，但是当 SNR 为 20dB 时，此时噪声已经非常大了，识别出来的结果较差。说明在有噪声的情况下，本方法有一定的抗噪性。有一定抗噪性的原因为通过大、小检测车的加速度响应相减及后面的带通滤波环节可以消除一部分噪声的影响。

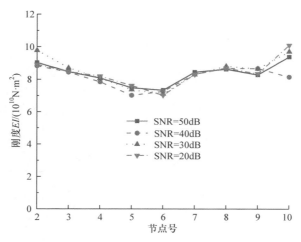

图 2.24　不同噪声水平下节点刚度反演的结果(双车系统)

## 2.7　损　伤　识　别

2.6 节对车-桥耦合系统中影响较大的因素进行了参数分析，由分析结果可以发现，本章提出的方法可以较准确地识别出无损工况下的桥梁刚度，本节将利用单元刚度折减模拟单元损伤，探讨根据刚度的变化进行损伤识别的可行性。为了表示节点刚度折减的程度，引入刚度折减系数 SVI，其定义如下：

$$\text{SVI}_i = \left| \frac{(EI_U)_i - (EI_D)_i}{(EI_U)_i} \right| \tag{2.64}$$

式中，$(EI_U)_i$ 为节点 $i$ 在无损工况下的节点刚度；$(EI_D)_i$ 为节点 $i$ 在有损工况下的节点刚度。

对于桥梁结构，当某个单元刚度发生折减，即产生损伤时，以单元 E2 损伤为例，损伤模型如图 2.25 所示。用改进的直接刚度法来识别桥梁上各节点的刚度时，发现节点刚度受影响较大的为损伤单元的两端节点，例如，单元 E2 损伤时，节点 2、3 的刚度也会随之发生折减，单元损伤越大，节点刚度折减也越大，而其余节点的刚度基本不受影响，详细研究可见文献[24]。本节用节点相邻单元的平均值来近似估计该节点的刚度，从而评价其损伤程度，例如，当单元 E2 刚度折减 15%时，节点 3 的刚度为单元 E2 和单元 E3 刚度的平均值，节点 2 的刚度为单元 E1 和单元 E2 刚度的平均值，得到的刚度折减系数为 7.5%。

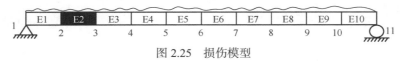

图 2.25　损伤模型

### 2.7.1 单损伤

为了研究基于双车系统运行的桥梁结构单损伤识别的可行性，本节分别对桥梁结构中一个靠近边跨的单元和一个靠近跨中的单元设置损伤，具体损伤工况如表 2.2 所示，车辆参数同 2.5 节，路面粗糙度取 C 级，桥梁阻尼比为 0.005，车辆阻尼为 $c_{v2} = 250\text{N} \cdot \text{m/s}$、$c_{v3} = 500\text{N} \cdot \text{m/s}$。对以上两种工况按照 2.4 节的流程对桥梁各节点刚度进行反演，刚度识别结果如图 2.26 所示。

**表 2.2　单损伤工况位置及程度设定**　　　　　　（单位：%）

| 工况 | 损伤位置 | 相关的节点 | 四种不同程度的单元刚度折减系数 | | | |
| --- | --- | --- | --- | --- | --- | --- |
| | | | (a) | (b) | (c) | (d) |
| 1 | $D_2$ | 2、3 | 0 | 15 | 30 | 50 |
| 2 | $D_6$ | 6、7 | 0 | 15 | 30 | 50 |

注：为区分无损单元，$D_i$ 为局部损伤单元，$i$ 为单元数。

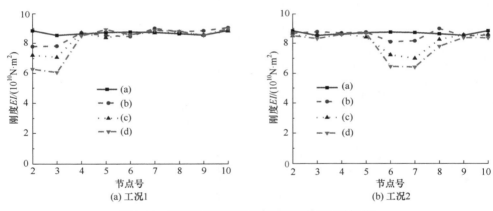

(a) 工况1　　　　　　　　　　　　(b) 工况2

图 2.26　桥梁损伤不同位置刚度识别结果(单损伤)

由桥梁损伤不同位置刚度识别结果可以明显发现，节点 2、3、6 和 7 的刚度均发生了折减，其余节点的刚度没有明显的变化，还可以发现，随着损伤程度的增加，节点 2、3、6 和 7 的刚度折减程度也增加，从而可以初步判定单元 E2 和 E6 产生了损伤。接着对损伤程度进行初步判定，对比相关节点识别出的刚度折减系数 SVI 和按照节点刚度为相邻单元的刚度平均值来计算得到的理论刚度折减系数 SVI，结果如表 2.3 所示。通过对比可以发现，识别结果误差控制在 5% 以内，可以初步判定该单元的损伤程度。

**表 2.3　节点刚度折减系数 SVI 对比(双车系统单损伤)　(单位：%)**

| 损伤位置 | 节点 | (a) | | (b) | | (c) | | (d) | |
|---|---|---|---|---|---|---|---|---|---|
| | | 识别 SVI | 理论 SVI | 识别 SVI | 理论 SVI | 识别 SVI | 理论 SVI | 识别 SVI | 理论 SVI |
| $D_2$ | 2 | 0.73 | 0 | 9.36 | 7.5 | 15.96 | 15 | 26.77 | 25 |
| | 3 | 0.46 | 0 | 9.04 | 7.5 | 17.56 | 15 | 29.40 | 25 |
| $D_6$ | 6 | 1.73 | 0 | 5.73 | 7.5 | 15.86 | 15 | 24.59 | 25 |
| | 7 | 1.48 | 0 | 5.02 | 7.5 | 18.49 | 15 | 25.14 | 25 |

### 2.7.2　多损伤

为了研究基于双车系统运行的桥梁结构多损伤识别的可行性，本节分别对桥梁结构中相邻两个单元和不相邻的两个单元设置损伤，具体损伤工况如表 2.4 所示，模型参数同 2.7.1 节。对以上两种工况按照 2.4 节的流程对桥梁各节点刚度进行反演，刚度识别结果如图 2.27 所示。

**表 2.4　多损伤工况位置及程度设定　(单位：%)**

| 工况 | 损伤位置 | 相关的节点 | 四种不同程度的单元刚度折减系数 | | | |
|---|---|---|---|---|---|---|
| | | | (a) | (b) | (c) | (d) |
| 1 | $D_4$、$D_7$ | 4、5 和 7、8 | 0 | 15 | 30 | 50 |
| 2 | $D_5$、$D_6$ | 5、6、7 | 0 | 15 | 30 | 50 |

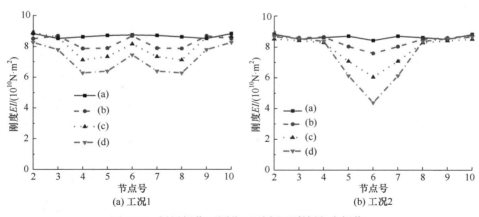

图 2.27　桥梁损伤不同位置刚度识别结果(多损伤)

由桥梁损伤不同位置刚度识别结果可以明显发现，工况 1 中的节点 4、5、7、8 和工况 2 中的节点 5、6、7 的刚度均明显地发生了折减，还可以发现，随着损伤程度的增加，这些节点刚度折减程度也增加，从而可以初步判定工况 1 中单元 E4 和 E7 产生了损伤，工况 2 中单元 E5 和 E6 产生了损伤。接着对损伤程度进行初步判定，对比相关节点识别出的刚度折减系数 SVI 和以节点刚度为相邻单元的刚度平均值来计算得到理论刚度折减系数 SVI，结果如表 2.5 所示。通过对比可以发现，识别结果绝对误差控制在 5%以内，可以初步判定该单元的损伤程度。

表 2.5　节点刚度折减系数 SVI 对比(双车系统多损伤)　　　(单位：%)

| 损伤位置 | 节点 | (a) | | (b) | | (c) | | (d) | |
|---|---|---|---|---|---|---|---|---|---|
| | | 识别 SVI | 理论 SVI | 识别 SVI | 理论 SVI | 识别 SVI | 理论 SVI | 识别 SVI | 理论 SVI |
| D₄、D₇ | 4 | 0.46 | 0 | 8.32 | 7.5 | 16.96 | 15 | 26.90 | 25 |
| | 5 | 1.48 | 0 | 8.05 | 7.5 | 14.52 | 15 | 25.58 | 25 |
| | 7 | 1.48 | 0 | 8.05 | 7.5 | 14.52 | 15 | 25.58 | 25 |
| | 8 | 0.46 | 0 | 8.32 | 7.5 | 16.96 | 15 | 26.90 | 25 |
| D₅、D₆ | 5 | 1.48 | 0 | 6.34 | 7.5 | 17.54 | 15 | 28.61 | 25 |
| | 6 | 1.73 | 0 | 11.53 | 15 | 29.62 | 30 | 48.95 | 50 |
| | 7 | 1.48 | 0 | 6.34 | 7.5 | 17.54 | 15 | 28.61 | 25 |

综上所述，刚度作为损伤指标可以初步识别出损伤位置和损伤程度。

## 2.8　本 章 小 结

本章基于理想的简支梁模型，从理论推导和数值模拟两方面对双车模型识别桥梁参数(频率和振型)和损伤识别进行了研究，并通过算例对该方法进行了验证和参数分析，结论如下。

(1) 在理论推导中，首先基于车-桥耦合模型，考虑车-桥阻尼，求解出车-桥耦合模型中车辆的竖向振动响应的近似解析解，并阐述其提取桥梁模态振型的可行性；其次在考虑路面粗糙度的情况下，求解出路面粗糙度对检测车信号响应的影响，提出分别拖动车体频率和车辆阻尼相同的大、小检测车以同一路径依次通过桥梁，使两辆检测车的加速度相减消除路面粗糙度的影响。

(2) 通过数值模拟，考虑 A 级、B 级、C 级路面粗糙度，验证了结论(1)中的方法消除路面粗糙度的可行性，并利用带通滤波和短时频域分解法识别桥梁模态振型，结合改进的直接刚度法识别桥梁节点刚度，基于此提出了简支梁刚度识别的具体步骤。

(3) 通过数值模拟研究了车速、车体频率、车辆阻尼、桥梁阻尼比、噪声水平等参数对简支梁的节点刚度识别的影响，得到以下结论：①车体频率应远小于桥频；②车速宜慢，建议采用 1m/s；③车辆阻尼对识别结果影响不大；④桥梁阻尼比可以通过除以衰减系数 $e^{\xi_n \omega_n t}$ 的方式来消除其影响；⑤SNR 大于 20dB，可以有效地识别桥梁刚度。

(4) 利用单元刚度折减模拟损伤，设置损伤程度为 15%～50%的单损伤和多损伤。结果表明，在损伤单元处，节点刚度发生明显的折减，损伤程度越高，刚度折减程度越大，通过 SVI 指标可以发现识别出来的损伤程度绝对误差在 5%以内，说明基于双车系统可以对桥梁结构进行有效的损伤识别工作。

# 第3章 基于三车系统运行动采方式的桥梁结构损伤诊断理论

## 3.1 引　言

路面粗糙度一直是自动化检测车运用到实际中的最大障碍之一，第2章提出的牵引车-单轴检测车系统，利用牵引车在同一路径上分别拖动大、小检测车，通过大、小检测车加速度响应相减的方法来消除路面粗糙度带来的影响。但是，在实际过程中很难保持两次拖动的路径和车速完全一致，同时在桥梁上增加车辆可以进一步激发出桥梁信息[28]，因此本章研究牵引车-单轴检测车-单轴检测车系统，即三车系统。

基于三车系统运行动采方式的桥梁结构损伤整体研究思路如图3.1所示，将三车简化成被弹簧支撑的质量块，先从理论中推导出在光滑桥面和有粗糙度桥面上车-桥耦合系统中检测车的响应；然后说明两辆检测车的车体频率和车辆阻尼相同时，其加速度响应先对位置进行同步再相减可消除路面粗糙度的可行性；再通过数值模拟验证相减得到的响应 acc1–acc2 识别桥梁模态振型和反演节点刚度的可行性，并进行参数分析；最后将刚度作为指标进行损伤识别研究。

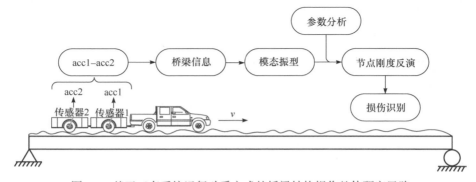

图 3.1　基于三车系统运行动采方式的桥梁结构损伤整体研究思路

# 3.2　理　论　基　础

### 3.2.1　三车-桥系统响应理论解

图 3.2 为三车-桥系统的简化模型,在这里检测车简化为被弹簧支撑的质量块,检测车 1 的参数:弹簧刚度为 $k_{v2}$、车辆阻尼为 $c_{v2}$、质量块的质量为 $m_{v2}$。检测车 2 的参数:弹簧刚度为 $k_{v3}$、车辆阻尼为 $c_{v3}$、质量块的质量为 $m_{v3}$。牵引车在这里为便于理论推导,也简化为被弹簧支撑的质量块,其弹簧刚度为 $k_{v1}$、车辆阻尼为 $c_{v1}$、质量块的质量为 $m_{v1}$。桥梁被简化为简支梁,其跨径为 $L$、单位长度质量为 $m^*$、截面的抗弯刚度为 $EI$、阻尼为 $c$。两辆检测车以匀速 $v$ 通过桥梁,假设条件与 2.2.1 节相同,推导中只考虑三车同时在桥梁上的情况。

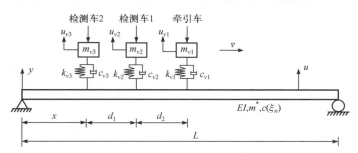

图 3.2　三车-桥系统的简化模型

对于检测车,其振动控制方程为

$$m_{v2}\ddot{u}_{v2}(t)+k_{v2}\left[u_{v2}(t)-u(x,t)\big|_{x=vt_a}\right]+c_{v2}\left[\dot{u}_{v2}(t)-\dot{u}(x,t)\big|_{x=vt_a}\right]=0 \tag{3.1}$$

$$m_{v3}\ddot{u}_{v3}(t)+k_{v3}\left[u_{v3}(t)-u(x,t)\big|_{x=vt}\right]+c_{v3}\left[\dot{u}_{v3}(t)-\dot{u}(x,t)\big|_{x=vt}\right]=0 \tag{3.2}$$

$$t_a=t+d_1/v=t+t_1 \tag{3.3}$$

对于牵引车,其振动控制方程为

$$m_{v1}\ddot{u}_{v1}(t)+k_{v1}\left[u_{v1}(t)-u(x,t)\big|_{x=vt_b}\right]+c_{v1}\left[\dot{u}_{v1}(t)-\dot{u}(x,t)\big|_{x=vt_b}\right]=0 \tag{3.4}$$

$$t_b=t+(d_1+d_2)/v=t+t_1+t_2 \tag{3.5}$$

对于桥梁,其控制方程为

$$m^*\ddot{u}(x,t)+c\dot{u}(x,t)+EIu''''(x,t)=f_{c,1}(t)\delta(x-vt)+f_{c,2}(t)\delta(x-vt_a)+f_{c,3}(t)\delta(x-vt_b)$$

$$\tag{3.6}$$

式中，$u_{v1}(t)$ 为牵引车从静止时的平衡位置起产生的竖向位移；$u_{v2}(t)$、$u_{v3}(t)$ 为检测车从静止时的平衡位置起产生的竖向位移；$u(x,t)$ 为桥梁的竖向位移；$u''''(x,t)$ 为桥梁位移对位置 $x$ 的四次微分；$\delta$ 为狄拉克函数；$(\dot{\cdot}) = \mathrm{d}(\cdot)/\mathrm{d}t$ 为对时间 $t$ 的一阶导；$(\ddot{\cdot}) = \mathrm{d}^2(\cdot)/\mathrm{d}t^2$ 为对时间 $t$ 的二阶导；$f_{c,1}(t)$、$f_{c,2}(t)$、$f_{c,3}(t)$ 为车辆通过桥梁时产生的位移差引起的互制力，可以表示为

$$f_{c,1}(t) = -m_{v1}g + k_{v1}\left[u_{v1}(t) - u(x,t)\big|_{x=vt_b}\right] + c_{v1}\left[\dot{u}_{v1}(t) - \dot{u}(x,t)\big|_{x=vt_b}\right] \tag{3.7}$$

$$f_{c,2}(t) = -m_{v2}g + k_{v2}\left[u_{v2}(t) - u(x,t)\big|_{x=vt_a}\right] + c_{v2}\left[\dot{u}_{v2}(t) - \dot{u}(x,t)\big|_{x=vt_a}\right] \tag{3.8}$$

$$f_{c,3}(t) = -m_{v3}g + k_{v3}\left[u_{v3}(t) - u(x,t)\big|_{x=vt}\right] + c_{v3}\left[\dot{u}_{v3}(t) - \dot{u}(x,t)\big|_{x=vt}\right] \tag{3.9}$$

接着用振型叠加法进行求解，简支梁的位移 $u(x,t)$ 可以表示为

$$u(x,t) = \sum_{n=1}^{\infty} \sin\left(\frac{n\pi x}{L}\right) q_n(t) \tag{3.10}$$

式中，$q_n(t)$ 为桥梁第 $n$ 阶振动模态所对应的广义坐标。

然后将式(3.10)代入式(3.6)，同时乘以模态函数 $\sin(n\pi x/L)$，并对 $x$ 从 0 积分至 $L$，结合假设条件(2)(检测车的质量远小于桥梁的质量，即 $m_{v1}/(m^*L) \ll 1$，$m_{v2}/m^*L \ll 1$，$m_{v3}/m^*L \ll 1$)，可以得到

$$\ddot{q}_n(t) + 2\xi_n\omega_n\dot{q}_n(t) + \omega_n^2 q_n(t)$$

$$= \left(-\frac{2m_{v3}g}{m^*L}\right)\sin\left(\frac{n\pi vt}{L}\right) + \left(-\frac{2m_{v2}g}{m^*L}\right)\sin\left(\frac{n\pi vt_a}{L}\right) + \left(-\frac{2m_{v1}g}{m^*L}\right)\sin\left(\frac{n\pi vt_b}{L}\right)$$

$$= \left(-\frac{2m_{v3}g}{m^*L}\right)\sin\left(\frac{n\pi vt}{L}\right) + \left(-\frac{2m_{v2}g}{m^*L}\right)\cos\left(\frac{n\pi vt_1}{L}\right)\sin\left(\frac{n\pi vt}{L}\right) + \left(-\frac{2m_{v2}g}{m^*L}\right)\sin\left(\frac{n\pi vt_1}{L}\right)\cos\left(\frac{n\pi vt}{L}\right)$$

$$+ \left(-\frac{2m_{v1}g}{m^*L}\right)\cos\left[\frac{n\pi v(t_1+t_2)}{L}\right]\sin\left(\frac{n\pi vt}{L}\right) + \left(-\frac{2m_{v1}g}{m^*L}\right)\sin\left[\frac{n\pi v(t_1+t_2)}{L}\right]\cos\left(\frac{n\pi vt}{L}\right)$$

$$\tag{3.11}$$

式中，$\omega_n$ 为桥梁的第 $n$ 阶自振频率，$\omega_n = \frac{n^2\pi^2}{L^2}\sqrt{\frac{EI}{m^*}}$；$\xi_n$ 为桥梁阻尼比，$\xi_n = \frac{c}{2m^*L\omega_n}$。

假设边界条件 $q_n(0) = Y$、$\dot{q}_n(0) = y$，将边界条件代入式(3.11)可得

$$q_n(t) = \mathrm{e}^{-\xi_n\omega_n t}\left[A\cos\left(\omega_n\sqrt{1-\xi_n^2}\,t\right) + B\sin\left(\omega_n\sqrt{1-\xi_n^2}\,t\right)\right] + C\sin\left(\frac{n\pi v}{L}\right)t + D\cos\left(\frac{n\pi v}{L}\right)t$$

$$\tag{3.12}$$

其中，$A$、$B$、$C$、$D$ 表达式为

$$
\begin{aligned}
A = Y &- \frac{2m_3gL^3}{n^4\pi^4 EI} \times \frac{2\xi_n[n\pi v/(L\omega_n)]}{\{1-[n\pi v/(L\omega_n)]^2\}^2+\{2\xi_n[n\pi v/(L\omega_n)]\}^2} \\
&- \frac{2m_{v2}gL^3}{n^4\pi^4 EI} \times \cos\left(\frac{n\pi vt_1}{L}\right) \times \frac{2\xi_n[n\pi v/(L\omega_n)]}{\{1-[n\pi v/(L\omega_n)]^2\}^2+\{2\xi_n[n\pi v/(L\omega_n)]\}^2} \\
&- \frac{2m_{v2}gL^3}{n^4\pi^4 EI} \times \sin\left(\frac{n\pi vt_1}{L}\right) \times \frac{[n\pi v/(L\omega_n)]^2-1}{\{1-[n\pi v/(L\omega_n)]^2\}^2+\{2\xi_n[n\pi v/(L\omega_n)]\}^2} \\
&- \frac{2m_{v1}gL^3}{n^4\pi^4 EI} \times \cos\left[\frac{n\pi v(t_1+t_2)}{L}\right] \times \frac{2\xi_n[n\pi v/(L\omega_n)]}{\{1-[n\pi v/(L\omega_n)]^2\}^2+\{2\xi_n[n\pi v/(L\omega_n)]\}^2} \\
&- \frac{2m_{v1}gL^3}{n^4\pi^4 EI} \times \sin\left[\frac{n\pi v(t_1+t_2)}{L}\right] \times \frac{[n\pi v/(L\omega_n)]^2-1}{\{1-[n\pi v/(L\omega_n)]^2\}^2+\{2\xi_n[n\pi v/(L\omega_n)]\}^2}
\end{aligned}
\tag{3.13}
$$

$$
\begin{aligned}
B = &-\frac{2m_{v3}gL^3}{n^4\pi^4 EI} \times \frac{2\xi_n^2-1+[n\pi v/(L\omega_n)]^2}{\{1-[n\pi v/(L\omega_n)]^2\}^2+\{2\xi_n[n\pi v/(L\omega_n)]\}^2} \times \frac{n\pi v}{L\omega_n\sqrt{1-\xi_n^2}} \\
&-\frac{2m_{v2}gL^3}{n^4\pi^4 EI} \times \cos\left(\frac{n\pi vt_1}{L}\right) \times \frac{2\xi_n^2-1+[n\pi v/(L\omega_n)]^2}{\{1-[n\pi v/(L\omega_n)]^2\}^2+\{2\xi_n[n\pi v/(L\omega_n)]\}^2} \\
&\times \frac{n\pi v}{L\omega_n\sqrt{1-\xi_n^2}} - \frac{2m_{v2}gL^3}{n^4\pi^4 EI} \times \sin\left(\frac{n\pi vt_1}{L}\right) \times \frac{1-[n\pi v/(L\omega_n)]^2}{\{1-[n\pi v/(L\omega_n)]^2\}^2+\{2\xi_n[n\pi v/(L\omega_n)]\}^2} \\
&\times \frac{\xi_n}{\sqrt{1-\xi_n^2}} - \frac{2m_{v1}gL^3}{n^4\pi^4 EI} \times \cos\left[\frac{n\pi v(t_1+t_2)}{L}\right] \times \frac{2\xi_n^2-1+[n\pi v/(L\omega_n)]^2}{\{1-[n\pi v/(L\omega_n)]^2\}^2+\{2\xi_n[n\pi v/(L\omega_n)]\}^2} \\
&\times \frac{n\pi v}{L\omega_n\sqrt{1-\xi_n^2}} - \frac{2m_{v1}gL^3}{n^4\pi^4 EI} \times \sin\left[\frac{n\pi v(t_1+t_2)}{L}\right] \times \frac{1-[n\pi v/(L\omega_n)]^2}{\{1-[n\pi v/(L\omega_n)]^2\}^2+\{2\xi_n[n\pi v/(L\omega_n)]\}^2} \\
&\times \frac{\xi_n}{\sqrt{1-\xi_n^2}} + \frac{\omega_n\xi_n Y+y}{\omega_n\sqrt{1-\xi_n^2}}
\end{aligned}
$$

$$
\tag{3.14}
$$

$$
\begin{aligned}
C = &\frac{2m_{v3}gL^3}{n^4\pi^4 EI} \times \frac{2\xi_n[n\pi v/(L\omega_n)]}{\{1-[n\pi v/(L\omega_n)]^2\}^2+\{2\xi_n[n\pi v/(L\omega_n)]\}^2} \\
&+ \frac{2m_{v2}gL^3}{n^4\pi^4 EI} \times \cos\left(\frac{n\pi vt_1}{L}\right) \times \frac{2\xi_n[n\pi v/(L\omega_n)]}{\{1-[n\pi v/(L\omega_n)]^2\}^2+\{2\xi_n[n\pi v/(L\omega_n)]\}^2} \\
&+ \frac{2m_{v2}gL^3}{n^4\pi^4 EI} \times \sin\left(\frac{n\pi vt_1}{L}\right) \times \frac{[n\pi v/(L\omega_n)]^2-1}{\{1-[n\pi v/(L\omega_n)]^2\}^2+\{2\xi_n[n\pi v/(L\omega_n)]\}^2} \\
&+ \frac{2m_{v1}gL^3}{n^4\pi^4 EI} \times \cos\left[\frac{n\pi v(t_1+t_2)}{L}\right] \times \frac{2\xi_n[n\pi v/(L\omega_n)]}{\{1-[n\pi v/(L\omega_n)]^2\}^2+\{2\xi_n[n\pi v/(L\omega_n)]\}^2}
\end{aligned}
$$

$$+\frac{2m_{v1}gL^3}{n^4\pi^4EI}\times\sin\left[\frac{n\pi v(t_1+t_2)}{L}\right]\times\frac{[n\pi v/(L\omega_n)]^2-1}{\{1-[n\pi v/(L\omega_n)]^2\}^2+\{2\xi_n[n\pi v/(L\omega_n)]\}^2} \tag{3.15}$$

$$
\begin{aligned}
D={}&\frac{2m_{v3}gL^3}{n^4\pi^4EI}\times\frac{[n\pi v/(L\omega_n)]^2-1}{\{1-[n\pi v/(L\omega_n)]^2\}^2+\{2\xi_n[n\pi v/(L\omega_n)]\}^2}\\
&+\frac{2m_{v2}gL^3}{n^4\pi^4EI}\times\cos\left(\frac{n\pi vt_1}{L}\right)\times\frac{[n\pi v/(L\omega_n)]^2-1}{\{1-[n\pi v/(L\omega_n)]^2\}^2+\{2\xi_n[n\pi v/(L\omega_n)]\}^2}\\
&-\frac{2m_{v2}gL^3}{n^4\pi^4EI}\times\sin\left(\frac{n\pi vt_1}{L}\right)\times\frac{2\xi_n[n\pi v/(L\omega_n)]}{\{1-[n\pi v/(L\omega_n)]^2\}^2+\{2\xi_n[n\pi v/(L\omega_n)]\}^2}\\
&+\frac{2m_{v1}gL^3}{n^4\pi^4EI}\times\cos\left[\frac{n\pi v(t_1+t_2)}{L}\right]\times\frac{[n\pi v/(L\omega_n)]^2-1}{\{1-[n\pi v/(L\omega_n)]^2\}^2+\{2\xi_n[n\pi v/(L\omega_n)]\}^2}\\
&-\frac{2m_{v1}gL^3}{n^4\pi^4EI}\times\sin\left[\frac{n\pi v(t_1+t_2)}{L}\right]\times\frac{2\xi_n[n\pi v/(L\omega_n)]}{\{1-[n\pi v/(L\omega_n)]^2\}^2+\{2\xi_n[n\pi v/(L\omega_n)]\}^2}
\end{aligned}
\tag{3.16}
$$

将式(3.12)代入式(3.10)，积化和差处理后，可以得到桥梁的竖向位移为

$$
\begin{aligned}
u(x,t)={}&\underbrace{\sum_{n=1}^{\infty}\mathrm{e}^{-\xi_n\omega_n t}\frac{A}{2}\left[\sin\left(\frac{n\pi v}{L}+\omega_n\sqrt{1-\xi_n^2}\right)t-\sin\left(\frac{n\pi v}{L}-\omega_n\sqrt{1-\xi_n^2}\right)t\right]}_{(1)}\\
&+\underbrace{\sum_{n=1}^{\infty}\mathrm{e}^{-\xi_n\omega_n t}\frac{B}{2}\left[\cos\left(\frac{n\pi v}{L}-\omega_n\sqrt{1-\xi_n^2}\right)t-\cos\left(\frac{n\pi v}{L}+\omega_n\sqrt{1-\xi_n^2}\right)t\right]}_{(2)}\\
&+\underbrace{\sum_{n=1}^{\infty}\frac{C}{2}\sin\left(\frac{2n\pi v}{L}\right)t}_{(3)}+\underbrace{\sum_{n=1}^{\infty}\frac{D}{2}\left[1-\cos\left(\frac{2n\pi v}{L}\right)t\right]}_{(4)}
\end{aligned}
\tag{3.17}
$$

将式(3.1)整理得

$$\ddot{u}_{v3}(t)+2\xi_{v3}\omega_{v3}\dot{u}_{v3}(t)+\omega_{v3}^2 u_{v3}(t)=2\xi_{v3}\omega_{v3}\dot{u}(x,t)\big|_{x=vt}+\omega_{v3}^2 u(x,t)\big|_{x=vt} \tag{3.18}$$

其中

$$\omega_{v3}=\sqrt{\frac{k_{v3}}{m_{v3}}},\quad \xi_{v3}=\frac{c_{v3}}{2m\omega_{v3}} \tag{3.19}$$

将式(3.17)代入式(3.18)，并利用 Duhamel 积分，求得检测车的竖向位移。这里主要关心含有桥频的信号，即含有 $\dfrac{n\pi v}{L}+\omega_n\sqrt{1-\xi_n^2}$ 或 $\dfrac{n\pi v}{L}-\omega_n\sqrt{1-\xi_n^2}$ 的项((1)和(2)两部分)，则通过带通滤波后检测车的竖向位移中含有桥频项的部分为

$$u_{v3}(t) = \mathrm{e}^{-\xi_n \omega_n t} A_1 \sin\left(\omega_n \sqrt{1-\xi_n^2} + \frac{n\pi v}{L}\right)t + \mathrm{e}^{-\xi_n \omega_n t} A_2 \sin\left(\omega_n \sqrt{1-\xi_n^2} - \frac{n\pi v}{L}\right)t \quad (3.20)$$

其中

$$
\begin{aligned}
A_1 = {} & \frac{\xi_{v3}\omega_{v3}A}{2\omega_{v3}\sqrt{1-\xi_{v3}^2}}\left[\frac{\left(\omega_n\sqrt{1-\xi_n^2}+n\pi v/L\right)(\xi_n\omega_n-\xi_{v3}\omega_{v3})-\xi_n\omega_n\left(\omega_n\sqrt{1-\xi_n^2}+n\pi v/L+\omega_{v3}\sqrt{1-\xi_{v3}^2}\right)}{(\xi_n\omega_n-\xi_{v3}\omega_{v3})^2+\left(\omega_n\sqrt{1-\xi_n^2}+n\pi v/L+\omega_{v3}\sqrt{1-\xi_{v3}^2}\right)^2}\right.\\
& \left.+\frac{-\left(\omega_n\sqrt{1-\xi_n^2}+n\pi v/L\right)(\xi_n\omega_n-\xi_{v3}\omega_{v3})+\xi_n\omega_n\left(\omega_n\sqrt{1-\xi_n^2}+n\pi v/L-\omega_{v3}\sqrt{1-\xi_{v3}^2}\right)}{(\xi_n\omega_n-\xi_{v3}\omega_{v3})^2+\left(\omega_n\sqrt{1-\xi_n^2}+n\pi v/L-\omega_{v3}\sqrt{1-\xi_{v3}^2}\right)^2}\right]\\
& +\frac{\xi_{v3}\omega_{v3}B}{2\omega_{v3}\sqrt{1-\xi_{v3}^2}}\left[\frac{\left(\omega_n\sqrt{1-\xi_n^2}+n\pi v/L\right)\left(\omega_n\sqrt{1-\xi_n^2}+n\pi v/L+\omega_{v3}\sqrt{1-\xi_{v3}^2}\right)+\xi_n\omega_n(\xi_n\omega_n-\xi_{v3}\omega_{v3})}{(\xi_n\omega_n-\xi_{v3}\omega_{v3})^2+\left(\omega_n\sqrt{1-\xi_n^2}+n\pi v/L+\omega_{v3}\sqrt{1-\xi_{v3}^2}\right)^2}\right.\\
& \left.+\frac{-\left(\omega_n\sqrt{1-\xi_n^2}+n\pi v/L\right)\left(\omega_n\sqrt{1-\xi_n^2}+n\pi v/L-\omega_{v3}\sqrt{1-\xi_{v3}^2}\right)-\xi_n\omega_n(\xi_n\omega_n-\xi_{v3}\omega_{v3})}{(\xi_n\omega_n-\xi_{v3}\omega_{v3})^2+\left(\omega_n\sqrt{1-\xi_n^2}+n\pi v/L-\omega_{v3}\sqrt{1-\xi_{v3}^2}\right)^2}\right]
\end{aligned}
$$

$$(3.21)$$

$$
\begin{aligned}
A_2 = {} & \frac{\xi_{v3}\omega_{v3}A}{2\omega_{v3}\sqrt{1-\xi_{v3}^2}}\left[\frac{-\left(\omega_n\sqrt{1-\xi_n^2}-n\pi v/L\right)(\xi_n\omega_n-\xi_{v3}\omega_{v3})+\xi_n\omega_n\left(\omega_n\sqrt{1-\xi_n^2}-n\pi v/L+\omega_{v3}\sqrt{1-\xi_{v3}^2}\right)}{(\xi_n\omega_n-\xi_{v3}\omega_{v3})^2+\left(\omega_n\sqrt{1-\xi_n^2}-n\pi v/L+\omega_{v3}\sqrt{1-\xi_{v3}^2}\right)^2}\right.\\
& \left.+\frac{\left(\omega_n\sqrt{1-\xi_n^2}-n\pi v/L\right)(\xi_n\omega_n-\xi_{v3}\omega_{v3})-\xi_n\omega_n\left(\omega_n\sqrt{1-\xi_n^2}-n\pi v/L-\omega_{v3}\sqrt{1-\xi_{v3}^2}\right)}{(\xi_n\omega_n-\xi_{v3}\omega_{v3})^2+\left(\omega_n\sqrt{1-\xi_n^2}-n\pi v/L-\omega_{v3}\sqrt{1-\xi_{v3}^2}\right)^2}\right]\\
& +\frac{\xi_{v3}\omega_{v3}B}{2\omega_{v3}\sqrt{1-\xi_{v3}^2}}\left[\frac{-\left(\omega_n\sqrt{1-\xi_n^2}-n\pi v/L\right)\left(\omega_n\sqrt{1-\xi_n^2}-n\pi v/L+\omega_{v3}\sqrt{1-\xi_{v3}^2}\right)-\xi_n\omega_n(\xi_n\omega_n-\xi_{v3}\omega_{v3})}{(\xi_n\omega_n-\xi_{v3}\omega_{v3})^2+\left(\omega_n\sqrt{1-\xi_n^2}-n\pi v/L+\omega_{v3}\sqrt{1-\xi_{v3}^2}\right)^2}\right.\\
& \left.+\frac{\left(\omega_n\sqrt{1-\xi_n^2}-n\pi v/L\right)\left(\omega_n\sqrt{1-\xi_n^2}-n\pi v/L-\omega_{v3}\sqrt{1-\xi_{v3}^2}\right)+\xi_n\omega_n(\xi_n\omega_n-\xi_{v3}\omega_{v3})}{(\xi_n\omega_n-\xi_{v3}\omega_{v3})^2+\left(\omega_n\sqrt{1-\xi_n^2}-n\pi v/L-\omega_{v3}\sqrt{1-\xi_{v3}^2}\right)^2}\right]
\end{aligned}
$$

$$(3.22)$$

　　位移响应对 $t$ 求导两次即可得到加速度响应。同理，对于检测车 1，桥梁响应是一样，因此其响应与检测车 2 响应一样，两辆检测车始终保持 $d_1$ 的距离，即两车在桥梁同一位置的加速度信号差为

$$\Delta\ddot{u}_v = \ddot{u}_{v2}(t) - \ddot{u}_{v3}\left(t + \frac{d_2}{v}\right) \quad (3.23)$$

　　可以从该信号中通过带通滤波得到含有桥频部分的信号，可以写成以下形式：

$$\Delta\ddot{u}(t) = \mathrm{e}^{-\xi_n\omega_n t} M_1 \sin\left(\omega_n\sqrt{1-\xi_n^2} + \frac{n\pi v}{L}\right)t + \mathrm{e}^{-\xi_n\omega_n t} M_2 \sin\left(\omega_n\sqrt{1-\xi_n^2} - \frac{n\pi v}{L}\right)t \quad (3.24)$$

式(3.24)与式(2.19)形式相同，可以通过与式(2.19)～式(2.27)的变换，得到相关桥梁模态信息。

### 3.2.2　考虑路面粗糙度的三车-桥系统响应理论解

当考虑路面粗糙度 $r(x)$ 时，三车-桥系统简化模型如图 3.3 所示，其余假设和参数不变。此时，检测车的振动控制方程为

$$m_{v3}\ddot{u}_{v3}(t) + k_{v3}\left[u_{v3}(t) - u(x,t)\big|_{x=vt} - r(x)\big|_{x=vt}\right]$$
$$+ c_{v3}\left[\dot{u}_{v3}(t) - \dot{u}(x,t)\big|_{x=vt} - \dot{r}(x)\big|_{x=vt}\right] = 0 \tag{3.25}$$

$$m_{v2}\ddot{u}_{v2}(t) + k_{v2}\left[u_{v2}(t) - u(x,t)\big|_{x=vt_a} - r(x)\big|_{x=vt_a}\right]$$
$$+ c_{v2}\left[\dot{u}_{v2}(t) - \dot{u}(x,t)\big|_{x=vt_a} - \dot{r}(x)\big|_{x=vt_a}\right] = 0 \tag{3.26}$$

$$t_a = t + d_1 / v = t + t_1 \tag{3.27}$$

$$m_{v1}\ddot{u}_{v1}(t) + k_{v1}\left[u_{v1}(t) - u(x,t)\big|_{x=vt_b} - r(x)\big|_{x=vt_b}\right]$$
$$+ c_{v1}\left[\dot{u}_{v1}(t) - \dot{u}(x,t)\big|_{x=vt_b} - \dot{r}(x)\big|_{x=vt_b}\right] = 0 \tag{3.28}$$

$$t_b = t + (d_1 + d_2) / v = t + t_1 + t_2 \tag{3.29}$$

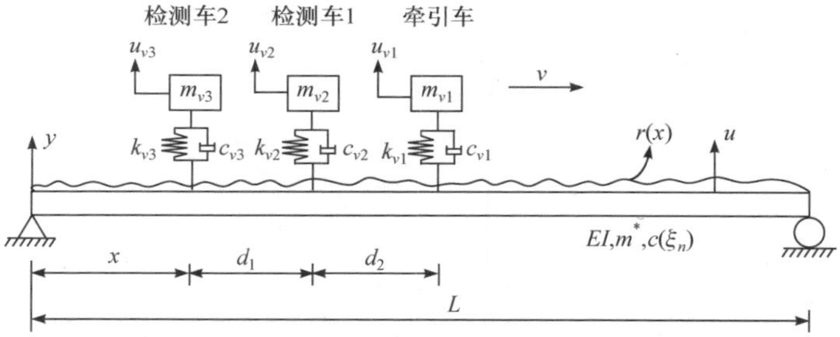

图 3.3　考虑路面粗糙度的三车-桥系统简化模型

桥梁的振动控制方程为

$$m^*\ddot{u}(x,t) + c\dot{u}(x,t) + EIu''''(x,t)$$
$$= f_{c,1}(t)\delta(x - vt) + f_{c,2}(t)\delta(x - vt_a) + f_{c,3}(t)\delta(x - vt_b) \tag{3.30}$$

其中

$$f_{c,3}(t) = -m_{v3}g + k_{v3}\left[u_{v3}(t) - u(x,t)\big|_{x=vt} - r(x)\big|_{x=vt}\right]$$
$$+ c_{v3}\left[\dot{u}_{v3}(t) - \dot{u}(x,t)\big|_{x=vt} - \dot{r}(x)\big|_{x=vt}\right] \tag{3.31}$$

$$f_{c,2}(t) = -m_{v2}g + k_{v2}\left[u_{v2}(t) - u(x,t)\big|_{x=vt_a} - r(x)\big|_{x=vt_a}\right]$$
$$+ c_{v2}\left[\dot{u}_{v2}(t) - \dot{u}(x,t)\big|_{x=vt_a} - \dot{r}(x)\big|_{x=vt_a}\right] \tag{3.32}$$

$$f_{c,1}(t) = -m_{v1}g + k_{v1}\left[u_{v1}(t) - u(x,t)\big|_{x=vt_b} - r(x)\big|_{x=vt_b}\right]$$
$$+ c_{v1}\left[\dot{u}_{v1}(t) - \dot{u}(x,t)\big|_{x=vt_b} - \dot{r}(x)\big|_{x=vt_b}\right] \tag{3.33}$$

当运用振型叠加法时，简支梁的位移 $u(x,t)$ 可以表示为

$$u(x,t) = \sum_{n=1}^{\infty}\sin\left(\frac{n\pi x}{L}\right)q_n(t) \tag{3.34}$$

接着将式(3.34)代入式(3.30)，同时乘以模态函数 $\sin(n\pi x/L)$ ，并对 $x$ 从 0 积分至 $L$ ，整理后可得

$$\ddot{q}_n(t) + 2\xi_n\omega_n\dot{q}_n(t) + \omega_n^2 q_n(t)$$

$$= 2\sin\left(\frac{n\pi vt}{L}\right)\left\{\frac{-m_{v3}g}{m^*L} + \frac{k_{v3}\left[u_{v3}(t) - u(x,t)\big|_{x=vt} - r(x)\big|_{x=vt}\right]}{m^*L}\right.$$

$$+ \frac{c_{v3}\left[\dot{u}_{v3}(t) - \dot{u}(x,t)\big|_{x=vt} - \dot{r}(x)\big|_{x=vt}\right]}{m^*L}\right\} + 2\sin\left(\frac{n\pi vt_a}{L}\right)\left\{\frac{-m_{v2}g}{m^*L}\right.$$

$$+ \frac{k_{v2}\left[u_{v2}(t) - u(x,t)\big|_{x=vt_a} - r(x)\big|_{x=vt_a}\right]}{m^*L} + \frac{c_{v2}\left[\dot{u}_{v2}(t) - \dot{u}(x,t)\big|_{x=vt_a} - \dot{r}(x)\big|_{x=vt_a}\right]}{m^*L}\right\}$$

$$+ 2\sin\left(\frac{n\pi vt_b}{L}\right)\left\{\frac{-m_{v1}g}{m^*L} + \frac{k_{v1}\left[u_{v1}(t) - u(x,t)\big|_{x=vt_a} - r(x)\big|_{x=vt_a}\right]}{m^*L}\right.$$

$$+ \frac{c_{v1}\left[\dot{u}_{v1}(t) - \dot{u}(x,t)\big|_{x=vt_a} - \dot{r}(x)\big|_{x=vt_a}\right]}{m^*L}\right\}$$

$$\tag{3.35}$$

结合 2.2.1 节假设条件(2)(检测车的质量远小于桥梁的质量，即 $m_{v1}/(m^*L) \ll 1$ ， $m_{v2}/(m^*L) \ll 1$ ， $m_{v3}/(m^*L) \ll 1$ )，不考虑车辆质量惯性力的贡献(车体的加速度远小于 $g$ )，可以进行以下简化：

$$
\frac{k_{v3}\left[u_{v3}(t)-u(x,t)\big|_{x=vt}-r(x)\big|_{x=vt}\right]}{m^{*}L}
$$

$$
+\frac{c_{v3}\left[\dot{u}_{v3}(t)-\dot{u}(x,t)\big|_{x=vt}-\dot{r}(x)\big|_{x=vt}\right]}{m^{*}L}=\frac{m_{v3}\ddot{u}_{v3}(t)}{m^{*}L}\approx 0
$$

(3.36)

$$
\frac{k_{v2}\left[u_{v2}(t)-u(x,t)\big|_{x=vt_a}-r(x)\big|_{x=vt_a}\right]}{m^{*}L}
$$

$$
+\frac{c_{v2}\left[\dot{u}_{v2}(t)-\dot{u}(x,t)\big|_{x=vt_a}-\dot{r}(x)\big|_{x=vt_a}\right]}{m^{*}L}=\frac{m_{v2}\ddot{u}_{v2}(t)}{m^{*}L}\approx 0
$$

(3.37)

$$
\frac{k_{v1}\left[u_{v1}(t)-u(x,t)\big|_{x=vt_a}-r(x)\big|_{x=vt_a}\right]}{m^{*}L}
$$

$$
+\frac{c_{v1}\left[\dot{u}_{v1}(t)-\dot{u}(x,t)\big|_{x=vt_a}-\dot{r}(x)\big|_{x=vt_a}\right]}{m^{*}L}=\frac{m_{v1}\ddot{u}_{v1}(t)}{m^{*}L}\approx 0
$$

(3.38)

因此，式(3.35)可以简化为

$$
\ddot{q}_{n}(t)+2\xi_{n}\omega_{n}\dot{q}_{n}(t)+\omega_{n}^{2}q_{n}(t)
$$

$$
=\left(-\frac{2m_{v3}g}{m^{*}L}\right)\sin\left(\frac{n\pi vt}{L}\right)+\left(-\frac{2m_{v2}g}{m^{*}L}\right)\sin\left(\frac{n\pi vt_a}{L}\right)+\left(-\frac{2m_{v1}g}{m^{*}L}\right)\sin\left(\frac{n\pi vt_b}{L}\right)
$$

$$
=\left(-\frac{2m_{v3}g}{m^{*}L}\right)\sin\left(\frac{n\pi vt}{L}\right)+\left(-\frac{2m_{v2}g}{m^{*}L}\right)\cos\left(\frac{n\pi vt_1}{L}\right)\sin\left(\frac{n\pi vt}{L}\right)
$$

(3.39)

$$
+\left(-\frac{2m_{v2}g}{m^{*}L}\right)\sin\left(\frac{n\pi vt_1}{L}\right)\cos\left(\frac{n\pi vt}{L}\right)+\left(-\frac{2m_{v1}g}{m^{*}L}\right)\cos\left[\frac{n\pi v(t_1+t_2)}{L}\right]\sin\left(\frac{n\pi vt}{L}\right)
$$

$$
+\left(-\frac{2m_{v1}g}{m^{*}L}\right)\sin\left[\frac{n\pi v(t_1+t_2)}{L}\right]\cos\left(\frac{n\pi vt}{L}\right)
$$

对比式(3.39)和式(3.11)可以发现，当车体质量远小于桥梁质量时，忽略车体惯性力的影响，路面粗糙度对桥梁响应影响不大，可以忽略。

对于检测车，将式(3.25)和式(3.26)改写为

$$
\ddot{u}_{v3}(t)+2\xi_{v3}\omega_{v3}\dot{u}_{v3}(t)+\omega_{v3}^{2}u_{v3}(t)
$$

$$
=2\xi_{v3}\omega_{v3}\left[\dot{u}(x,t)\big|_{x=vt}+\dot{r}(x)\big|_{x=vt}\right]+\omega_{v3}^{2}\left[u(x,t)\big|_{x=vt}+r(x)\big|_{x=vt}\right]
$$

(3.40)

$$
=\underbrace{2\xi_{v3}\omega_{v3}\dot{u}(x,t)\big|_{x=vt}+\omega_{v3}^{2}u(x,t)\big|_{x=vt}}_{①}+\underbrace{2\xi_{v3}\omega_{v3}\dot{r}(x)\big|_{x=vt}+\omega_{v3}^{2}r(x)\big|_{x=vt}}_{②}
$$

$$\ddot{u}_{v2}(t) + 2\xi_{v2}\omega_{v2}\dot{u}_{v2}(t) + \omega_{v2}^2 u_{v2}(t)$$

$$= 2\xi_{v2}\omega_{v2}\left[\dot{u}(x,t)\big|_{x=vt_a} + \dot{r}(x)\big|_{x=vt_a}\right] + \omega_{v2}^2\left[u(x,t)\big|_{x=vt_a} + r(x)\big|_{x=vt_a}\right] \tag{3.41}$$

$$= \underbrace{2\xi_{v2}\omega_{v2}\dot{u}(x,t)\big|_{x=vt_a} + \omega_{v2}^2 u(x,t)\big|_{x=vt_a}}_{①} + \underbrace{2\xi_{v2}\omega_{v2}\dot{r}(x)\big|_{x=vt_a} + \omega_{v2}^2 r(x)\big|_{x=vt_a}}_{②}$$

对比式(3.40)和式(3.41)，第①项可以认为是桥梁响应对检测车造成的响应，第②项可以认为是路面粗糙度对检测车造成的响应，即对于检测车，通过有粗糙度的路面时，其位移响应可以用图 3.4 来表示，表达式为

$$u_v(t) = u_{v,b}(t) + u_{v,r}(t) \tag{3.42}$$

式中，$u_{v,b}(t)$ 为由桥梁振动引起的检测车位移响应；$u_{v,r}(t)$ 为由路面粗糙度引起的检测车位移响应。

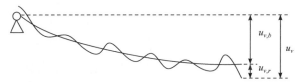

图 3.4　检测车响应组成

这里 $r(x)$ 采用 2.2.2 节中的表示方法，可以得到

$$u_{v3,r}(t) = \sum_{i=1}^{\infty} \frac{d_i}{\left[1 - \left(n_{s,i}v/\omega_{v3}\right)^2\right]^2 + \left(2\xi_{v3}n_{s,i}v/\omega_{v3}\right)^2}$$

$$\times \left\{ e^{-\xi_{v3}\omega_{v3}t}\left\{-\left[1 - \left(n_{s,i}v/\omega_{v3}\right)^2\right]\cos\theta_i - \left(2\xi_{v3}n_{s,i}v/\omega_{v3}\right)^2\cos\theta_i \right.\right.$$

$$\left.-2\xi_{v3}\left(n_{s,i}v/\omega_{v3}\right)^3\sin\theta_i\right\}\cos\left(\omega_{v3}\sqrt{1-\xi_{v3}^2}\right)t$$

$$+ e^{-\xi_{v3}\omega_{v3}t}\frac{1}{\omega_{v3}\sqrt{1-\xi_{v3}^2}}\left\{\left[1 - \left(n_{s,i}v/\omega_{v3}\right)^2 + \left(2\xi_{v3}n_{s,i}v/\omega_{v3}\right)^2\right]\left(n_{s,i}v\sin\theta_i\right.\right. \tag{3.43}$$

$$\left.-\xi_{v3}\omega_{v3}\cos\theta_i\right)-2\xi_{v1}\left(n_{s,i}v/\omega_{v1}\right)^3\left(n_{s,i}v s\cos\theta_i + \xi_{v1}\omega_{v1}\sin\theta_i\right)\right\}\sin\left(\omega_{v1}\sqrt{1-\xi_{v1}^2}\right)t$$

$$+ \left[1 - \left(n_{s,i}v/\omega_{v3}\right)^2 + \left(2\xi_{v3}n_{s,i}v/\omega_{v3}\right)^2\right]\cos(n_{s,i}vt + \theta_i)$$

$$+ 2\xi_{v3}\left(n_{s,i}v/\omega_{v3}\right)^3\sin(n_{s,i}vt + \theta_i)\right\}$$

$$u_{v2,r}(t) = \sum_{i=1}^{\infty} \frac{d_i}{\left[1 - \left(n_{s,i}\,v/\omega_{v2}\right)^2\right]^2 + \left(2\xi_{v2}n_{s,i}\,v/\omega_{v2}\right)^2}$$

$$\times \left\{ e^{-\xi_{v2}\omega_{v2}t} \left\{ -\left[1 - \left(n_{s,i}\,v/\omega_{v2}\right)^2\right]\cos\theta_a - \left(2\xi_{v2}n_{s,i}\,v/\omega_{v2}\right)^2\cos\theta_a \right. \right.$$

$$\left. -2\xi_{v2}\left(n_{s,i}\,v/\omega_{v2}\right)^3\sin\theta_a \right\} \cos\left(\omega_{v2}\sqrt{1-\xi_{v2}^2}\right)t$$

$$+ e^{-\xi_{v2}\omega_{v2}t}\frac{1}{\omega_{v1}\sqrt{1-\xi_{v2}^2}}\left\{\left[1 - \left(n_{s,i}\,v/\omega_{v2}\right)^2 + \left(2\xi_{v2}n_{s,i}\,v/\omega_{v2}\right)^2\right]\left(n_{s,i}v\sin\theta_a\right. \right.$$ 

$$\left. -\xi_{v2}\omega_{v2}\cos\theta_a\right) - 2\xi_{v1}\left(n_{s,i}\,v/\omega_{v2}\right)^3\left(n_{s,i}v\cos\theta_a + \xi_{v2}\omega_{v2}\sin\theta_a\right)\right\}\sin\left(\omega_{v2}\sqrt{1-\xi_{v2}^2}\right)t$$

$$+ \left[1 - \left(n_{s,i}\,v/\omega_{v2}\right)^2 + \left(2\xi_{v2}n_{s,i}\,v/\omega_{v2}\right)^2\right]\cos(n_{s,i}vt + \theta_a)$$

$$\left. +2\xi_{v2}\left(n_{s,i}\,v/\omega_{v2}\right)^3\sin(n_{s,i}vt + \theta_a)\right\} \tag{3.44}$$

其中

$$\theta_a = \theta_i + n_i\left(vt_1\right) = \theta_i + n_i d_1 \tag{3.45}$$

对比式(3.43)和式(3.44)可以发现，当检测车的车体频率和阻尼比相同，即 $\omega_{v2} = \omega_{v3}$、$\xi_{v2} = \xi_{v3}$ 时，可以得到

$$u_{v3,r}(t) = u_{v2,r}\left(t - \frac{d_1}{v}\right) \tag{3.46}$$

通过位移对 $t$ 两次求导可以得到加速度响应，假设检测车 2 在桥梁上 $t$ 时刻的加速度响应表示为

$$\ddot{u}_{v3}(t) = \ddot{u}_{v3,b}(t) + \ddot{u}_{v3,r}(t) \tag{3.47}$$

则检测车 1 在桥梁上 $t - \dfrac{d_1}{v}$ 时刻的加速度响应可以表示为

$$\ddot{u}_{v3}\left(t - \frac{d_1}{v}\right) = \ddot{u}_{v3,b}\left(t - \frac{d_1}{v}\right) + \ddot{u}_{v3,r}\left(t - \frac{d_1}{v}\right) \tag{3.48}$$

由式(3.43)和式(3.44)可以发现，当检测车通过桥梁上同一位置时，路面粗糙度引起的车体响应相同，即 $\ddot{u}_{v2,r}\left(t - \dfrac{d_1}{v}\right) = \ddot{u}_{v3,r}(t)$，因此可以得到

$$\Delta\ddot{u}_v = \ddot{u}_{v2}\left(t - \frac{d_1}{v}\right) - \ddot{u}_{v3}(t) = \ddot{u}_{v2,b}\left(t - \frac{d_1}{v}\right) + \ddot{u}_{v2,r}\left(t - \frac{d_1}{v}\right) - \ddot{u}_{v3,b}(t) - \ddot{u}_{v3,r}(t)$$

$$= \ddot{u}_{v2,b}\left(t - \frac{d_1}{v}\right) - \ddot{u}_{v3,b}(t) \tag{3.49}$$

## 3.3　基于三车系统的桥梁节点刚度识别步骤

由理论推导可知，牵引车拖动车体频率和车辆阻尼相同的大、小两辆检测车，对两辆检测车相对于桥梁相同位置的加速度先进行同步再相减，可以消除路面粗糙度的影响，然后从中提取桥梁模态振型，反演得到桥梁的节点刚度，根据节点刚度的变化可以直接进行损伤位置和损伤程度的初步判断，整个过程如图 3.5 所示，具体步骤如下：

(1) 三车以一定的速度通过桥梁，分别获取大、小检测车的加速度响应 acc1 和 acc2，两者相减得 acc1–acc2；

(2) 对 acc1–acc2 进行滤波，滤掉车体频率等干扰信号，提取所需频带通带范围的桥梁响应；

(3) 对(2)中的桥梁响应用短时频域分解法提取桥梁模态振型；

(4) 将(3)中的模态振型导入 OpenSeesNavigator 系统识别工具箱，利用改进的直接刚度法反演桥梁节点刚度，根据节点刚度变化进行损伤识别。

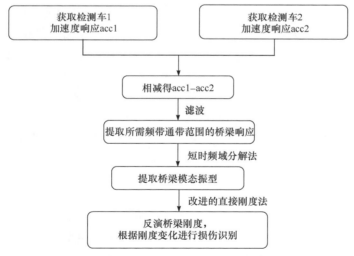

图 3.5　基于三车系统的简支梁刚度识别步骤

## 3.4　算　例　验　证

3.2 节的理论推导中采用了若干假设条件，从理论的角度说明了牵引车-检测车-检测车系统识别桥梁模态振型的可行性，本节通过数值模拟来探讨桥梁刚度识别的可行性。算例中三辆车的参数为：$m_{v1}=3000\text{kg}$，$k_{v1}=30000\text{N/m}$，$m_{v2}=2000\text{kg}$，$k_{v2}=20000\text{N/m}$，$m_{v3}=1000\text{kg}$，$k_{v3}=10000\text{N/m}$，暂时先不考虑车辆阻尼，牵引车拖动两辆检测车以速度 $v=1\text{m/s}$ 通过桥梁，其中 $d_1=1\text{m}$，$d_2=2\text{m}$，桥梁参数同 2.5 节。

### 3.4.1　无路面粗糙度时简支梁刚度识别

由理论推导可以发现，两辆检测车的响应中都会含有桥频响应，每辆检测车都会经历入桥和出桥，本节三车模型研究中，首先对两辆检测车相对于桥梁上相同位置的加速度响应进行同步，然后相减，用得到的信号进行模态识别和刚度反演，响应的不同步性可以由图 3.6 看出。

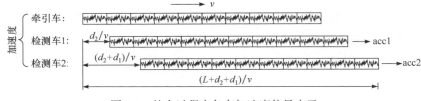

图 3.6　整个过程中各车加速度信号表示

采用 VBI 单元进行整个过程的模拟，模拟中桥梁被划分成 60 个梁单元(由于梁单元长度比较小和 $d_1$、$d_2$ 的存在，可以避免三辆车在同一梁单元上，采用单车-桥耦合即可)，采样时间间隔为 $\Delta t=0.01\text{s}$，整个过程中各车加速度信号表示如图 3.6 所示。其中，检测车 1 的加速度信号为 acc1，检测车 2 的加速度信号为 acc2，第 2 章已经说明在无路面粗糙度时，单轴检测车可以识别桥频、模态振型和反演节点刚度。本节主要研究两辆检测车的加速度响应差 acc1-acc2 识别模态参数中的桥频、振型和节点刚度的可行性。需要注意的是，本章提到的 acc1-acc2 是指先对位置同步，再进行相减，更准确地表示应该为 acc1($t$)-acc2($t$+$d_1/v$)，其中 $t$ 的取值范围为($d_2/v$，$d_2/v+L/v$]，图 3.7 为无路面粗糙度时 acc1-acc2 的响应及其频谱图。

由图 3.7(a)可以看出，有车辆出桥时会对后面的车辆响应有很大的影响，尤其在 $B$ 点后该信号的幅值突变很大，但是频谱中可以清晰地识别出车体频率、桥梁一阶、二阶频率，二阶频率幅值较小，对比第 2 章结论可以看出，该信号可以尝试进一步来提取第一阶模态振型。然后对 acc1-acc2 划带通滤波处理，按图 2.11 划分单元，利用短时频域分解法识别模态，最后进行节点刚度反演。识别的无路面粗糙度时桥梁一阶模态振型如图 3.8 所示，将获得的各节点模态振型导入 OpenSeesNavigator 系统识别工具箱反演桥梁结构各节点刚度，反演结果如表 3.1 所示。

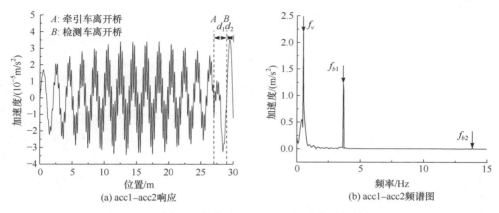

(a) acc1-acc2响应　　　　　　　　　(b) acc1-acc2频谱图

图 3.7　无路面粗糙度时 acc1-acc2 的响应及其频谱图

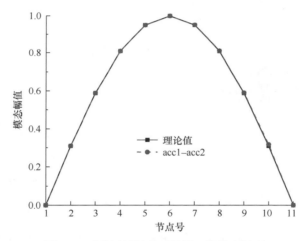

图 3.8　无路面粗糙度时桥梁一阶模态振型

**表 3.1　无路面粗糙度时识别的节点刚度反演结果**

| 节点号 | 识别刚度/($10^{10}$N·m²) | 理论刚度/($10^{10}$N·m²) | 相对误差/% |
|---|---|---|---|
| 2 | 8.56 | 8.58 | −0.23 |
| 3 | 8.38 | 8.58 | −2.33 |
| 4 | 8.49 | 8.58 | −1.05 |
| 5 | 8.50 | 8.58 | −0.93 |
| 6 | 8.48 | 8.58 | −1.17 |
| 7 | 8.44 | 8.58 | −1.63 |
| 8 | 8.42 | 8.58 | −1.86 |
| 9 | 8.82 | 8.58 | 2.80 |
| 10 | 8.48 | 8.58 | −1.17 |

由表 3.1 可以发现,在无路面粗糙度时,对于理想简支梁,采用本节的方法进行一阶模态振型和节点刚度反演,识别的模态振型与理论模态振型基本吻合,节点刚度的识别结果相对误差在 5% 以内,可以满足工程要求。

### 3.4.2 考虑路面粗糙度时简支梁刚度识别

为验证本章提出的方法消除路面粗糙度影响的可行性,分别考虑在 A 级、B 级、C 级路面粗糙度下的识别效果。对于单辆车,路面粗糙度对其响应影响非常大[21],A 级路面粗糙度下检测车 2 的加速度响应及其频谱如图 3.9 所示。理论推导中发现,在时域中,对两辆检测车加速度响应先进行位置同步,然后相减,可以消除路面粗糙度的影响。图 3.10 为在时域中光滑路面和有粗糙度路面下 acc1−acc2 的响应及其频谱对比图。

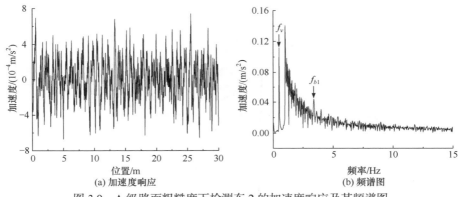

(a) 加速度响应　　　　　　　　(b) 频谱图

图 3.9　A 级路面粗糙度下检测车 2 的加速度响应及其频谱图

由图 3.9 和图 3.10 可以看出,时域中路面粗糙度对每辆检测车的影响均比较大,通过相邻车辆在时域内的加速度响应相减可以基本消除路面粗糙度的影响。

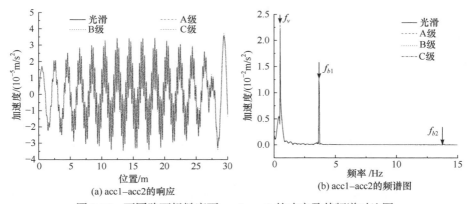

(a) acc1−acc2 的响应　　　　　　　(b) acc1−acc2 的频谱图

图 3.10　不同路面粗糙度下 acc1−acc2 的响应及其频谱对比图

　　对 acc1–acc2 进行带通滤波处理，将桥梁分为 10 个单元，利用短时傅里叶变换识别模态，最后进行节点刚度反演，识别的桥梁一阶模态振型如图 3.11 所示，将获得的各节点模态振型导入 OpenSeesNavigator 系统识别工具箱反演桥梁结构各节点刚度，反演结果如图 3.12 所示。

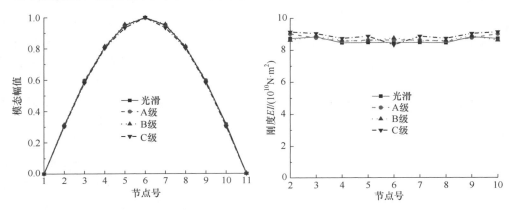

图 3.11　桥梁一阶模态振型识别结果(三车系统)　　图 3.12　桥梁节点刚度反演结果(三车系统)

　　由图 3.11 和图 3.12 可以发现，考虑路面粗糙度时，对于理想简支梁，识别出的桥梁一阶模态振型大致吻合，但是没有完全重合。节点刚度反演结果显示，随着路面粗糙度等级的增加，相对误差变大，在 A 级、B 级路面粗糙度下节点刚度的相对误差在 5%以内；在 C 级路面粗糙度下，边单元节点相对误差较大，达到 8%，其余节点相对误差均在 5%以内。对比时域、频域以及节点刚度识别结果可以发现，采用加速度相减的方法可以有效消除路面粗糙度的影响，但是没有达到完全消除，这可能是因为在推导中检测车质量远小于桥梁质量，忽略了车体惯性力的影响，认为路面粗糙度只影响了检测车的运动，忽略了对桥梁的影响，而这一部分在模拟中是有影响的。

## 3.5　参 数 分 析

　　3.4 节对利用本章提出的方法消除路面粗糙度的可行性进行了验证，由第 2章的分析可以看出，车-桥系统的参数会影响节点刚度的识别结果，本节将基于现实情况，考虑车距、车体频率、车辆阻尼和桥梁阻尼比和噪声水平等参数对节点刚度识别结果的影响，本节模拟基于 B 级路面粗糙度，桥梁和车辆的参数无特别说明默认同 3.4 节。

### 3.5.1 车距的影响

双车系统中拖动两次,大、小检测车每次在桥梁上同一位置时,桥梁受力是一样的。但是在三车系统中,当检测车在桥梁上同一位置时,桥梁的受力是有区别的,对于检测车 1,前面和后面各有一辆车,而对于检测车 2,前面有两辆车,车距的存在会导致出现车辆依次入桥和出桥的现象,在图 3.7(a)中可以看到,加速度响应在靠近桥梁右端 $B$ 点后出现一个很大的峰值,这是车辆出桥时引起的车-桥系统参数突变,进而引起的检测车响应突变,因此出桥阶段车辆加速度会发生突变。而在双车系统中,每次拖动时牵引车相对于检测车的位置是不变的,本节通过改变牵引车和检测车之间的车距 $d_1$ 和 $d_2$ 来研究其对节点刚度反演的影响,$d_1$、$d_2$ 的取值范围如表 3.2 所示。

表 3.2　车距的取值范围

| 工况 | $d_1$/m | $d_2$/m | 影响的节点 |
|---|---|---|---|
| 1 | 2 | 1 | 2 和 10 |
| 2 | 2 | 2 | 2、3 和 9、10 |
| 3 | 2 | 4 | 2、3 和 9、10 |
| 4 | 1 | 2 | 2 和 10 |
| 5 | 2 | 2 | 2、3 和 9、10 |
| 6 | 4 | 2 | 2、3 和 9、10 |

本章分析中是将桥梁分为 10 段,每段 3m,每个节点对应的位置如图 2.11 所示。三辆车依次入桥和出桥,该现象会导致系统整体发生突变,对检测车响应可能存在影响。短时频域分解法提取模态时是两倍窗宽($2 \times 3$ m)对应的信号,因此该现象可能会影响模态提取的准确性。影响的节点是指三车相继入桥或相继出桥过程可能影响的节点,例如,$3 < (d_1 + d_2) < 6$,三车刚入桥时,牵引车在单元 E2,会影响节点 2、3 模态振型的识别;刚出桥时,第二辆检测车在单元 E9,会影响节点 9、10 模态振型的识别。

工况 1~3 中,保持 $d_1 = 2$m 不变,改变 $d_2$,识别到的桥梁一阶模态振型如图 3.13(a)所示;工况 4~6 中,保持 $d_2 = 2$m 不变,改变 $d_1$,识别到的桥梁一阶模态振型如图 3.13(b)所示。

由图 3.13 可以发现,不同车距下识别出来的桥梁一阶模态振型存在差别,对比图 3.13(a)和(b)可以得到以下结论:①不同车距对入桥阶段相关节点识别结果的影响小于出桥阶段,即在出桥阶段,车距影响的相关节点的一阶模态振型识别结果较差;②当两辆检测车之间的距离不变时,即 $d_1$ 为 2m,将 $d_2$ 从 1m 改到 4m,发现除了出桥过程影响的节点,其他节点一阶模态振型识别结果和标准模态振型较吻合；③当牵引车与检测车 1 距离不变，即 $d_2$ 为 2m，$d_1$ 为 1m 和 2m 时，发现除了出桥过程影响的节点，其他节点一阶模态振型识别结果和标准模态较吻合，但当 $d_1$ 为 3m 时，节点 2 的模态振型识别结果偏小。

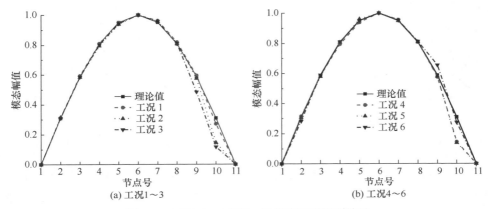

图 3.13　工况 1～6 桥梁一阶模态振型识别结果

由以上分析可以发现，车辆相继出桥对车-桥系统的影响大于相继入桥。为消除这种影响，采用桥梁两端各行驶一次，剔除单次出桥阶段影响的节点，其余节点模态在对应位置取平均重新组合得到"新模态"，结果如图 3.14 所示。

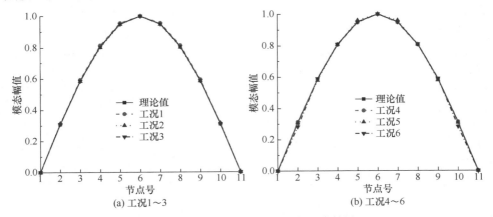

图 3.14　桥梁一阶模态振型重新组合结果

将获得的各节点"新模态"振型导入 OpenSeesNavigator 系统识别工具箱反演桥梁结构各节点刚度，反演结果如图 3.15 所示。工况 1～4 识别结果相对误差都在 6%以下，可以满足工程要求，说明该方法可以有效解决车距带来的影响。

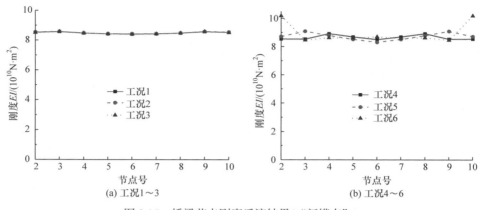

图 3.15　桥梁节点刚度反演结果("新模态")

　　工况 6 中边单元节点刚度相对误差较大,达到 18%,图 3.15 中可以看到节点 2 的模态振型低于其他工况在该点的模态振型,导致该工况计算结果相对误差较大。同时也可以发现:①当$(d_1 + d_2)$一定、$d_1$ 小而 $d_2$ 大时,得到的结果优于 $d_1$ 大而 $d_2$ 小的结果;②当 $d_1$ 不变、$d_2$ 增加时,模态通过"重组"后识别结果均在可接受范围;③当 $d_2$ 不变、$d_1$ 为 1m 和 2m 时,识别结果均在可接受范围;④当 $d_1$ 为 4m 时,边单元识别结果误差较大,因此建议在设计试验时要适当地控制检测车之间的距离,不宜过大。而在双车系统中,没有考虑牵引车与检测车的间距,这是因为两次拖动过程的路径是相同的,检测车相对于牵引车的位置也是相同的,通过检测车之间的加速度相减,可以避免牵引车出桥的影响,模态识别结果如图 3.16 所示,可以看出模态基本重合。

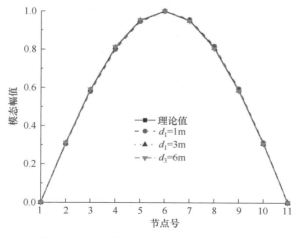

图 3.16　不同车距下桥梁一阶模态识别结果

由图 3.13 识别结果可以发现，三车出桥阶段识别结果远差于入桥阶段识别结果，下面用两种方法从检测车中提取一阶桥频对应的信号：①带通滤波；②EMD。下面展示不同工况下，带通滤波提取一阶桥频对应的响应和 EMD 得到的 IMF1(原始信号)，结果如图 3.17 和图 3.18 所示。由图可以发现，在工况 1 下带通滤波得到的桥频信息较好，但在工况 2 下出桥阶段加速度信号降低较明显，不利于提取模态，而利用 IMF1 可以更清楚地看到车辆出桥阶段信号降低。

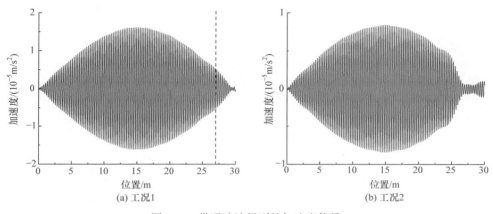

图 3.17　带通滤波得到的加速度信号

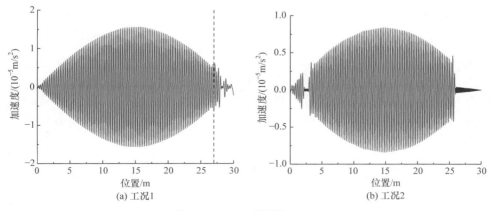

图 3.18　EMD 得到的 IMF1

### 3.5.2　车速的影响

由第 2 章可以发现，在双车模型中，车速在较低的水平下节点刚度识别结果较好。本节同样考虑检测车的移动速度分别为 0.5m/s、1m/s、2m/s、5m/s 时对节点刚度识别结果的影响，车距取为 $d_1=1m$、$d_1=2m$，其余参数同 3.4 节，考虑到出桥段对桥梁的影响较大，本节采用 3.4.1 节方式得到模态振型，然后导入 OpenSeesNavigator

系统识别工具箱反演桥梁结构各节点刚度，反演结果如图 3.19 所示。

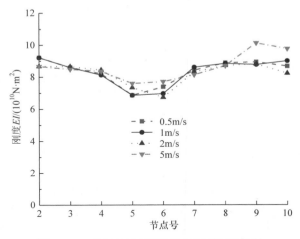

图 3.19　不同车速下桥梁节点刚度反演结果

由图 3.19 可以看到，当车速为 1m/s 时，识别的节点刚度相对误差在 5%以内；当车速为 0.5m/s 时，识别的节点刚度相对误差在 6%以内，边单元节点 2、10 的刚度相对误差达到 11%；当车速为 5m/s 时，边单元节点 2、10 的刚度相对误差达到 13%，节点 3、10 的刚度相对误差达到 10%，其余节点的刚度相对误差均在 5%以内。因此，建议车速取 1m/s。

### 3.5.3　车体频率的影响

车体频率能直接影响桥梁信号传递到车体的传递路径，本节探讨车体频率在三车模型中对节点刚度识别结果的影响，小检测车参数如表 3.3 所示，大检测车的车体质量和竖向刚度为小检测车的 2 倍，不同车体频率下桥梁节点刚度反演结果如图 3.20 所示。

表 3.3　小检测车参数

| 序号 | 车体质量 $m_v$/kg | 竖向刚度 $k_v$/(N/m) | 车体频率 $\omega_v$/Hz |
|---|---|---|---|
| 1 | 5000 | 50000 | 0.503 |
| 2 | 1000 | 50000 | 1.125 |
| 3 | 500 | 50000 | 1.592 |
| 4 | 1000 | 200000 | 2.251 |
| 5 | 1000 | 300000 | 2.757 |
| 6 | 1000 | 500000 | 3.559 |

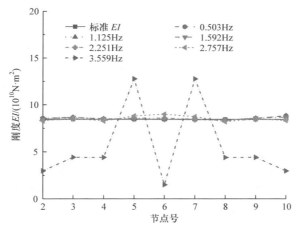

图 3.20　不同车体频率下桥梁节点刚度反演结果

由图 3.20 可知，车体频率对三车系统节点刚度识别结果的影响基本和双车系统相同样，车体频率越接近桥梁一阶频率时，识别结果越差。主要是当车体频率与桥频接近时，频谱泄漏的影响越来越明显，导致识别的模态振型较差，因此识别出的刚度结果也较差。

### 3.5.4　车辆阻尼的影响

本节研究在大检测车的车辆阻尼为 0N·s/m、100N·s/m、200N·s/m、500N·s/m、1000N·s/m，小检测车的车辆阻尼为大检测车的 1/2 的工况下，反演得到相应的节点刚度，反演结果如图 3.21 所示。

由图 3.21 可以看出，在 B 级路面粗糙度下，增大车辆阻尼，对桥梁节点刚度反演结果影响不大，因此车辆阻尼在该方法中不需要消除。

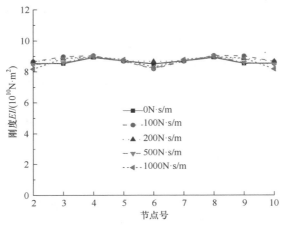

图 3.21　不同车辆阻尼工况下桥梁节点刚度反演结果

### 3.5.5 桥梁阻尼比的影响

本节研究考虑桥梁阻尼比后，从检测车信号中提取桥梁模态信息来识别模态振型和桥梁节点刚度的可行性，分别考虑桥梁阻尼比 $\xi_n$ 为 0 和 0.005 两种工况，其余参数同 3.4 节，从车辆竖向加速度中滤波得到桥梁一阶桥频对应的响应，并提取桥梁一阶模态振型，最后进行节点刚度反演。

对两种工况下得到的 acc1–acc2 进行傅里叶变换，得到的频谱如图 3.22 所示。由图可以发现，桥梁阻尼比对车辆信号的影响主要表现在车辆信号中桥频部分信号的衰减，衰减程度高达 78.4%。从 acc1–acc2 中滤波出来的一阶桥频对应的信号如图 3.23 所示，文献[26]提到该信号的轮廓线即桥梁的模态，可以明显发现，考虑桥梁阻尼比后，直接根据滤波后的信号无法提取模态。

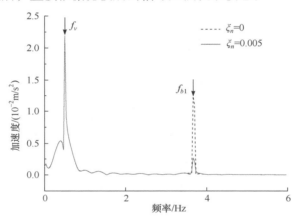

图 3.22　不同桥梁阻尼比下 acc1–acc2 的频谱图

在理论推导中，由式(3.24)可以发现，当桥梁阻尼比为 0 时，该项 $e^{\xi_n\omega_n t}=1$，但是当桥梁阻尼比不为 0 时，$e^{\xi_n\omega_n t}$ 是一个变数，本章将其称为衰减系数。通过观察可发现，$\xi_n$ 和 $\omega_n$ 为定值时，衰减系数仅随时间 $t$ 变化，$t$ 为采样时刻。因此，本节提出将滤波得到的桥梁信号除以衰减系数 $e^{\xi_n\omega_n t}$，来尝试消除桥梁阻尼比带来信号衰减的影响，本节 $\omega_n$ 取一阶桥频 $2\pi f_{b1}$，处理后得到的加速度响应如图 3.24 所示。

由图 3.24 可以发现，滤波得到的桥梁信号除以衰减系数后，与桥梁阻尼比为 0 相比，前半段基本吻合，后半段越靠近边单元，结果越差，尤其是在三车离开桥梁阶段还原效果较差。这是后半段桥梁阻尼比对桥频信号的衰减作用过大，桥频信号可能已经衰减殆尽，导致信号还原精度下降，同时车辆出桥阶段对车-桥系统响应影响较大。为解决这一问题，可以采用 3.4.1 节提出的从桥梁两端各行驶一次，认为每次拖动过程中仅前半段信号识别的模态振型为有效模态振型，然后将两个半段模态振型重新组合，得到的桥梁一阶模态振型如图 3.25 所示，节点刚度反演结果如图 3.26 所示。

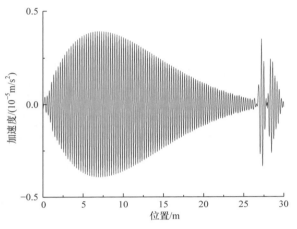

图 3.23　滤波得到的一阶桥频对应的信号

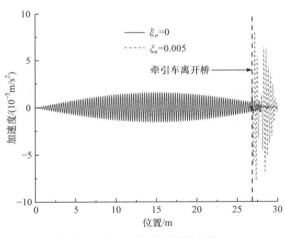

图 3.24　还原得到的桥梁响应

由图 3.26 可以发现，采用本节提出的方法识别出的桥梁一阶模态振型，基本与理论模态振型一致，反演出来的节点刚度相对误差在 5%以内，验证了该方法的有效性。

### 3.5.6　噪声的影响

在实际测量过程中，安装在检测车上的传感器采集信号时不可避免地会受到测量噪声的污染，影响测量的准确性。本节按照 2.6.5 节提出的信噪比(SNR)来添

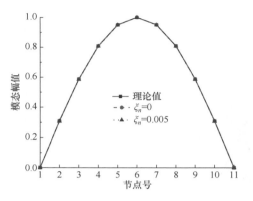

图 3.25 桥梁一阶模态振型识别结果(桥梁
阻尼比的影响)

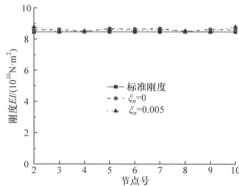

图 3.26 桥梁节点刚度反演结果(桥梁阻尼比的
影响)

加噪声,为减少随机误差的影响(类似现场的多次测量),按照文献[83]中多次测量求平均的方法来减少噪声的影响。本节对每个水平的噪声进行 10 次模拟,取其平均值来进行模态识别和刚度反演,即将两辆检测车的加速度响应在同一水平噪声下 10 次模拟的平均值作为该噪声水平下的测量信号。

图 3.27 中绘制了 10~50dB 多种不同噪声水平下节点刚度反演的结果。由图可以看出,当 SNR 大于 20dB 时,识别的结果最大误差不超过 9%,但是当 SNR 为 10dB 时,此时噪声已经非常大了,识别出来的结果较差。说明在有噪声的情况下,本方法有一定的抗噪性。有一定抗噪性的原因可以归结于通过大、小检测车的加速度响应相减及后面的带通滤波环节可以消除掉一部分噪声的影响。

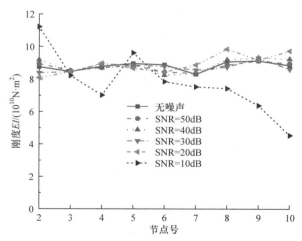

图 3.27 不同噪声水平下节点刚度反演的结果(三车系统)

### 3.5.7　相同的检测车

Yang 等[85]提出了采用两辆参数完全相同的检测车也可以识别出桥频,但是没有对模态进行研究。对于两辆检测车,当移动到桥梁上同一位置时,其他车辆的位置不同,因此对于相同的两辆检测车,它们的响应是不一样的。因此,本节研究采用参数完全相同的两辆检测车在牵引车的拖动下通过整个桥面,两辆检测车的参数为: $m_{v3} = m_{v2} = 1000\text{kg}$ , $k_{v2} = k_{v3} = 1000\text{N/m}$ ,路面粗糙度等级为 B 级,其余参数同 3.4 节,识别的桥梁一阶模态振型及桥梁节点刚度反演结果如图 3.28 和图 3.29 所示。

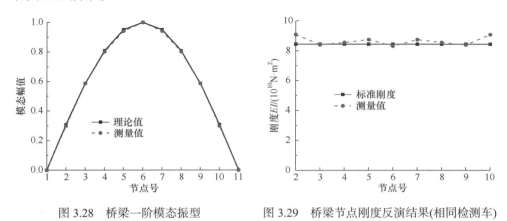

图 3.28　桥梁一阶模态振型　　　　　图 3.29　桥梁节点刚度反演结果(相同检测车)

由图 3.28 和图 3.29 可以发现,当使用相同参数的检测车时,识别的桥梁模态结果较理想,识别出来的节点刚度相对误差均在 6%以内,可以满足工程需求。

## 3.6　损　伤　识　别

由前面的参数分析可以发现,在无损条件下,本章提出的方法可以在允许的相对误差范围内识别桥梁节点刚度,为验证本节所述方法对桥梁损伤位置及损伤程度进行识别的可行性,在桥梁结构的不同位置设置不同程度的损伤进行数值分析,并进行对比分析。与 2.7 节类似,本节考虑单损伤和多损伤,在桥梁结构中加入桥梁阻尼比 $\xi_n = 0.005$ ,车辆阻尼 $c_{v2} = 1000\text{N} \cdot \text{m/s}$ 、 $c_{v3} = 500\text{N} \cdot \text{m/s}$ ,路面粗糙度等级为 B 级,其余桥梁和车辆参数同 3.4 节。

### 3.6.1　单损伤

本节分别对桥梁结构中一个靠近边跨的单元和一个靠近跨中的单元设置损伤,具体损伤工况如表 3.4 所示,基于 3.2 节的流程刚度识别结果如图 3.30 所示。

表 3.4　单损伤工况位置及程度设定　　　　　　　（单位：%）

| 工况 | 损伤位置 | 相关的节点 | 四种不同程度的单元刚度折减系数 | | | |
|---|---|---|---|---|---|---|
| | | | (a) | (b) | (c) | (d) |
| 1 | $D_2$ | 2、3 | 0 | 15 | 30 | 50 |
| 2 | $D_6$ | 6、7 | 0 | 15 | 30 | 50 |

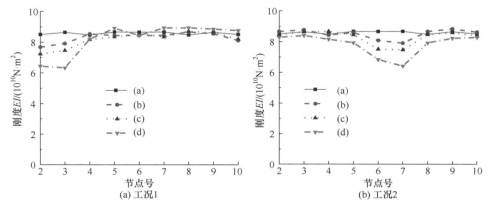

图 3.30　桥梁损伤不同位置刚度识别结果(三车系统)

由图 3.30 识别的刚度结果可以很明显地发现，节点 2、3、6 和 7 的刚度均发生了折减，其余节点的刚度则没有发生明显的变化。还可以发现，随着损伤程度的增加，节点 2、3、6 和 7 的刚度折减程度也增加，从而可以初步判定单元 E2 和 E6 产生了损伤。接着对损伤程度进行初步判定，对比相关节点识别出的刚度折减系数 SVI 和按照节点刚度为相邻单元的刚度平均值来计算得到的理论刚度折减系数 SVI，结果如表 3.5 所示，通过对比可以发现，识别结果误差控制在 5% 以内，可以初步判定该单元的损伤程度。

表 3.5　节点刚度折减系数 SVI 对比(三车系统单损伤)　　　（单位：%）

| 损伤位置 | 节点 | (a) | | (b) | | (c) | | (d) | |
|---|---|---|---|---|---|---|---|---|---|
| | | 识别 SVI | 理论 SVI | 识别 SVI | 理论 SVI | 识别 SVI | 理论 SVI | 识别 SVI | 理论 SVI |
| $D_2$ | 2 | 0.73 | 0 | 10.51 | 7.5 | 15.67 | 15 | 24.96 | 25 |
| | 3 | 1.24 | 0 | 7.77 | 7.5 | 13.06 | 15 | 26.23 | 25 |
| $D_6$ | 6 | 0.95 | 0 | 5.88 | 7.5 | 12.46 | 15 | 20.37 | 25 |
| | 7 | 0.90 | 0 | 7.90 | 7.5 | 13.02 | 15 | 25.36 | 25 |

### 3.6.2　多损伤

为了研究基于三车系统运行的桥梁结构多损伤识别的可行性，本节分别对桥梁结构中相邻和不相邻的两个单元设置损伤，具体损伤工况如表 3.6 所示，车辆参数同 3.4 节,路面粗糙度取 B 级,桥梁阻尼比为 0.005,车辆阻尼 $c_{v2}=250\text{N}\cdot\text{m/s}$、$c_{v3}=500\text{N}\cdot\text{m/s}$。对以上两种工况按照 3.3 节的流程对桥梁各节点刚度进行刚度反演,刚度识别结果如图 3.31 所示。

表 3.6　多损伤工况位置及程度设定　　　　　　　　（单位：%）

| 工况 | 损伤位置 | 相关的节点 | 四种不同程度的单元刚度折减系数 | | | |
| | | | (a) | (b) | (c) | (d) |
| --- | --- | --- | --- | --- | --- | --- |
| 1 | $D_4$、$D_7$ | 4、5 和 7、8 | 0 | 15 | 30 | 50 |
| 2 | $D_5$、$D_6$ | 5、6、7 | 0 | 15 | 30 | 50 |

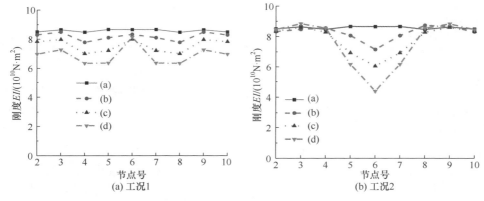

图 3.31　桥梁损伤不同位置刚度识别结果(三车系统)

由图 3.31 识别的刚度结果可以明显发现,工况 1 中的节点 4、5、7、8 和工况 2 中的节点 5、6、7 的刚度均明显地发生了折减。还可以发现,随着损伤程度的增加,这些节点刚度折减程度也增加,从而可以初步判定工况 1 中单元 E4 和 E7 产生了损伤,工况 2 中单元 E5 和 E6 产生了损伤。接着对损伤程度进行初步判定,对比相关节点识别出的刚度折减系数 SVI 和按照节点刚度为相邻单元的刚度平均值来计算得到的理论刚度折减系数 SVI,结果如表 3.7 所示。通过对比可以发现,识别结果相对误差控制在 5%以内,可以初步判定该单元的损伤程度。

表 3.7　节点刚度折减系数 SVI 对比(三车系统多损伤)　　　　（单位：%）

| 损伤位置 | 节点 | (a) | | (b) | | (c) | | (d) | |
| | | 识别 SVI | 理论 SVI | 识别 SVI | 理论 SVI | 识别 SVI | 理论 SVI | 识别 SVI | 理论 SVI |
| --- | --- | --- | --- | --- | --- | --- | --- | --- | --- |
| | 4 | 1.24 | 0 | 9.27 | 7.5 | 18.22 | 15 | 25.98 | 25 |
| $D_4$、$D_7$ | 5 | 0.98 | 0 | 5.53 | 7.5 | 15.75 | 15 | 25.78 | 25 |
| | 7 | 0.98 | 0 | 5.53 | 7.5 | 15.75 | 15 | 25.78 | 25 |
| | 8 | 1.24 | 0 | 9.27 | 7.5 | 18.22 | 15 | 25.98 | 25 |

续表

| 损伤位置 | 节点 | (a) | | (b) | | (c) | | (d) | |
|---|---|---|---|---|---|---|---|---|---|
| | | 识别SVI | 理论SVI | 识别SVI | 理论SVI | 识别SVI | 理论SVI | 识别SVI | 理论SVI |
| $D_5$、$D_6$ | 5 | 0.98 | 0 | 6.02 | 7.5 | 19.11 | 15 | 28.15 | 25 |
| | 6 | 0.90 | 0 | 16.51 | 15 | 29.54 | 30 | 48.85 | 50 |
| | 7 | 0.98 | 0 | 6.02 | 7.5 | 19.11 | 15 | 28.15 | 25 |

综上所述，刚度作为损伤指标可以初步识别出损伤位置和损伤程度。

## 3.7 本 章 小 结

本章基于牵引车-单轴检测车系统提出了牵引车-单轴检测车-单轴检测车系统，从理论推导和数值模拟两个角度对该模型进行了研究，结论如下：

(1) 理论推导中，基于车-桥耦合模型，考虑车-桥阻尼和路面粗糙度的情况下，求解出车-桥耦合模型中车辆竖向振动响应的近似解析解，从理论上解释了两辆检测车在时域内先进行位置同步再相减可以消除路面粗糙度的影响，然后给出了基于三车系统识别桥梁刚度的具体步骤。

(2) 数值模拟中，首先验证了 acc1−acc2 消除路面粗糙度的可行性，并成功识别出了桥梁刚度，然后考虑了车距、车体频率、车辆阻尼、桥梁阻尼比、噪声水平等参数对节点刚度识别结果的影响，结果表明：检测车车距不宜过大，车辆出桥阶段对模态识别的影响较大，可以通过正反方向各牵引一次取有效模态进行重组来识别刚度；车速建议低速，1m/s 效果最好；车辆阻尼在低阻尼下对刚度识别影响较小；桥梁阻尼比对识别结果影响较大，可以通过除以衰减系数的方法有效地消除；当 SNR 大于 20dB 时，可以有效地识别桥梁刚度；同时发现，当两辆检测车参数相同时，识别效果更好。

(3) 利用单元刚度折减模拟损伤，设置损伤程度为 15%～50% 的单损伤和多损伤，结果表明：在损伤单元处，相邻节点刚度发生明显的折减，损伤程度越高，刚度折减程度越大。通过 SVI 指标可以发现，识别出来的损伤程度相对误差在 5% 以内，说明基于三车系统可以有效地对桥梁结构进行损伤识别工作。

# 第4章 基于三车系统运行静采方式的桥梁结构损伤诊断理论 I

## 4.1 引　言

利用三车运行动采可以有效减小路面粗糙度对桥梁损伤诊断的影响，但是在实际试验中，路面粗糙度依旧不可避免。本章介绍了一种新型基于自动化检测车的桥梁损伤诊断方法，采用该方法不需要考虑路面粗糙度对识别结果的影响，解决了牵引车拖动检测车一直运行，并同步采集信号的传统方法在考虑路面粗糙度的影响下识别结果不佳的问题，整体研究思路如图 4.1 所示。

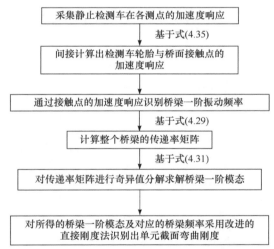

图 4.1　基于三车系统运行静采方式 I 下的整体研究思路

本章对提出的新型基于自动化检测车的桥梁损伤诊断方法的相关理论进行了推导，首先介绍利用静止检测车采集加速度响应，间接推导计算出检测车轮胎与桥面接触点信号；然后分别推导基于检测车信号和基于接触点信号的传递率表达式；接着构建整个桥梁的传递率矩阵，进而对传递率矩阵进行奇异值分解，求解出桥梁一阶模态；最后利用改进的直接刚度法将模态反演成桥梁各单元的截面抗弯刚度。本章从理论上推导相邻两点的传递率不受桥梁阻尼比、车辆阻尼、外激励变化、噪声水平等因素的影响，利用数值模拟和实桥试验验证该方法的可行性。

# 4.2　理　论　基　础

### 4.2.1　接触点响应理论

将车-桥耦合系统简化为图 4.2 所示的模型。本节分别把桥梁和车简化为一跨简支梁和弹簧上支撑的质量块，牵引车在该方法中只起拖动检测车的作用，因此不在模型中表示。梁的长度为 $L$，梁的截面抗弯刚度为 $EI$，梁的阻尼为 $c$，梁的单位长度质量为 $m^*$，移动车辆的质量为 $m_v$，支撑弹簧的弹簧刚度为 $k_v$，支撑弹簧的阻尼为 $c_v$，桥梁路面粗糙度为 $r(x)$[21,22]，移动车辆以匀速 $v$ 通过桥梁。如图 4.2 所示，检测车 1 质量为 $m_{v1}$，支撑弹簧的弹簧刚度为 $k_{v1}$，支撑弹簧的阻尼为 $c_{v1}$；检测车 2 质量为 $m_{v2}$，支撑弹簧的弹簧刚度为 $k_{v2}$，支撑弹簧的阻尼为 $c_{v2}$。该模型以移动车通过桥梁作为外激励，利用两辆检测车同步移动后静止采集的信号进行分析。

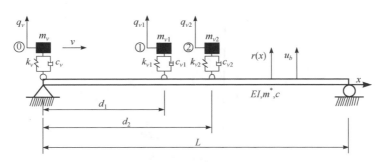

图 4.2　车-桥系统简化模型

同时进行如下假设：

(1) 桥梁为均匀且等截面的欧拉-伯努利梁；

(2) 检测车的质量远小于桥梁的质量；

(3) 桥梁在检测车进入前处于完全静止状态。

当考虑路面粗糙度及车-桥阻尼影响时，移动车辆、检测车以及桥梁的振动控制方程可以表示为

$$m_v\ddot{q}_v(t)+c_v[\dot{q}_v(t)-\dot{u}_b(x,t)|_{x=vt}-\dot{r}(x)|_{x=vt}]+k_v[q_v(t)-u_b(x,t)|_{x=vt}-r(x)|_{x=vt}]=0$$

(4.1)

$$m_{v1}\ddot{q}_{v1}(t)+c_{v1}[\dot{q}_{v1}(t)-\dot{u}_b(x,t)|_{x=d_1}]+k_{v1}[q_{v1}(t)-u_b(x,t)|_{x=d_1}]=0 \qquad (4.2)$$

$$m_{v2}\ddot{q}_{v2}(t)+c_{v2}[\dot{q}_{v2}(t)-\dot{u}_b(x,t)|_{x=d_2}]+k_{v2}[q_{v2}(t)-u_b(x,t)|_{x=d_2}]=0 \qquad (4.3)$$

$$m^* \ddot{u}_b(x,t) + c\dot{u}_b(x,t) + EIu_b''''(x,t) = f_c(t)\delta(x - vt) \tag{4.4}$$

式中，$q_v$、$\dot{q}_v$、$\ddot{q}_v$ 分别为外激励移动车辆的绝对竖向位移、速度和加速度，移动车辆即图 4.2 中⓪号小车；$q_{v1}$、$\dot{q}_{v1}$、$\ddot{q}_{v1}$ 分别为静止检测车 1 的绝对竖向位移、速度和加速度，静止检测车 1 即图 4.2 中①号小车；$q_{v2}$、$\dot{q}_{v2}$、$\ddot{q}_{v2}$ 分别为静止检测车 2 的绝对竖向位移、速度和加速度，静止检测车 2 即图 4.2 中②号小车；$u_b$ 为桥梁的绝对竖向位移；$\dot{u}_b$ 为位移对时间的一次微分；$\ddot{u}_b$ 为位移对时间的二次微分；$u_b''''$ 为位移对移动车辆位置 $x$ 的四次微分；$\dot{r}(x)|_{x=vt}$ 为路面粗糙度 $r(x)|_{x=vt}$ 对 $x$ 的一阶导数；$\delta$ 为狄拉克函数。

移动小车通过桥梁时引起的位移差会产生弹簧的弹性力，进而产生桥梁与移动车辆之间的相互作用力 $f_c(t)$，可以表示为

$$f_c(t) = k_v[q_v(t) - u_b(x,t)|_{x=vt} - r(x)|_{x=vt}] + c_v[\dot{q}_v(t) - \dot{u}_b(x,t)|_{x=vt} - \dot{r}(x)|_{x=vt}] - m_v g \tag{4.5}$$

为了推导出静止检测车轮胎与桥面接触点的加速度响应，对式(4.2)进行变换可得

$$\dot{u}_b(x,t)|_{x=d_1} + \frac{k_{v1}}{c_{v1}}u_b(x,t)|_{x=d_1} = \frac{m_{v1}}{c_{v1}}\ddot{q}_{v1}(t) + \dot{q}_{v1}(t) + \frac{k_{v1}}{c_{v1}}q_{v1}(t) \tag{4.6}$$

令 $P(t) = \dfrac{m_{v1}}{c_{v1}}\ddot{q}_{v1}(t) + \dot{q}_{v1}(t) + \dfrac{k_{v1}}{c_{v1}}q_{v1}(t)$，由式(4.6)可以得到

$$u_b(x,t)|_{x=d_1} = Ce^{-\int \frac{k_{v1}}{c_{v1}}dt} + e^{-\int \frac{k_{v1}}{c_{v1}}dt}\int P(t)e^{\int \frac{k_{v1}}{c_{v1}}dt}dt \tag{4.7}$$

式中，$C$ 为任意常数，可由桥梁在 $x = d_1$ 处初始条件求得。

基于理论推导，分别对初始条件为零和不为零两种情况进行数值模拟分析发现，进入稳态振动响应后，两种情况得到的模态值基本一致，因此后面的分析均按初始条件为零进行分析。

### 4.2.2　相邻两点传递率的理论推导

对式(4.1)进行傅里叶变换可以表示为

$$\begin{aligned}
-m_v\omega^2 D_v(\omega) + c_v\omega D_v(\omega) + k_v D_v(\omega) &= k_v D_b(x=d,\omega) + k_v R(\omega) \\
&+ c_v\omega D_b(x=d,\omega) + c_v\omega R(\omega)
\end{aligned} \tag{4.8}$$

式中，$D_v(\omega)$、$\omega D_v(\omega)$、$-\omega^2 D_v(\omega)$ 分别为移动小车的绝对竖向位移 $q_v(t)$、速度 $\dot{q}_v(t)$、加速度 $\ddot{q}_v(t)$ 的频域表达；$D_b(x=d,\omega)$、$\omega D_b(x=d,\omega)$ 分别为桥梁的绝对

竖向位移 $u_b(x,t)$、速度 $\dot{u}_b(x,t)$ 在 $x=d$ 位置的频域表达；$R(\omega)$ 为路面粗糙度 $r(x)$ 的频域表达；$\omega R(\omega)$ 为路面粗糙度 $r(x)$ 对 $x$ 的一阶导数的频域表达。

通过振型叠加法对桥梁的竖向位移响应进行求解，将桥梁的竖向位移反应以桥梁的模态与广义坐标表示如下：

$$u_b(x,t) = \sum_{j=1}^{\infty} \phi_j(x) q_j(t) \tag{4.9}$$

式中，$q_j(t)$ 为桥梁的第 $j$ 阶振动模态所对应的广义坐标。

模态满足正交条件：

$$\int_0^L \phi_j(x)\phi_k(x)\mathrm{d}x = \int_0^L \phi_j^2(x)\mathrm{d}x = \Omega_j, \quad j=k \tag{4.10}$$

将式(4.9)代入式(4.4)，得

$$\ddot{q}_j(t) + 2\xi_j\omega_j\dot{q}_j(t) + \omega_j^2 q_j(t) = G_j(t) \tag{4.11}$$

式中，$\xi_j$ 为桥梁第 $j$ 阶振型阻尼比；$\omega_j$ 为桥梁第 $j$ 阶自振频率；$G_j(t) = \dfrac{1}{m^*\Omega_j} \times \int_0^L \phi_j(x)F(t)\delta(x-d)\mathrm{d}x$；$F(t) = k_v[q_v - u_b(x=d,t) - r(x=d)] + c_v[\dot{q}_v(t) - \dot{u}_b(x=d,t) - \dot{r}(x=d)] - m_v g$；$m^*$ 为桥梁单位长度的质量。

当存在非零初始条件时，有

$$q_j(t) = \mathrm{e}^{-\xi_j\omega_j t}\left[ q_j(0)\cos\left(\omega_j\sqrt{1-\xi_j^2}\right)t + \frac{\dot{q}_j(0) + \xi_j\omega_j q_j(0)}{\omega_j\sqrt{1-\xi_j^2}}\sin\left(\omega_j\sqrt{1-\xi_j^2}\right)t \right] \\ + \int_0^t G_j(t-\theta)h_j(\theta)\mathrm{d}\theta \tag{4.12}$$

式中，$h_j(\theta) = \dfrac{1}{m^*\omega_j\sqrt{1-\xi_j^2}}\mathrm{e}^{-\xi_j\omega_j\theta}\sin\left(\omega_j\sqrt{1-\xi_j^2}\right)\theta$ 为单位脉冲响应函数。

由式(4.12)可得

$$q_j(t) = \mathrm{e}^{-\xi_j\omega_j t}\left[ q_j(0)\cos\left(\omega_j\sqrt{1-\xi_j^2}\right)t + \frac{\dot{q}_j(0) + \xi_j\omega_j q_j(0)}{\omega_j\sqrt{1-\xi_j^2}}\sin\left(\omega_j\sqrt{1-\xi_j^2}\right)t \right] \\ + \int_0^t \frac{1}{m^*\Omega_j}\int_0^L \phi_j(x)\delta(x-d)F(t-\theta)\mathrm{d}x h_j(\theta)\mathrm{d}\theta \tag{4.13}$$

将式(4.13)代入式(4.9)，令 $q_j(0) = C_1$，$\dot{q}_j(0) = C_2$，得

$$u_b(x,t) = \sum_{j=1}^{\infty} \phi_j(x) \left[ e^{-\xi_j \omega_j t} \left( C_1 \cos\left(\omega_j \sqrt{1-\xi_j^2}\right)t + \frac{C_2 + \xi_j \omega_j C_1}{\omega_j \sqrt{1-\xi_j^2}} \sin\left(\omega_j \sqrt{1-\xi_j^2}\right)t \right) \right.$$

$$\left. + \int_0^t \frac{1}{m^* \Omega_j} \int_0^L \phi_j(x)\delta(x-d)F(t-\theta)\mathrm{d}x h_j(\theta)\mathrm{d}\theta \right] \tag{4.14}$$

对式(4.14)进行傅里叶变换得

$$D_b(x,\omega) = \sum_{j=1}^{\infty} \phi_j(x)\frac{1}{2\pi}\left\{ \frac{2C_1 \xi_j \omega_j}{\omega^2 + \left(\xi_j \omega_j\right)^2}\pi\delta\left(\omega - \omega_j\sqrt{1-\xi_j^2}\right) \right.$$

$$\left. + \left[ \frac{C_2 + \xi_j \omega_j C_1}{\omega_j \sqrt{1-\xi_j^2}} \frac{2\xi_j \omega_j}{\omega^2 + \left(\xi_j \omega_j\right)^2} \right]\mathrm{i}\pi\delta\left(\omega - \omega_j\sqrt{1-\xi_j^2}\right) \right\}$$

$$+ \sum_{j=1}^{\infty} \frac{\phi_j(x)\phi_j(d)}{m^* \Omega_j}\frac{1}{\sqrt{2\pi}}\lim_{s\to\infty}\left[ \int_{-s}^s F(t-\theta)e^{\mathrm{i}\omega t}\mathrm{d}t \int_0^t h_j(\theta)\mathrm{d}\theta \right] \tag{4.15}$$

阻尼的存在使瞬态反应项 $\sum_{j=1}^{\infty}\phi_j(x)\dfrac{1}{2\pi}\left\{ \dfrac{2C_1 \xi_j \omega_j}{\omega^2 + \left(\xi_j \omega_j\right)^2}\pi\delta\left(\omega - \omega_j\sqrt{1-\xi_j^2}\right) + \right.$

$\left. \left[ \dfrac{C_2 + \xi_j \omega_j C_1}{\omega_j\sqrt{1-\xi_j^2}} \dfrac{2\xi_j \omega_j}{\omega^2 + \left(\xi_j \omega_j\right)^2} \right]\mathrm{i}\pi\delta\left(\omega - \omega_j\sqrt{1-\xi_j^2}\right) \right\}$ 很快衰减为零，因此省去，仅考

虑稳态反应项进行分析。

令 $\tau = t - \theta$ ，得

$$D_b(x,\omega) = \sum_{j=1}^{\infty} \frac{\phi_j(x)\phi_j(d)}{m^* \Omega_j}\frac{1}{\sqrt{2\pi}}\lim_{s\to\infty}\left[ \int_{s+\theta}^{s+\theta} F(\tau)e^{\mathrm{i}\omega\tau}\mathrm{d}\tau \int_0^s h_j(\theta)e^{\mathrm{i}\omega\theta}\mathrm{d}\theta \right]$$

$$= \sum_{j=1}^{\infty} \frac{\phi_j(x)\phi_j(d)}{m^* \Omega_j}F(w)H_j(w) \tag{4.16}$$

式中，$H_j(\omega) = \dfrac{1}{(\omega_j^2 - \omega^2) + 2\mathrm{i}\xi_j \omega_j \omega}$ ；　$F(\omega) = k_v\left[ D_v(\omega) - D_b(x=d,\omega) - R(\omega) \right] + c_v\omega$

$\left[ D_v(\omega) - D_b(x=d,\omega) - R(\omega) \right] - 2\pi m_v g\delta(\omega)$ 。

由式(4.8)～式(4.16)可以得到，移动车辆和接触点响应的频域表达式分别为

$$D_v(\omega) = \frac{k_v D_b(x=d,\omega) + k_v R(\omega) + c_v\omega D_b(x=d,\omega) + c_v\omega R(\omega)}{-\omega^2 m_v + c_v\omega + k_v} \tag{4.17}$$

$$D_b(x,\omega) = \left\{ k_v \left[ D_v(\omega) - D_b(x=d,\omega) - R(\omega) \right] + c_v\omega \left[ D_v(\omega) - D_b(x=d,\omega) - R(\omega) \right] \right.$$

$$\left. -2\pi m_v g\delta(\omega) \right\} \times \sum_{j=1}^{\infty} \frac{\phi_j(x)\phi_j(d)}{m^*\Omega_j} H_j(\omega)$$

$$(4.18)$$

移动车辆的重力远小于桥梁的自重，因此忽略移动车辆的重力 $m_v g$ 这一项的影响得

$$D_b(x,\omega) = \left\{ k_v \left[ D_v(\omega) - D_b(x=d,\omega) - R(\omega) \right] + c_v\omega \left[ D_v(\omega) \right. \right.$$

$$\left. \left. -D_b(x=d,\omega) - R(\omega) \right] \right\} \times \sum_{j=1}^{\infty} \frac{\phi_j(x)\phi_j(d)}{m^*\Omega_j} H_j(\omega)$$

$$(4.19)$$

将式(4.17)代入式(4.19)可以得到

$$D_b(x,\omega) = \omega^2 m_v D_v(\omega) \sum_{j=1}^{\infty} \frac{\phi_j(x)\phi_j(d)}{m^*\Omega_j} H_j(\omega)$$

$$(4.20)$$

令 $H_{bv} = \omega^2 m_v \sum_{j=1}^{\infty} \frac{\phi_j(x)\phi_j(d)}{m^*\Omega_j} H_j(\omega)$，得

$$D_b(x,\omega) = H_{bv} D_v(\omega)$$

$$(4.21)$$

根据式(4.21)[54]，同理可以得出检测车与桥梁响应的关系。

检测车 1 和桥梁响应的关系：

$$D_{v1}(\omega) = H_{bv1} D_b(x,\omega)$$

$$(4.22)$$

检测车 2 和桥梁响应的关系：

$$D_{v2}(\omega) = H_{bv2} D_b(x,\omega)$$

$$(4.23)$$

式中，$D_{v1}(\omega)$、$D_{v2}(\omega)$ 分别为检测车 1 和检测车 2 竖向位移响应的频域表达式。

由式(4.21)和式(4.22)可以推出：

$$D_{v1}(\omega) = H_{bv1} H_{bv} D_v(\omega)$$

$$(4.24)$$

同理，由式(4.21)和式(4.23)可以推出：

$$D_{v2}(\omega) = H_{bv2} H_{bv} D_v(\omega)$$

$$(4.25)$$

由式(4.22)和式(4.23)可以推出两检测车响应的传递率：

$$T_{d1d2} = \frac{H_{bv1} H_{bv}}{H_{bv2} H_{bv}} = \frac{H_{bv1}}{H_{bv2}} = \frac{\omega_1^2 M_{v1} \sum_{j=1}^{\infty} \left[ \phi_j(x)\phi_j(d_1)/m^*\Omega_j \right] H_j(\omega)}{\omega_2^2 M_{v2} \sum_{j=1}^{\infty} \left[ \phi_j(x)\phi_j(d_2)/m^*\Omega_j \right] H_j(\omega)}$$

$$(4.26)$$

当 $\omega_1 = \omega_2$、$M_{v1} = M_{v2}$ 时，由式(4.26)可以推出：

$$T_{d1d2} = \frac{\sum\limits_{j=1}^{\infty} \phi_j(x_{d1}) \phi_j(x) H_j(\omega)}{\sum\limits_{j=1}^{\infty} \phi_j(x_{d2}) \phi_j(x) H_j(\omega)} \tag{4.27}$$

式中，$\phi_j(x_{d1})$、$\phi_j(x_{d2})$、$\phi_j(x)$ 分别为桥梁的第 $j$ 阶模态在 $x_{d1}$、$x_{d2}$、$x$ 处的值；$H_j(\omega)$ 为频域响应函数。

对应于第 1 阶模态，通过式(4.27)可以得出：

$$T_{d1d2} = \frac{\phi(x_{d1})}{\phi(x_{d2})} \tag{4.28}$$

式(4.28)表明，输出点 $x_{d1}$ 与 $x_{d2}$ 之间的传递率不随外激励的变化而变化，也与桥梁阻尼比和车辆阻尼无关。通过推导可知，在任意外激励下，两个检测车响应的传递率始终不变。

同理，接触点响应在不同桥梁位置处的传递率可以表示为

$$T_{d1d2} = \frac{\sum\limits_{j=1}^{\infty} \phi_j(x_{d1}) \phi_j(x) H_j(\omega)}{\sum\limits_{j=1}^{\infty} \phi_j(x_{d2}) \phi_j(x) H_j(\omega)} \tag{4.29}$$

式中，$\phi_j(x_{d1})$、$\phi_j(x_{d2})$、$\phi_j(x)$ 分别为桥梁的第 $j$ 阶模态在 $x_{d1}$、$x_{d2}$、$x$ 处的值；$H_j(\omega)$ 为频域响应函数。

对应于第 1 阶模态，通过式(4.29)可以得出：

$$T_{d1d2} = \frac{\phi(x_{d1})}{\phi(x_{d2})} \tag{4.30}$$

式(4.30)表明，输出点 $x_{d1}$ 与 $x_{d2}$ 之间的传递率不随外激励的变化而变化，也与桥梁阻尼比和车辆阻尼无关。通过推导可知，在任意外激励下，接触点响应在不同桥梁位置处的传递率始终不变。由式(4.28)和式(4.30)对比可以发现，当 $\omega_1 = \omega_2$、$M_{v1} = M_{v2}$ 时，在输出点 $x_{d1}$ 和 $x_{d2}$ 处，无论是接触点响应，还是两辆检测车的响应，得到的传递率表达式是相同的。

接着构造整个桥梁结构的传递率矩阵，假设桥梁上有 $L$ 个测点，则

$$[T(\omega)] = \begin{bmatrix} T_{11}(\omega) & T_{12}(\omega) & T_{13}(\omega) & \cdots & T_{1L}(\omega) \\ T_{21}(\omega) & T_{22}(\omega) & T_{23}(\omega) & \cdots & T_{2L}(\omega) \\ T_{31}(\omega) & T_{32}(\omega) & T_{33}(\omega) & \cdots & T_{3L}(\omega) \\ \vdots & \vdots & \vdots & & \vdots \\ T_{L1}(\omega) & T_{L2}(\omega) & T_{L3}(\omega) & \cdots & T_{LL}(\omega) \end{bmatrix} \tag{4.31}$$

### 4.2.3　奇异值分解提取模态

按照图 4.3 所示的过程，整个桥梁系统的模态振型可以通过对所构造的传递率矩阵在系统模态频率处用奇异值分解(SVD)得到[86]，表达式为

$$[T(\omega)]_{L\times L}=[U]_{L\times L}[S]_{L\times L}[V]_{L\times L} \tag{4.32}$$

式中，$[U]_{L\times L}$ 中的向量称为左奇异向量，可以用来估计模态振型；$[S]_{L\times L}$ 为奇异值矩阵；$[V]_{L\times L}$ 中的向量称为右奇异向量。

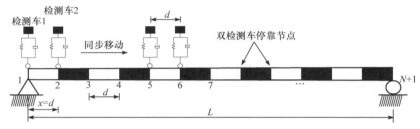

图 4.3　识别桥梁模态振型过程示意图

### 4.2.4　接触点响应与车体响应关系

接触点响应与车体响应示意图如图 4.4 所示，$q_v^t(t)$ 为检测车的绝对位移反应，$q_v(t)$ 为检测车相对于桥面的位移反应，$u_b(t)$ 为检测车轮胎和桥梁接触点的绝对位移反应，$\omega_b$ 为桥梁的自振频率。

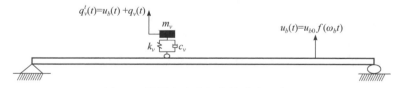

图 4.4　接触点响应与车体响应示意图

将接触点响应近似于谐振响应，则检测车的稳态相对位移反应可以表示为

$$q_v(t)=u_{b0}\beta^2 Df(\omega_b t-\theta) \tag{4.33}$$

式中，$D$ 为动力放大系数，$D=\left[(1-\beta^2)^2+(2\xi\beta)^2\right]^{-\frac{1}{2}}$。

将式(4.33)与 $u_b(t)=u_{b0}f(\omega_b t)$ 相加后，检测车的绝对稳态反应为

$$q_v^t(t)=u_{b0}\sqrt{1+(2\xi\beta)^2}Df(\omega_b t-\overline{\theta}) \tag{4.34}$$

式中，相位角 $\bar{\theta}$ 对于讨论接触点响应和车体响应之间的关系没有重要意义，用检测车绝对稳态反应的振幅与接触点的运动振幅的比来定义传递比(transfer ratio，TR)，TR 的表达式为

$$\text{TR} = \frac{q_v^t(t)_{\max}}{u_b(t)_{\max}} = D\sqrt{1+(2\xi\beta)^2} \tag{4.35}$$

由不同阻尼比下传递比随频率比的变化图(图 4.5)可以发现，当桥梁频率与检测车车体频率之比 $\omega_b/\omega_v < \sqrt{2}$ 时，检测车车体对从桥面上传递到检测车上的信号具有放大作用，而且减小车辆阻尼将使信号放大效果更优；当 $\omega_b/\omega_v > \sqrt{2}$ 时，检测车车体对从桥面上传递到检测车上的信号具有减小作用，而且减小车辆阻尼将使信号减小的效果更优。考虑到传感器采集的是检测车车体的信号，因此当桥梁频率与检测车车体频率之比 $\omega_b/\omega_v < \sqrt{2}$ 时，放大检测车的信号进而识别模态参数的效果更好。

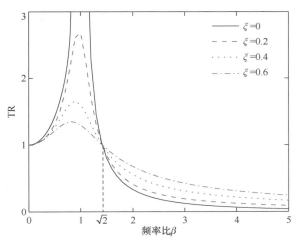

图 4.5　不同阻尼比下传递比随频率比的变化图

## 4.3　算　例　验　证

### 4.3.1　接触点响应与车体响应计算刚度对比

为了更进一步了解接触点响应与车体响应，本节通过数值模拟方法进行对比。算例参数如下：桥梁长度 $L$=30m，截面惯性矩 $I_x$=0.79m$^4$，桥梁弹性模量 $E$=3.25× $10^{10}$N/m$^2$。

基于两辆检测车车距，将第二跨测试跨分为 12 个单元，其中数字 1～13 为节点编号，识别的刚度结果为各节点的刚度反演值，如图 4.6 所示

图 4.6　待测桥梁模型的单元、节点编号(三车系统)

检测车采集信号过程中不断有移动车辆在桥梁上随行通过，两辆检测车从节点 1 开始以固定的间距 $d$=2.5m 沿测点顺序依次前移，移动到对应测点处，静止采集加速度响应信号 30s 后进入下一节点，持续该过程，直至两辆检测车通过桥梁，对应所有节点依次采集完信号，进而获得整个桥梁的传递率矩阵，基于奇异值分解获得桥梁结构的第一阶模态。基于所获得的桥梁结构的第一阶模态，通过改进的直接刚度法获取桥梁单元节点刚度。

两辆静止检测车参数分别为：质量 $m_{v1}$=$m_{v2}$=1470kg，车辆阻尼 $c_{v1}$=$c_{v2}$=1000N·s/m，弹簧刚度 $k_{v1}$=$k_{v2}$=524076N/m，车体频率 $\omega_{v1}$=$\omega_{v2}$=3Hz。桥梁模态阻尼比取 0.02。对检测车信号进行分析，以无损工况为例，说明本章所提出的识别方法有效。

### 1. 间接计算接触点信号

采用统一的多物理场有限元仿真分析软件(Abaqus)进行数值模拟，提取静止检测车的竖向加速度响应，如图 4.7 和图 4.8 所示。

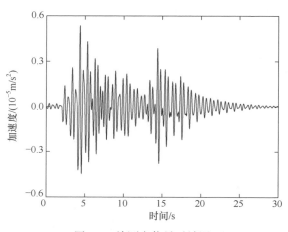

图 4.7　检测车信号时域图

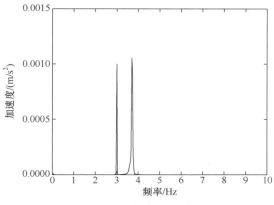

图 4.8　检测车信号频域图

对检测车信号进行分析，间接计算出接触点信号，如图 4.9 和图 4.10 所示。

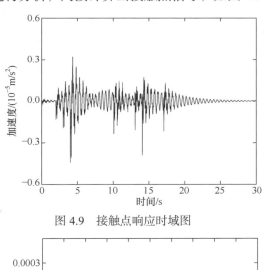

图 4.9　接触点响应时域图

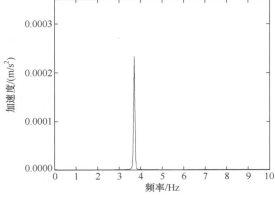

图 4.10　接触点响应频域图

由图可以看出，检测车信号频域图中既包含车体频率的信息，又包含桥梁频率的信息，而接触点响应频域图中只包含桥梁频率的信息。

**2. 识别相邻两测点传递率**

对接触点信号进行分析，计算出相邻两测点传递率，如图 4.11 所示。

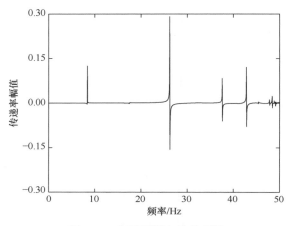

图 4.11　相邻两测点传递率图

将检测车运行通过一跨桥梁，运行通过各个测点，构建整个桥梁的传递率矩阵。

接着构造整个桥梁结构的传递率矩阵，假设桥梁上有 $L$ 个测点，则传递率矩阵可以表示为

$$[T(\omega)] = \begin{bmatrix} T_{11}(\omega) & T_{12}(\omega) & T_{13}(\omega) & \cdots & T_{1L}(\omega) \\ T_{21}(\omega) & T_{22}(\omega) & T_{23}(\omega) & \cdots & T_{2L}(\omega) \\ T_{31}(\omega) & T_{32}(\omega) & T_{33}(\omega) & \cdots & T_{3L}(\omega) \\ \vdots & \vdots & \vdots & & \vdots \\ T_{L1}(\omega) & T_{L2}(\omega) & T_{L3}(\omega) & \cdots & T_{LL}(\omega) \end{bmatrix}$$

**3. 奇异值分解提取模态振型**

将得到的传递率矩阵对应桥梁频率，采用奇异值分解提取桥梁的模态振型，如图 4.12 所示。

**4. 改进的直接刚度法识别刚度**

对所得的模态振型采用改进的直接刚度法识别出桥梁各单元的刚度，如图 4.13 所示。

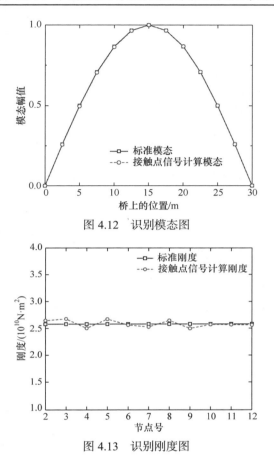

图 4.12　识别模态图

图 4.13　识别刚度图

针对边单元识别效果不理想的问题，采用模态延拓的方法对识别出的刚度进行修正，如图 4.14 所示。

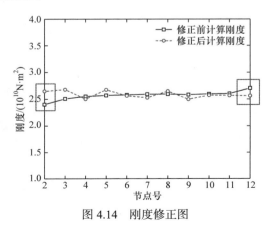

图 4.14　刚度修正图

## 5. 损伤识别数值模拟

将检测车信号和接触点信号识别结果进行对比。限于篇幅，仅展示在 D 级路面粗糙度下桥梁无损伤、E4 单元损伤(刚度折减)30%和 E4、E9 单元均损伤 30%的数值模拟结果，具体工况如表 4.1 所示。

表 4.1　损伤位置及程度设置

| 损伤位置 | 检测车信号 | 接触点信号 |
| --- | --- | --- |
| 无损伤 | 无损 | 无损 |
| E4 单元 | 单元刚度折减 30% | 单元刚度折减 30% |
| E4、E9 单元 | 单元刚度折减 30% | 单元刚度折减 30% |

在桥梁无损伤、E4 单元损伤 30%和 E4、E9 单元均损伤 30%的工况下，对采集的加速度信号通过快速傅里叶变换识别的桥梁一阶频率结果如表 4.2 所示。

表 4.2　无损伤及损伤工况下识别的桥梁一阶频率　　　　　(单位：Hz)

| 工况 | 车体信号 | 接触点信号 |
| --- | --- | --- |
| 无损伤 | 3.71 | 3.73 |
| E4 单元刚度折减 30% | 3.66 | 3.67 |
| E4、E9 单元刚度折减 30% | 3.61 | 3.60 |

在桥梁无损伤、E4 单元损伤 30%和 E4、E9 单元均损伤 30%的工况下，静止检测车的接触点信号和车体信号反演的模态对比如图 4.15～图 4.17 所示。

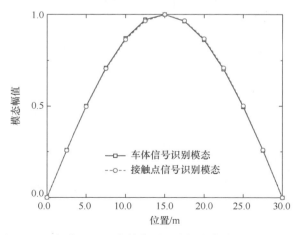

图 4.15　无损伤工况下车体信号和接触点信号识别模态对比

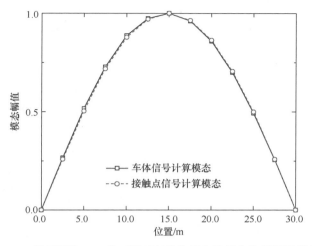

图 4.16  E4 单元损伤 30%的工况下车体信号和接触点信号识别模态对比

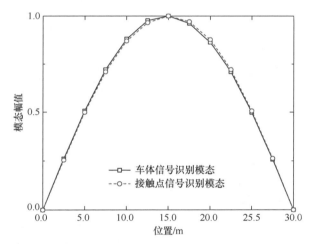

图 4.17  E4、E9 单元均损伤 30%的工况下车体信号和接触点信号识别模态对比

在桥梁无损伤、E4 单元损伤 30%和 E4、E9 单元均损伤 30%的工况下，静止检测车的接触点信号和车体信号反演的刚度对比如图 4.18～图 4.20 所示。

分析结果表明，滤除车体频率信号后的接触点信号反演的第一阶模态与标准模态更接近。由进一步反演的单元刚度可发现，接触点信号识别出来的节点刚度更接近标准刚度。同样，由有损工况计算结果可以发现，接触点信号识别的节点刚度与标准刚度更接近，以图 4.19 为例，损伤单元节点 4、5 分别损伤 15%，整个 E4 单元损伤 30%，采用接触点信号计算刚度的误差均在 5%以内。因此，综合无损伤及有损伤工况下的识别结果，下面分析中均采用接触点信号进行分析。

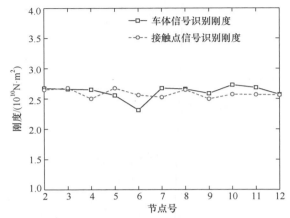

图 4.18　无损伤工况下车体信号和接触点信号识别刚度对比

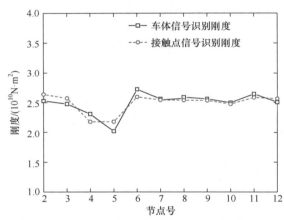

图 4.19　E4 单元损伤 30%的工况下车体信号和接触点信号识别刚度对比

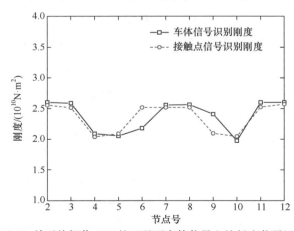

图 4.20　E4、E9 单元均损伤 30%的工况下车体信号和接触点信号识别刚度对比

### 4.3.2　初始条件为零和不为零两种情况下的计算刚度对比

考虑到实际工程中不阻碍交通,桥梁上一直有车辆经过,测试过程中桥梁不可能一直处于完全静止的状态,因此本节针对初始条件为零和不为零两种情况分别进行分析。计算参数同 4.3.1 节,桥梁阻尼比取 0.02,车辆阻尼 $c_{v1}=c_{v2}=1000\,\mathrm{N\cdot s/m}$。本节以移动车辆驶入桥梁引起桥梁振动来模拟初始条件不为零的情况,当移动车辆驶入桥梁时,分别取不同范围的信号进行分析,提取 0～3000 点信号表示初始条件为零,提取 1001～3000、1201～3000、1401～3000 点信号表示初始条件不为零,具体分别表示提取车辆引起桥梁振动 10s 后、12s 后、14s 后的信号。其中,0～3000 点信号是通过采样频率和移动车辆的运行时间得到的,采样频率为 100Hz,移动车辆在桥上的运行时间为 30s,各工况下识别的桥梁一阶频率如表 4.3 所示。

表 4.3　无损伤工况和有损伤工况下识别的桥梁一阶频率　　　（单位：Hz）

| 工况 | 取 0～3000 点信号 | 取 1001～3000 点信号 | 取 1201～3000 点信号 | 取 1401～3000 点信号 |
| --- | --- | --- | --- | --- |
| 无损伤 | 3.71 | 3.69 | 3.71 | 3.71 |
| E4 单元刚度折减 30% | 3.67 | 3.67 | 3.66 | 3.67 |
| E4、E9 单元刚度折减 30% | 3.60 | 3.58 | 3.60 | 3.60 |

在桥梁单元无损伤、E4 单元损伤 30% 和 E4、E9 单元均损伤 30% 的工况下,初始条件为零和初始条件不为零两种情况反演的模态对比如图 4.21～图 4.23 所示。

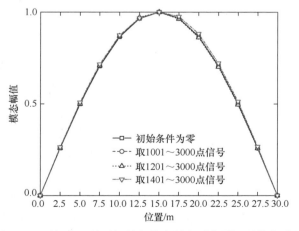

图 4.21　无损伤工况下初始条件为零和不为零识别模态对比

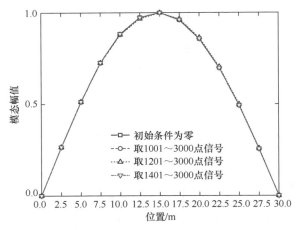

图 4.22　E4 单元损伤 30%的工况下初始条件为零和不为零识别模态对比

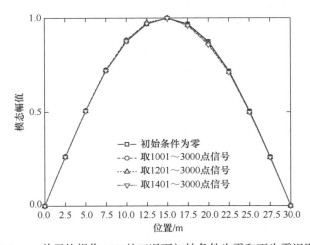

图 4.23　E4、E9 单元均损伤 30%的工况下初始条件为零和不为零识别模态对比

　　由图 4.21 可以看出，桥梁单元处于无损伤工况下，识别出的桥梁一阶模态与对应的标准模态都很接近，计算模态与标准模态的误差都在 1%以内，说明采用本章提出的方法在不同的初始条件下，均能够有效识别出桥梁无损伤工况下的模态，计算模态与标准模态的误差都在 1%以内。由图 4.22 和图 4.23 可以看出，在单元有损伤、不同初始条件下，四个工况识别出的桥梁一阶模态都很接近，具体识别损伤位置及损伤程度还有待于刚度识别的结果。

　　在桥梁无损伤、E4 单元损伤 30%和 E4、E9 单元均损伤 30%的工况下，初始条件为零和不为零两种情况反演的刚度对比如图 4.24～图 4.26 所示。

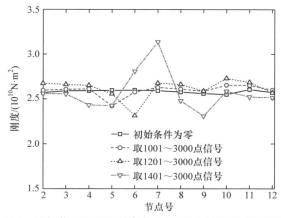

图 4.24　无损伤工况下初始条件为零和不为零识别刚度对比

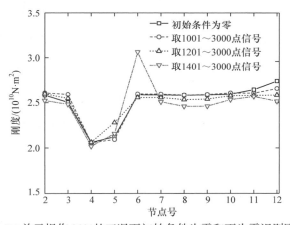

图 4.25　E4 单元损伤 30%的工况下初始条件为零和不为零识别刚度对比

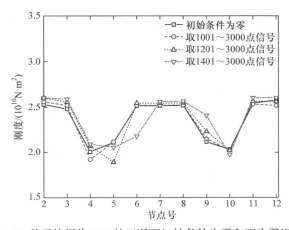

图 4.26　E4、E9 单元均损伤 30%的工况下初始条件为零和不为零识别刚度对比

由图4.24～图4.26可以发现,桥梁单元无损伤状态下取0～3000、1001～3000、1201～3000点信号识别的单元刚度均接近标准刚度 $2.58 \times 10^{10} \text{N·m}^2$；有损伤与无损伤工况相比,损伤单元节点刚度的反演结果均明显降低,可以较准确判定损伤位置。以图4.25为例,预想的状态是节点4、5分别损伤15%对应E4单元损伤30%,由图可以看出,通过数值模拟分析出的结果和预想的结果基本一致,计算刚度的误差均在11%以内。而1401～3000点信号识别的结果较差,节点6有明显的刚度增加。这说明采用该方法有一定的适用范围,提取车辆引起桥梁振动小于12s的信号与初始条件为零时的信号分析结果一致。

式(4.7)中第一项相当于桥梁的自由振动,称为瞬态反应,由于设置了桥梁阻尼比,自由振动项将很快衰减为零。第二项称为稳态反应,这一项是研究的重点。初始条件为零时,相当于既有瞬态反应也有稳态反应,由于桥梁阻尼的存在,瞬态反应会衰减,车辆引起桥梁振动12s后,识别的刚度结果较差,这是由于大于12s后桥梁已经进入稳态反应,应该提取桥梁刚好进入稳态反应或既有瞬态反应也有稳态反应时的信号进行分析。结果表明,初始条件为零和初始条件不为零两种情况在桥梁单元无损伤和有损伤工况下识别刚度的结果一致,但有一定的适用范围,即在数值模拟下,不能提取车辆引起桥梁振动12s后的信号。

综上所述,采用本章所提出的方法进行桥梁结构损伤识别工作,可较好解决初始条件不为零的情况,但有一定的适用范围。

## 4.4 参 数 研 究

### 4.4.1 桥梁阻尼比的参数研究

计算参数同4.3.1节,车辆阻尼为1000N·s/m,将桥梁阻尼比分别取0、0.01、0.02、0.03、0.04、0.05进行分析,目的是充分了解桥梁阻尼比对桥梁损伤识别的影响。

表4.4对桥梁单元在无损伤和有损伤工况下取不同桥梁阻尼比识别的桥梁一阶频率进行了总结。

**表4.4 无损伤及有损伤工况下取不同桥梁阻尼比识别的桥梁一阶频率** (单位：Hz)

| 工况 | 阻尼比=0 | 阻尼比=0.01 | 阻尼比=0.02 |
| --- | --- | --- | --- |
| 无损伤 | 3.73 | 3.70 | 3.70 |
| E4单元刚度折减30% | 3.67 | 3.63 | 3.63 |
| E4、E9单元刚度折减30% | 3.60 | 3.57 | 3.57 |

续表

| 工况 | 阻尼比=0.03 | 阻尼比=0.04 | 阻尼比=0.05 |
|---|---|---|---|
| 无损伤 | 3.70 | 3.70 | 3.70 |
| E4 单元刚度折减 30% | 3.63 | 3.63 | 3.63 |
| E4、E9 单元刚度折减 30% | 3.53 | 3.53 | 3.53 |

在桥梁无损伤、E4 单元损伤 30%和 E4、E9 单元均损伤 30%的工况下，桥梁的理论第一阶频率分别为 3.71Hz、3.63Hz、3.55Hz。表 4.4 中识别的桥梁一阶频率误差均在 2%以内，说明采用本章所提出的方法可以有效识别桥梁一阶频率。

图 4.27～图 4.29 展示了桥梁单元在无损伤、E4 单元损伤 30%和 E4、E9 单元均损伤 30%的工况下取不同桥梁阻尼比识别的模态结果。

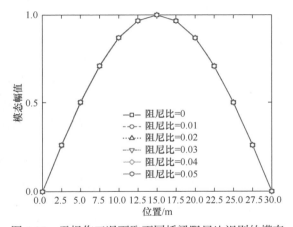

图 4.27　无损伤工况下取不同桥梁阻尼比识别的模态

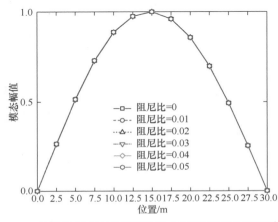

图 4.28　E4 单元损伤 30%的工况下取不同桥梁阻尼比识别的模态

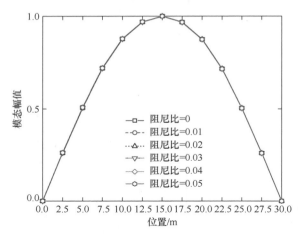

图 4.29　E4、E9 单元均损伤 30%的工况下取不同桥梁阻尼比识别的模态

由图 4.27 可以看出，桥梁单元处于无损伤工况下，识别出的桥梁一阶模态与对应的标准模态都很接近，计算模态与标准模态的误差都在 1%以内，说明采用本章提出的方法，在不同桥梁阻尼比的影响下，能够有效识别出桥梁无损工况下的模态，计算模态与标准模态的误差都在 1%以内。由图 4.28 和图 4.29 可以看出，在单元有损伤工况下，取不同桥梁阻尼比识别出的桥梁一阶模态都很接近，具体识别损伤位置及损伤程度还有待于刚度识别的结果。

图 4.30～图 4.32 展示了桥梁单元无损伤、E4 单元损伤 30%和 E4、E9 单元均损伤 30%的工况下，取不同桥梁阻尼比识别的刚度结果。

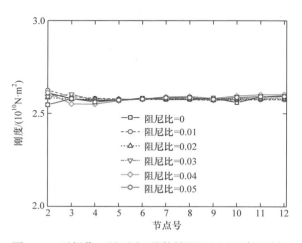

图 4.30　无损伤工况下取不同桥梁阻尼比识别的刚度

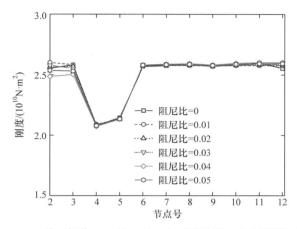

图 4.31　E4 单元损伤 30%的工况下取不同桥梁阻尼比识别的刚度

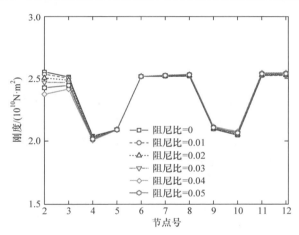

图 4.32　E4、E9 单元均损伤 30%的工况下取不同桥梁阻尼比识别的刚度

由图 4.30～图 4.32 可以发现，桥梁单元无损工况下取不同桥梁阻尼比识别的单元刚度均接近标准刚度 $2.58 \times 10^{10}\text{N·m}^2$；取不同桥梁阻尼比时有损伤与无损伤工况相比，损伤单元节点刚度的反演结果均明显降低，可以较准确地判定损伤位置和损伤程度，计算刚度的误差均在 8%以内。

分析结果表明，采用本章所提出的方法进行桥梁结构损伤识别工作，可以较好解决桥梁阻尼比对识别工作的影响，避免出现桥梁阻尼比增大后识别效果不佳的普遍性问题。

### 4.4.2　车辆阻尼的参数研究

计算参数同 4.3.1 节，桥梁阻尼比为 0.02，将车辆阻尼分别取 0N·s/m、

500N·s/m、1000N·s/m、1500N·s/m、2000N·s/m 进行分析，目的是充分了解车辆阻尼对桥梁进行损伤识别的影响。

本节对桥梁单元无损伤和有损伤工况进行分析，识别桥梁一阶频率的结果如表 4.5 所示。

表 4.5　无损伤及有损伤工况下取不同车辆阻尼识别的桥梁一阶频率 (单位：Hz)

| 工况 | 车辆阻尼=0N·s/m | 车辆阻尼=500N·s/m | 车辆阻尼=1000N·s/m |
| --- | --- | --- | --- |
| 无损伤 | 3.73 | 3.73 | 3.73 |
| E4 单元刚度折减 30% | 3.67 | 3.67 | 3.67 |
| E4、E9 单元刚度折减 30% | 3.60 | 3.60 | 3.60 |
| 工况 | 车辆阻尼=1500N·s/m | 车辆阻尼=2000N·s/m | — |
| 无损伤 | 3.73 | 3.73 | — |
| E4 单元刚度折减 30% | 3.67 | 3.67 | — |
| E4、E9 单元刚度折减 30% | 3.60 | 3.60 | — |

在桥梁无损伤、E4 单元损伤 30%和 E4、E9 单元均损伤 30%的工况下，桥梁的理论第一阶频率分别为 3.71Hz、3.63Hz、3.55Hz。表 4.5 中识别的桥梁一阶频率的误差均在 2%以内。由此可见，采用本章所提出的方法可以有效识别桥梁一阶频率。

图 4.33～图 4.35 展示了桥梁单元无损伤、E4 单元损伤 30%和 E4、E9 单元均损伤 30%的工况下取不同车辆阻尼识别的模态结果。

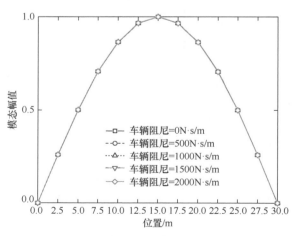

图 4.33　无损伤工况下取不同车辆阻尼识别的模态

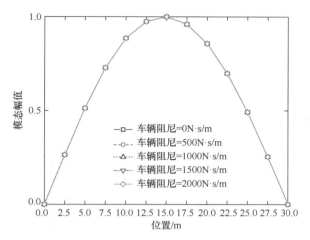

图 4.34　E4 单元损伤 30%的工况下取不同车辆阻尼识别的模态

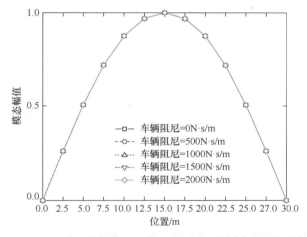

图 4.35　E4、E9 单元均损伤 30%的工况下取不同车辆阻尼识别的模态

由图 4.33 可以看出，桥梁单元处于无损伤工况下，识别出的桥梁一阶模态与对应的标准模态都很接近，计算模态与标准模态的误差都在 1%以内，说明采用本章提出的方法，在不同车辆阻尼的影响下，能够有效识别出桥梁无损工况下的模态，计算模态与标准模态的误差都在 1%以内。由图 4.34 和图 4.35 可以看出，各单元在有损伤、不同车辆阻尼工况下识别出的桥梁一阶模态都很接近，具体识别损伤位置及损伤程度还有待于刚度识别的结果。

图 4.36～图 4.38 展示了桥梁单元无损伤、E4 单元损伤 30%和 E4、E9 单元均损伤 30%的工况下，取不同车辆阻尼识别的刚度结果。

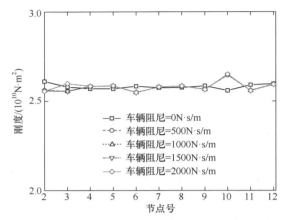

图 4.36　无损伤工况下取不同车辆阻尼识别的刚度

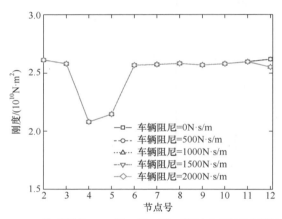

图 4.37　E4 单元损伤 30%的工况下取不同车辆阻尼识别的刚度

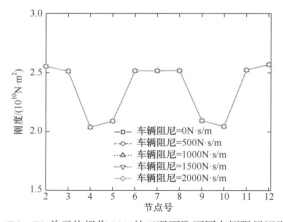

图 4.38　E4、E9 单元均损伤 30%的工况下取不同车辆阻尼识别的刚度

由图 4.36～图 4.38 可以发现, 桥梁单元无损伤工况下取不同车辆阻尼识别的单元刚度均接近标准刚度 $2.58 \times 10^{10} \mathrm{N \cdot m^2}$; 取不同车辆阻尼下有损伤与无损伤工况相比, 损伤单元节点刚度的反演结果均明显降低, 可以较准确地判定损伤位置和损伤程度, 计算刚度的误差均在 5%以内。

### 4.4.3　环境噪声的参数研究

在实际工程中, 不可避免会存在环境噪声的影响, 因此本节通过对检测车的加速度响应添加白噪声来模拟被污染的信号, 检测车的参数同 4.3.1 节。添加白添声后的信号表达式为

$$x_{\mathrm{noise}} = x + E_p \sigma(x) \times \mathrm{Noise} \tag{4.36}$$

式中, $x_{\mathrm{noise}}$ 为添加白噪声后的信号; $x$ 为原始信号; $E_p$ 为添加白噪声的程度; $\sigma(x)$ 为原始信号的标准差; Noise 为均值为零的高斯白噪声。

噪声水平与信噪比(SNR)的关系如下:

$$\mathrm{SNR} = 20 \times \lg\left(\frac{1}{E_p}\right) \tag{4.37}$$

本节设置了 40dB、30dB、20dB 三种不同强度的噪声工况, 在式(4.36)中, 40dB、30dB、20dB 分别对应 $E_p$=1%、$E_p$=3.16%、$E_p$=10%。设置了桥梁阻尼比为 0.02, 车辆阻尼为 1000N·s/m, 无损伤及有损伤工况下取不同噪声水平识别的桥梁一阶频率如表 4.6 所示。

表 4.6　无损伤及有损伤工况下取不同噪声水平识别的桥梁一阶频率　　　(单位: Hz)

| 工况 | SNR=40dB | SNR=30dB | SNR=20dB |
| --- | --- | --- | --- |
| 无损伤 | 3.73 | 3.73 | 3.73 |
| E4 单元刚度折减 30% | 3.67 | 3.67 | 3.67 |
| E4、E9 单元刚度折减 30% | 3.60 | 3.60 | 3.60 |

在桥梁无损伤、E4 单元损伤 30%和 E4、E9 单元均损伤 30%的工况下, 桥梁的理论第一阶频率分别为 3.71Hz、3.63Hz、3.55Hz。表 4.6 中识别的桥梁一阶频率的误差均在 2%以内, 说明采用本章所提出的方法可以有效识别桥梁一阶频率。

在桥梁单元无损伤、E4 单元损伤 30%和 E4、E9 单元均损伤 30%的工况下, 取不同噪声水平识别的模态结果如图 4.39～图 4.41 所示。

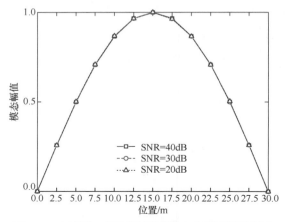

图 4.39　无损伤工况下取不同噪声水平识别的模态

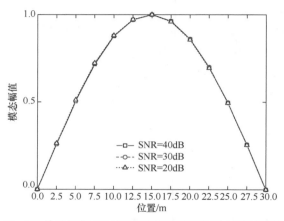

图 4.40　E4 单元损伤 30%的工况下取不同噪声水平识别的模态

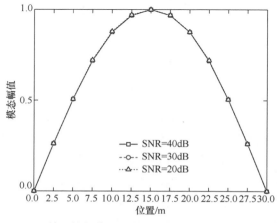

图 4.41　E4、E9 单元均损伤 30%的工况下取不同噪声水平识别的模态

由图 4.39 可以看出，桥梁单元处于无损伤工况下，识别出的桥梁一阶模态与对应的标准模态都很接近，计算模态与标准模态的误差都在 1%以内，说明采用本章提出的方法，在不同噪声水平的影响下，能够有效识别出桥梁无损伤工况下的模态，计算模态与标准模态的误差都在 1%以内。由图 4.40 和图 4.41 可以看出，各单元在有损伤、不同噪声水平下识别出的桥梁一阶模态都很接近，具体识别损伤位置及损伤程度还有待于刚度识别的结果。

在桥梁单元无损伤、E4 单元损伤 30%和 E4、E9 单元均损伤 30%的工况下，取不同噪声水平识别的刚度结果如图 4.42～图 4.44 所示。

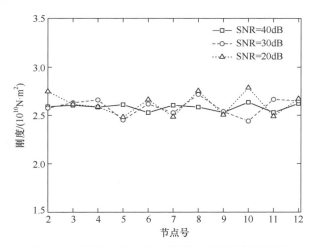

图 4.42　无损伤工况下取不同噪声水平识别的刚度

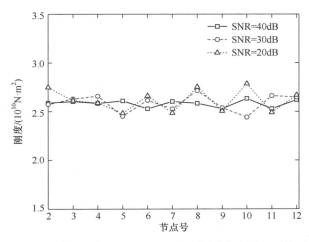

图 4.43　E4 单元损伤 30%的工况下取不同噪声水平识别的刚度

由图 4.42～图 4.44 可以发现，桥梁单元无损伤工况下取不同水平的噪声识别的单元刚度均接近标准刚度 $2.58 \times 10^{10} \mathrm{N \cdot m^2}$；取不同水平的噪声下，有损伤与无损伤工况相比，损伤单元节点刚度的反演结果均明显降低，可以较准确地判定损伤位置和损伤程度，计算刚度的误差均在 8%以内。

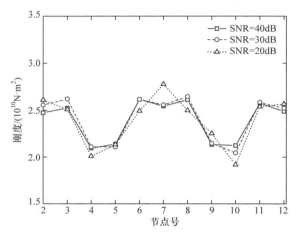

图 4.44　E4、E9 单元均损伤 30%的工况下取不同噪声水平识别的刚度

分析结果表明，采用本章所提出的新方法进行桥梁结构损伤识别工作，可以较好地解决噪声对识别工作的影响，避免了出现噪声水平增大后识别效果不佳的普遍性问题，进一步推动了将自动化检测车应用到实际工程中的发展。

### 4.4.4　外激励变化研究

外激励变化是将该技术应用于实际工程中的一个重要难题。模拟过程中，将移动的车辆作为外激励，通过改变移动车辆的数量、入桥时间、质量、速度来近似模拟随机车辆，车辆质量变化范围取 1000～5000kg，车辆速度变化范围取 1～10m/s。通过数值模拟分析发现，路面粗糙度对静止的检测车没有影响，但是对外激励移动车辆有影响，因此将路面粗糙度[31]也归于外激励变化的范畴来研究。限于篇幅，本节仅展示了两个工况下模拟外激励的变化，两组外激励变化工况如表 4.7 所示。

表 4.7　两组外激励变化工况

| 工况 | 检测车 | 入桥时间/s | 质量/kg | 速度/(m/s) | 路面粗糙度 |
|------|--------|-----------|---------|-----------|-----------|
| 1 | 1 | 3 | 2489 | 6 | D 级 |
| | 2 | 2 | 1074 | 10 | |
| | 3 | 0 | 3678 | 2 | |
| | 4 | 0 | 3422 | 1 | |

续表

| 工况 | 检测车 | 入桥时间/s | 质量/kg | 速度/(m/s) | 路面粗糙度 |
|---|---|---|---|---|---|
| | 1 | 2 | 4069 | 2 | |
| | 2 | 4 | 4898 | 3 | |
| 2 | 3 | 3 | 3212 | 3 | C 级 |
| | 4 | 4 | 1760 | 5 | |
| | 5 | 4 | 1203 | 1 | |

检测车质量如表 4.7 所示，其余检测车和桥梁的参数同 4.3.1 节。

在桥梁单元无损伤、E4 单元损伤 30%和 E4、E9 单元均损伤 30%的工况下取不同外激励车流识别的桥梁一阶频率结果如表 4.8 所示。

表 4.8　无损伤及有损伤工况下取不同外激励车流识别的桥梁一阶频率　　（单位：Hz）

| 工况 | 工况 1 | 工况 2 |
|---|---|---|
| 无损伤 | 3.73 | 3.73 |
| E4 单元刚度折减 30% | 3.67 | 3.67 |
| E4、E9 单元刚度折减 30% | 3.60 | 3.60 |

在桥梁无损伤、E4 单元损伤 30%和 E4、E9 单元均损伤 30%的工况下，桥梁的理论第一阶频率分别为 3.71Hz、3.63Hz、3.55Hz。表 4.8 中识别的桥梁一阶频率的误差均在 2%以内。由此可见，采用本章所提出的方法可以有效识别桥梁一阶频率。

在桥梁单元无损伤、E4 单元损伤 30%和 E4、E9 单元均损伤 30%的工况下，取不同外激励车流识别的模态结果如图 4.45～图 4.47 所示。

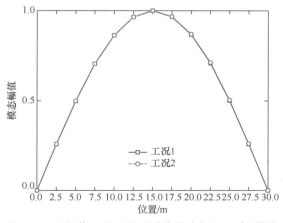

图 4.45　无损伤工况下取不同外激励车流识别的模态

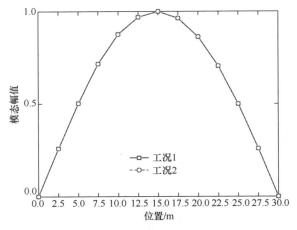

图 4.46　E4 单元损伤 30%的工况下取不同外激励车流识别的模态

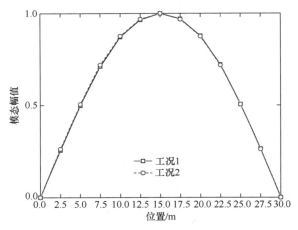

图 4.47　E4、E9 单元均损伤 30%的工况下取不同外激励车流识别的模态

由图 4.45 可以看出，桥梁单元处于无损伤工况下，识别出的桥梁一阶模态与对应的标准模态都很接近，计算模态与标准模态的误差都在 1%以内，说明采用本章提出的方法，在不同外激励的影响下，能够有效识别出桥梁无损伤工况下的模态，计算模态与标准模态的误差都在 1%以内。由图 4.46 和图 4.47 可以看出，各单元在有损伤、不同外激励两个工况下识别出的桥梁一阶模态都很接近，具体识别损伤位置及损伤程度还有待于刚度识别的结果。

在桥梁单元无损伤、E4 单元损伤 30%和 E4、E9 单元均损伤 30%的工况下，取不同外激励车流识别的刚度结果如图 4.48～图 4.50 所示。

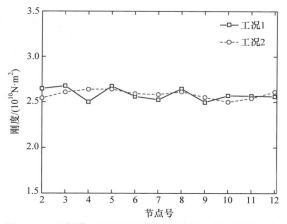

图 4.48　无损伤工况下取不同外激励车流识别的刚度

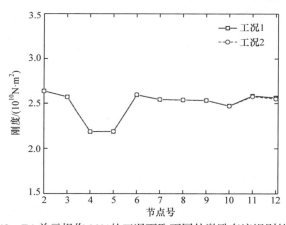

图 4.49　E4 单元损伤 30%的工况下取不同外激励车流识别的刚度

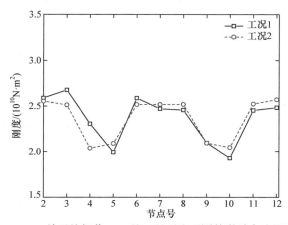

图 4.50　E4、E9 单元均损伤 30%的工况下取不同外激励车流识别的刚度

由图 4.48~图 4.50 可以发现，桥梁单元在无损伤工况下取不同外激励车流识别的单元刚度均接近标准刚度 $2.58 \times 10^{10} \text{N·m}^2$；取不同外激励下有损伤与无损伤工况相比，损伤单元节点刚度的反演结果均明显降低，可以较准确地判定损伤位置和损伤程度，计算刚度的误差均在 5%以内。分析结果表明，采用本章所提出的方法进行桥梁结构损伤识别工作，可较好地解决不同外激励对识别工作的影响，进一步推动了将自动化检测车应用到实际工程中的发展。

### 4.4.5　路面粗糙度的参数研究

路面粗糙度采用 2.2.2 节中的标准，检测车及桥梁的参数同 4.3.1 节。设置桥梁阻尼比为 0.02，车辆阻尼为 1000N·s/m，本节讨论在路面粗糙度分别取 A 级、B 级、C 级、D 级工况下对桥梁损伤识别的影响。

在桥梁单元无损伤、E4 单元损伤 30%和 E4、E9 单元均损伤 30%的工况下取不同路面粗糙度识别的桥梁一阶频率结果如表 4.9 所示。

**表 4.9　无损伤及有损伤工况下取不同路面粗糙度识别的桥梁一阶频率** (单位：Hz)

| 工况 | A 级 | B 级 | C 级 | D 级 |
|---|---|---|---|---|
| 无损伤 | 3.73 | 3.73 | 3.73 | 3.73 |
| E4 单元刚度折减 30% | 3.67 | 3.67 | 3.67 | 3.67 |
| E4、E9 单元刚度折减 30% | 3.60 | 3.60 | 3.60 | 3.60 |

在桥梁无损伤、E4 单元损伤 30%和 E4、E9 单元均损伤 30%的工况下，桥梁的理论第一阶频率分别为 3.71Hz、3.63Hz、3.55Hz。表 4.9 中识别的桥梁一阶频率的误差均在 2%以内。因此，采用本章所提出的方法可以有效识别桥梁一阶频率。

在桥梁单元无损伤、E4 单元损伤 30%和 E4、E9 单元均损伤 30%的工况下取不同路面粗糙度识别的模态结果如图 4.51~图 4.53 所示。

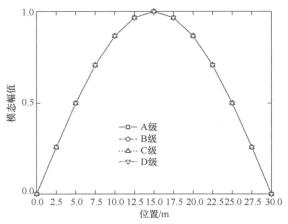

图 4.51　无损伤工况下取不同路面粗糙度识别的模态

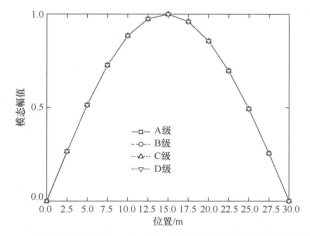

图 4.52　E4 单元损伤 30%的工况下取不同路面粗糙度识别的模态

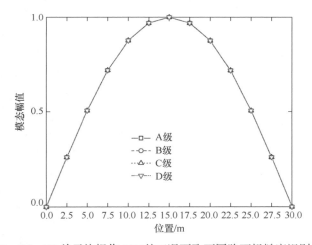

图 4.53　E4、E9 单元均损伤 30%的工况下取不同路面粗糙度识别的模态

由图 4.51 可以看出，桥梁单元处于无损伤工况下，识别出的桥梁一阶模态与对应的标准模态都很接近，计算模态与标准模态的误差都在 1%以内，说明采用本章提出的方法，在不同路面粗糙度的影响下，能够有效识别出桥梁无损伤工况下的模态，计算模态与标准模态的误差都在 1%以内。由图 4.52 和图 4.53 可以看出，在各单元有损伤、不同路面粗糙度工况下识别出的桥梁一阶模态都很接近，具体识别损伤位置及损伤程度还有待于刚度识别的结果。

在桥梁单元无损伤、E4 单元损伤 30%，以及 E4、E9 单元均损伤 30%的工况下，取不同路面粗糙度识别的刚度结果如 4.54～图 4.56 所示。

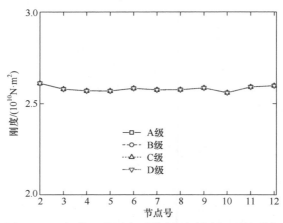

图 4.54　无损伤工况下取不同路面粗糙度识别的刚度

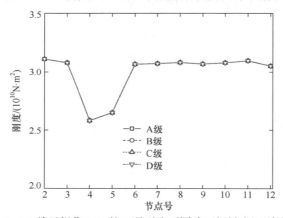

图 4.55　E4 单元损伤 30%的工况下取不同路面粗糙度识别的刚度

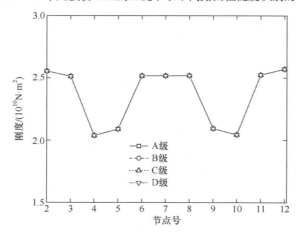

图 4.56　E4、E9 单元均损伤 30%的工况下取不同路面粗糙度识别的刚度

由图 4.54～图 4.56 可以发现，桥梁单元无损伤工况下取不同路面粗糙度识别的单元刚度均接近标准刚度 $2.58 \times 10^{10} \mathrm{N \cdot m^2}$；取不同路面粗糙度下有损伤与无损伤工况相比，损伤单元节点刚度的反演结果均明显降低，可以较准确地判定损伤位置和损伤程度，计算刚度的误差均在 5%以内。

分析结果表明，采用本章所提出的新方法进行桥梁结构损伤识别工作，可较好地解决不同路面粗糙度对识别工作的影响。

## 4.5　本 章 小 结

本章基于数值模拟分析了识别方法在桥梁阻尼比、车辆阻尼、环境噪声水平、外激励变化和路面粗糙度等因素影响下的识别效果。

本章首先对检测车响应和接触点响应分别进行数值模拟分析对比，结果表明采用接触点信号识别的刚度结果更优，这与作者预想一致，接触点信号过滤掉了车体信号的影响，因此识别的结果比检测车信号更好。然后针对初始条件为零和初始条件不为零的情况分别进行了模拟分析，结果表明，初始条件为零和初始条件不为零两类情况下得到的数值模拟结果相差不大。因此，采用初始条件为零来进行分析。为了进一步研究本方法应用于实际工程的可行性，利用控制变量法进一步研究本方法在桥梁阻尼比、车辆阻尼、环境噪声水平、外激励变化、路面粗糙度等因素影响下的鲁棒性。结果表明，该方法在考虑各种影响因素下能够识别桥梁的损伤位置和损伤程度。其中，桥梁阻尼比考虑的范围为 0～0.05，车辆阻尼考虑的范围为 $0 \sim 2000 \mathrm{N \cdot s/m}$，环境噪声水平考虑的范围为 20～40dB。

# 第 5 章　基于三车系统运行静采方式的桥梁结构损伤诊断理论 II

## 5.1　引　　言

由文献[39]中"停靠在桥梁上的质量块能改变桥梁振动频率特性"这一想法受到启发，将质量块用与实际情况更加接近的检测车代替。当检测车的质量足够大或采用多辆检测车同时检测时，通过改变检测车在桥梁上的停靠位置可以使车-桥系统频率发生改变，进而构造桥梁模态振型。桥梁的模态振型与桥梁单元刚度直接相关，因此可采用直接刚度法反演出桥梁刚度，最终根据刚度的改变达到损伤识别的目的。

本章的整体研究思路如图 5.1 所示，首先将检测车简化为由弹簧、阻尼及质量块组成的单自由度系统，桥梁简化为简支梁。然后从理论出发，推导出单检测车、双检测车及多检测车停靠在桥梁上时车-桥系统频率与桥梁模态之间的关系，通过改变检测车的停靠位置从而构造出桥梁的模态振型，进一步根据模态振型与单元刚度之间的力学关系，反演出桥梁节点位置的截面抗弯刚度，为桥梁损伤识别打下基础。

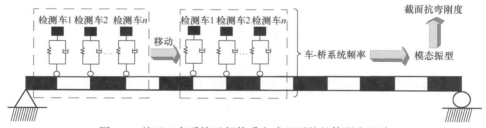

图 5.1　基于三车系统运行静采方式 II 下的整体研究思路

## 5.2　理　论　基　础

### 5.2.1　单车-桥系统频率与桥梁模态关系的理论解

图 5.2 为单车-桥系统数学模型，在该模型中检测车 1 和桥梁上的随机车辆均

被简化为由弹簧支撑的质量块。检测车 1 的参数为：弹簧刚度 $k_{v1}$，阻尼系数 $c_{v1}$，质量块的质量 $m_{v1}$。随机车辆的参数表示方法与此类似，只是均采用带下标字母 $a$ 来表示，例如，第 $i$ 辆随机车辆的质量、刚度、阻尼系数以及运行速度分别为 $m_{ai}$、$k_{ai}$、$c_{ai}$ 和 $v_{ai}$。桥梁简化为简支梁，其跨径为 $L$，单位长度质量为 $m^*$，截面的抗弯刚度为 $EI$，阻尼形式采用模态阻尼比为 $\xi_n$ 的瑞利阻尼，桥梁划分为若干个欧拉-伯努利梁单元，桥梁节点分别用数字 1，2，3，…来表示。检测车 1 在简支梁上的不同节点位置停靠，使车-桥系统固有频率发生改变，从而得出桥梁模态振型。需要注意的是，模型中的随机车辆主要是模拟实际测试时桥梁上的交通车流，其在实际中更能激发出桥梁的振动频率，对该方法是有利的[18]。检测车停靠在桥梁上采集振动信号，与检测车在桥梁上以运动的方式采集振动信号不同的是，停靠在桥梁上的检测车振动响应不会受路面粗糙度的直接影响，这正是本方法在实际应用时的主要优势之一。

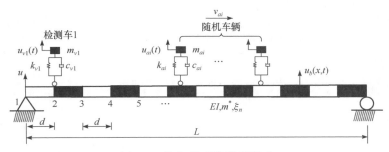

图 5.2　单车-桥系统数学模型

对于停靠在距桥梁左端支座 $d$ 的检测车 1，其振动控制方程为

$$m_{v1}\ddot{u}_{v1}(t)+c_{v1}[\dot{u}_{v1}(t)-\dot{u}_b(x,t)\big|_{x=d}]+k_{v1}[u_{v1}(t)-u_b(x,t)\big|_{x=d}]=0 \tag{5.1}$$

对于第 $i$ 辆随机车辆，其振动控制方程为

$$m_{ai}\ddot{u}_{ai}(t)+c_{ai}[\dot{u}_{ai}(t)-\dot{u}_b(x,t)\big|_{x=v_it}]+k_{ai}[u_{ai}(t)-u_b(x,t)\big|_{x=v_it}]=0 \tag{5.2}$$

对于桥梁，其振动控制方程为

$$m^*\ddot{u}_b(x,t)+c\dot{u}_b(x,t)+EIu_b''''(x,t)=f_{c,1}(t)\delta(x-d)+\sum_{i=1}^m f_{c,i}(t)\delta(x-v_{ai}t) \tag{5.3}$$

式中，$u_{v1}(t)$ 为检测车从静平衡位置起产生的竖向位移；$u_b(x,t)$ 为桥梁的竖向位移；$u_b''''(x,t)$ 为桥梁位移对位置 $x$ 的四次微分；$\delta$ 为狄拉克函数；$(\dot{}\,)=\mathrm{d}(\cdot)/\mathrm{d}t$ 为对时间 $t$ 求一阶导数；$(\ddot{}\,)=\mathrm{d}^2(\cdot)/\mathrm{d}t^2$ 为对时间 $t$ 求二阶导数；$f_{c,1}(t)$、$f_{c,i}(t)$ 分别为检测车、随机车辆与桥梁之间由位移差引起的相互作用力，可以表示为

$$f_{c,1}(t)=-m_{v1}g+k_{v1}[u_{v1}(t)-u_b(x,t)\big|_{x=d}]+c_{v1}[\dot{u}_{v1}(t)-\dot{u}_b(x,t)\big|_{x=d}] \tag{5.4}$$

$$f_{c,i}(t) = -m_{ai}g + k_{ai}[u_{ai}(t) - u_b(x,t)\big|_{x=v_{ai}t}] + c_{ai}[\dot{u}_{ai}(t) - \dot{u}_b(x,t)\big|_{x=v_{ai}t}] \tag{5.5}$$

式中，$g$ 为重力加速度。

运用振型叠加法可将简支梁的竖向位移 $u_b(x,t)$ 表示为

$$u_b(x,t) = \sum_{n=1}^{\infty} \phi_n(x)q_n(t) \tag{5.6}$$

式中，$\phi_n(x)$ 为桥梁的第 $n$ 阶模态振型，对于简支梁，$\phi_n(x) = \sin\left(\dfrac{n\pi x}{L}\right)$；$q_n(t)$ 为桥梁第 $n$ 阶振动模态所对应的广义坐标。

将式(5.6)代入式(5.3)，同时在等式两边乘以模态函数 $\phi_j(x) = \sin\left(\dfrac{j\pi x}{L}\right)$，并对 $x$ 从 0 积分至 $L$，根据正弦函数的正交性，当 $j=n$ 时可推出式(5.7)成立：

$$
\begin{aligned}
&\ddot{q}_n(t) + \left[2\xi_n\omega_n + \frac{2c_{v1}}{m^*L}\sin^2\left(\frac{n\pi d}{L}\right)\right]\dot{q}_n(t) \\
&- \frac{2c_{v1}}{m^*L}\sin\left(\frac{n\pi d}{L}\right)\dot{u}_{v1}(t) + \left[\omega_n^2 + \frac{2k_{v1}}{m^*L}\sin^2\left(\frac{n\pi d}{L}\right)\right]q_n(t) \\
&- \frac{2k_{v1}}{m^*L}\sin\left(\frac{n\pi d}{L}\right)u_{v1}(t) = \left(-\frac{2m_{v1}g}{m^*L}\right)\sin\left(\frac{n\pi d}{L}\right) + \frac{2}{m^*L}\sum_{i=1}^{m}\left[f_{c,i}(t)\sin\left(\frac{n\pi v_{ai}t}{L}\right)\right]
\end{aligned} \tag{5.7}
$$

式中，$\omega_n$ 为简支梁第 $n$ 阶自振频率，$\omega_n = \dfrac{n^2\pi^2}{L^2}\sqrt{\dfrac{EI}{m^*}}$；$\xi_n$ 为第 $n$ 阶模态阻尼比，$\xi_n = \dfrac{c}{2m^*L\omega_n}$。

对于停靠在桥面上 $x=d$ 位置的检测车 1，其与桥梁接触点的位移响应为

$$u_b(x,t)\big|_{x=d} = \sum_{n=1}^{\infty}\phi_n(d)q_n(t) = \sum_{n=1}^{\infty}\sin\left(\frac{n\pi d}{L}\right)q_n(t) \tag{5.8}$$

若只取桥梁的第 $n$ 阶响应对检测车 1 响应的贡献，可得式(5.9)表示车-桥接触点响应。此处为简化理论推导，只考虑桥梁的部分模态响应贡献，该方法主要关注的是桥梁某一阶的振动频率信息，在获取桥梁振动频率时，实际上已经从频域内对桥梁响应进行了分离，因此这样推导并不会影响该方法的有效性。

$$u_b(x,t)\big|_{x=d,n} = \sin\left(\frac{n\pi d}{L}\right)q_n(t) \tag{5.9}$$

将式(5.9)代入式(5.1)可得

$$m_{v1}\ddot{u}_{v1}(t) + c_{v1}\dot{u}_{v3}(t) - c_{v1}\sin\left(\frac{n\pi d}{L}\right)\dot{q}_n(t) + k_{v1}u_{v1}(t) - k_{v1}\sin\left(\frac{n\pi d}{L}\right)\dot{q}_n(t) = 0 \tag{5.10}$$

通过联立式(5.7)和式(5.10)可得到检测车 1 与桥梁之间相互耦合的振动方程组，采用矩阵的形式表示如下：

$$
\begin{bmatrix} 1 & 0 \\ 0 & m_{v1} \end{bmatrix} \begin{bmatrix} \ddot{q}_n(t) \\ \ddot{u}_{v1}(t) \end{bmatrix} + \begin{bmatrix} 2\xi_n\omega_n + \dfrac{2c_{v1}}{m^*L}\sin^2\left(\dfrac{n\pi d}{L}\right) & -\dfrac{2c_{v1}}{m^*L}\sin\left(\dfrac{n\pi d}{L}\right) \\[3mm] -c_{v1}\sin\left(\dfrac{n\pi d}{L}\right) & c_{v1} \end{bmatrix} \begin{bmatrix} \dot{q}_n(t) \\ \dot{u}_{v1}(t) \end{bmatrix}
$$

$$
+ \begin{bmatrix} \omega_n^2 + \dfrac{2k_{v1}}{m^*L}\sin^2\left(\dfrac{n\pi d}{L}\right) & -\dfrac{2k_{v1}}{m^*L}\sin\left(\dfrac{n\pi d}{L}\right) \\[3mm] -k_{v1}\sin\left(\dfrac{n\pi d}{L}\right) & k_{v1} \end{bmatrix} \begin{bmatrix} q_n(t) \\ u_{v1}(t) \end{bmatrix}
$$

$$
= \begin{bmatrix} -\dfrac{2m_{v1}g}{m^*L}\sin\left(\dfrac{n\pi d}{L}\right) + \dfrac{2}{m^*L}\sum_{i=1}^{m} f_{c,i}(t)\sin\left(\dfrac{n\pi v_{ai}t}{L}\right) \\[3mm] 0 \end{bmatrix} \tag{5.11}
$$

对于检测车与桥梁系统，引入检测车导致系统的特性(如刚度、质量)与没有停靠检测车的桥梁有所区别。进一步提取车-桥系统的质量矩阵和刚度矩阵，并构造车-桥系统振动特征方程如下：

$$
\det(K - \omega_{cn}^2 M) = \left\| \begin{matrix} \omega_n^2 + \dfrac{2k_{v1}}{m^*L}\sin^2\left(\dfrac{n\pi d}{L}\right) - \omega_{cn}^2 & -\dfrac{2k_{v1}}{m^*L}\sin\left(\dfrac{n\pi d}{L}\right) \\[3mm] -k_{v1}\sin\left(\dfrac{n\pi d}{L}\right) & k_{v1} - \omega_{cn}^2 m_{v1} \end{matrix} \right\| = 0 \tag{5.12}
$$

式中，$\omega_{cn}$ 为车-桥系统频率；$\omega_n$ 为桥梁第 $n$ 阶振动频率。求解式(5.12)可得到车-桥系统频率与检测车停靠位置模态值 $\phi_n(d)$ 之间的关系如下：

$$
\phi_n^2(d) = \sin^2\left(\frac{n\pi d}{L}\right) = \frac{m^*L}{2m_{v1}\omega_{v1}^2\omega_{cn}^2}(\omega_n^2 - \omega_{cn}^2)(\omega_{v1}^2 - \omega_{cn}^2) \tag{5.13}
$$

式中，$m_{v1}$、$\omega_{v1}$ 均为已知参数，$\omega_{v1}^2 = k_{v1}/m_{v1}$；$\omega_n^2$ 可通过直接量测法得到；$\omega_{cn}$ 可通过安装在检测车上的传感器所测的振动信号得出。通过改变检测车在桥梁上的停靠位置，最终可以构造出桥梁的模态振型 $\phi_n(x)$。

直接对系统的特征方程(式(5.12))求解可得到关于 $\omega_{cn}^2$ 的一元二次方程：

$$
\omega_{cn}^4 - \left\{\omega_n^2 + \left[\frac{2m_{v1}}{m^*L}\sin^2\left(\frac{n\pi d}{L}\right) + 1\right]\omega_{v1}^2\right\}\omega_{cn}^2 + \omega_n^2\omega_{v1}^2 = 0 \tag{5.14}
$$

式中，$\omega_{v1}^2$ 为检测车的固有频率，通过求解式(5.14)可得方程的两根分别为

$$
(\omega_{cn}^2)_1 = \frac{\omega_n^2 + \left[\dfrac{2m_{v1}}{m^*L}\sin^2\left(\dfrac{n\pi d}{L}\right)+1\right]\omega_{v1}^2 + \sqrt{\left\{\omega_n^2 + \left[\dfrac{2m_{v1}}{m^*L}\sin^2\left(\dfrac{n\pi d}{L}\right)+1\right]\omega_{v1}^2\right\}^2 - 4\omega_n^2\omega_{v1}^2}}{2}
$$

$$
\tag{5.15}
$$

$$(\omega_{cn}^2)_2 = \cfrac{\omega_n^2 + \left[\dfrac{2m_{v1}}{m^*L}\sin^2\left(\dfrac{n\pi d}{L}\right)+1\right]\omega_{v1}^2 - \sqrt{\left\{\omega_n^2 + \left[\dfrac{2m_{v1}}{m^*L}\sin^2\left(\dfrac{n\pi d}{L}\right)+1\right]\omega_{v1}^2\right\}^2 - 4\omega_n^2\omega_{v1}^2}}{2}$$

(5.16)

由式 (5.15) 和式 (5.16) 可 以 看 出 ， 当 $(2m_{v1}/m^*L)\sin^2(n\pi d/L)\ll 1$ 时 ， 若 $\omega_n^2 \gg \omega_{v1}^2$ ，则方程两根分别为 $(\omega_{cn}^2)_1 = \omega_n^2$ 、 $(\omega_{cn}^2)_2 = \omega_{v1}^2$ ；若 $\omega_n^2 \gg \omega_{v1}^2$ ，则方程两根分别为 $(\omega_{cn}^2)_1 = \omega_{v1}^2$ 、 $(\omega_{cn}^2)_2 = \omega_n^2$ ，此时车-桥系统的固有频率分别为桥梁的第 $n$ 阶自振频率和检测车的固有频率，为一恒定值。因此，当检测车质量相对于桥梁质量很小时，通过改变其在桥梁上的停靠位置不足以引起车-桥系统的频率发生较大改变，该方法不能通过车-桥系统频率的变化构造出桥梁模态振型。但是，从另一个角度来看，当检测车质量较小时，将其停靠在除桥梁支座的节点上时，可识别到桥梁的第 $n$ 阶自振频率 $\omega_n^2$ ，这是很有必要的。由式(5.13)可知，要先求出桥梁的自振频率才能进一步构造出桥梁模态振型。

值得注意的是，当检测车的刚度系数趋于无穷大时，即 $k_{v1}\to\infty$ ，此时可将检测车当成质量块，通过对式(5.13)进行简单的化简可得到更简化的关系式：

$$\omega_{cn} = \frac{\omega_n}{\sqrt{1+\dfrac{2m_{v1}}{m^*L}\sin^2\left(\dfrac{n\pi d}{L}\right)}}$$

(5.17)

式(5.17)与文献[43]中根据质量块-桥梁模型得出的结论一致，但是在本章中考虑了检测车的刚度和阻尼，推导出更加符合检测车实际情况的结论。

### 5.2.2　多车-桥系统频率与桥梁模态关系的理论解

5.2.1 节推导出了单辆检测车在桥梁上不同位置停靠时的车-桥系统频率与桥梁的模态值之间的关系，从而为提取桥梁模态振型提供了理论支撑。但是，在现实中，单辆检测车的质量往往不足以引起车-桥系统的频率发生足够大的变化，因此采用改变检测车的停靠位置，使系统频率(可以用现有技术测量出)发生改变。因此，本节将引入多辆检测车停靠在桥上，从而增大检测车与桥梁的质量比，使得车-桥系统频率改变更加显著。

下面对多车-桥系统频率与桥梁模态值之间的关系进行推导。图 5.3 为多车-桥系统数学模型，在桥梁上待测模态值的节点处共停靠有 $p$ 辆检测车，检测车与桥梁左端支座的距离分别为 $d_1$ ， $d_2$ ， $\cdots$ ， $d_p$ ，其余参数表示的含义与图 5.2 相同，这里不再重复说明。

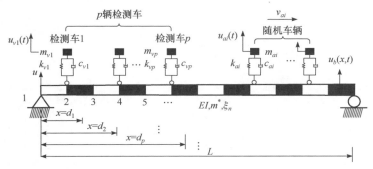

图 5.3　多车-桥系统数学模型

建立关于 $p$ 辆检测车的振动控制方程如下：

$$\begin{cases} m_{v1}\ddot{u}_{v1}(t) + k_{v1}\left[u_{v1}(t) - u_b(x,t)\big|_{x=d_1}\right] + c_{v1}\left[\dot{u}_{v1}(t) - \dot{u}_b(x,t)\big|_{x=d_1}\right] = 0 \\ m_{v2}\ddot{u}_{v2}(t) + k_{v2}\left[u_{v2}(t) - u_b(x,t)\big|_{x=d_2}\right] + c_{v2}\left[\dot{u}_{v2}(t) - \dot{u}_b(x,t)\big|_{x=d_2}\right] = 0 \\ \qquad\qquad\qquad\qquad\qquad\vdots \\ m_{vp}\ddot{u}_{vp}(t) + k_{vp}\left[u_{vp}(t) - u_b(x,t)\big|_{x=d_p}\right] + c_{vp}\left[\dot{u}_{vp}(t) - \dot{u}_b(x,t)\big|_{x=d_p}\right] = 0 \end{cases} \quad (5.18)$$

桥梁、随机车辆的振动方程以及车桥之间的相互作用力分别与式(5.3)、式(5.2)以及式(5.4)和式(5.5)相似。由于推导过程与 5.2.1 节一致，此处不再展示具体的公式推演过程，最终得到多车-桥系统的振动控制方程如下：

$$\begin{bmatrix} 1 & 0 & 0 & \cdots & 0 \\ 0 & m_{v1} & 0 & \cdots & 0 \\ 0 & 0 & m_{v2} & 0 & 0 \\ \vdots & \vdots & \vdots & & \vdots \\ 0 & 0 & \cdots & 0 & m_{vp} \end{bmatrix} \begin{bmatrix} \ddot{q}_n(t) \\ \ddot{u}_{v1}(t) \\ \ddot{u}_{v2}(t) \\ \vdots \\ \ddot{u}_{vp}(t) \end{bmatrix}$$

$$+ \begin{bmatrix} 2\xi_n\omega_n + \sum\limits_{i=1}^{p}\dfrac{2c_{vi}}{m^*L}\sin^2\left(\dfrac{n\pi d_i}{L}\right) & -\dfrac{2c_{v1}}{m^*L}\sin\left(\dfrac{n\pi d_1}{L}\right) & -\dfrac{2c_{v2}}{m^*L}\sin\left(\dfrac{n\pi d_2}{L}\right) & \cdots & -\dfrac{2c_{vp}}{m^*L}\sin\left(\dfrac{n\pi d_p}{L}\right) \\ -c_{v1}\sin\left(\dfrac{n\pi d_1}{L}\right) & c_{v1} & 0 & 0 & 0 \\ -c_{v2}\sin\left(\dfrac{n\pi d_2}{L}\right) & 0 & c_{v2} & 0 & 0 \\ \vdots & \vdots & & \vdots & \vdots \\ -c_{vp}\sin\left(\dfrac{n\pi d_p}{L}\right) & 0 & 0 & 0 & c_{vp} \end{bmatrix}$$

$$\times \begin{bmatrix} \dot{q}_n(t) \\ \dot{u}_{v1}(t) \\ \dot{u}_{v2}(t) \\ \vdots \\ u_{vp}(t) \end{bmatrix}$$

$$+ \begin{bmatrix} \omega_n^2 + \sum_{i=1}^{p} \dfrac{2k_{vi}}{m^*L}\sin^2\left(\dfrac{n\pi d_i}{L}\right) & -\dfrac{2k_{v1}}{m^*L}\sin\left(\dfrac{n\pi d_1}{L}\right) & -\dfrac{2k_{v2}}{m^*L}\sin\left(\dfrac{n\pi d_2}{L}\right) & \cdots & -\dfrac{2k_{vp}}{m^*L}\sin\left(\dfrac{n\pi d_p}{L}\right) \\ -k_{v1}\sin\left(\dfrac{n\pi d_1}{L}\right) & k_{v1} & 0 & 0 & 0 \\ -k_{v2}\sin\left(\dfrac{n\pi d_2}{L}\right) & 0 & k_{v2} & 0 & 0 \\ \vdots & \vdots & \vdots & & \vdots \\ -k_{vp}\sin\left(\dfrac{n\pi d_p}{L}\right) & 0 & 0 & 0 & k_{vp} \end{bmatrix}$$

$$\times \begin{bmatrix} q_n(t) \\ u_{v1}(t) \\ u_{v2}(t) \\ \vdots \\ u_{vp}(t) \end{bmatrix} = \begin{bmatrix} \sum_{i=1}^{p}\left(-\dfrac{2m_{vi}g}{m^*L}\right)\sin\left(\dfrac{n\pi d_i}{L}\right) + \dfrac{2}{m^*L}\sum_{i=1}^{m}f_{c,i}(t)\sin\left(\dfrac{n\pi v_{ai}t}{L}\right) \\ 0 \\ 0 \\ \vdots \\ 0 \end{bmatrix}$$

$$(5.19)$$

由车-桥振动系统的特性矩阵可得到系统的特征方程如下：

$$\det(K - \omega_{cn}^2 M)$$

$$= \left\| \begin{matrix} \omega_n^2 + \sum_{i=1}^{p}\dfrac{2k_{vi}}{m^*L}\sin^2\left(\dfrac{n\pi d_i}{L}\right) - \omega_{cn}^2 & -\dfrac{2k_{v1}}{m^*L}\sin\left(\dfrac{n\pi d_1}{L}\right) & -\dfrac{2k_{v2}}{m^*L}\sin\left(\dfrac{n\pi d_2}{L}\right) & \cdots & -\dfrac{2k_{vp}}{m^*L}\sin\left(\dfrac{n\pi d_p}{L}\right) \\ -k_{v1}\sin\left(\dfrac{n\pi d_1}{L}\right) & k_{v1} - \omega_{cn}^2 m_{v1} & 0 & 0 & 0 \\ -k_{v2}\sin\left(\dfrac{n\pi d_2}{L}\right) & 0 & k_{v2} - \omega_{cn}^2 m_{v2} & 0 & 0 \\ \vdots & \vdots & \vdots & & \vdots \\ -k_{vp}\sin\left(\dfrac{n\pi d_p}{L}\right) & 0 & 0 & 0 & k_{vp} - \omega_{cn}^2 m_{vp} \end{matrix} \right\|$$

$$= 0$$

$$(5.20)$$

对式(5.20)左边行列式进行化简可得

$$
\left[\omega_n^2 + \sum_{i=1}^{p}\frac{2k_{vi}}{m^*L}\sin^2\left(\frac{n\pi d_i}{L}\right) - \omega_{cn}^2\right]\prod_{i=1}^{p}\left(k_{vi}-\omega_{cn}^2 m_{vi}\right) - \frac{2k_{v1}^2}{m^*L}\sin^2\left(\frac{n\pi d_1}{L}\right)\prod_{i=2}^{p}\left(k_{vi}-\omega_{cn}^2 m_{vi}\right)
$$

$$
-\frac{2k_{v2}^2}{m^*L}\sin^2\left(\frac{n\pi d_2}{L}\right)\prod_{i=1,i\neq 2}^{p}\left(k_{vi}-\omega_{cn}^2 m_{vi}\right) - \cdots - \frac{2k_{vp}^2}{m^*L}\sin^2\left(\frac{n\pi d_p}{L}\right)\prod_{i=1}^{p-1}\left(k_{vi}-\omega_{cn}^2 m_{vi}\right) = 0
$$

$$(5.21)$$

由式(5.21)可知，车-桥系统的特征方程是关于 $\omega_{cn}^2$ 的一个 $p+1$ 次的齐次方程，通过求解该方程可以得到 $p+1$ 个根，此处分别记作 $(\omega_{cn}^2)_1$，$(\omega_{cn}^2)_2$，$\cdots$，$(\omega_{cn}^2)_{p+1}$。特别地，当所有检测车的参数相同，即 $k_{v1}=k_{v2}=\cdots=k_{vp}=k_v$、$m_{v1}=m_{v2}=\cdots=m_{vp}=m_v$ 时，由式(5.21)可进一步得到如下关系式：

$$
\left\{\left[\omega_n^2 + \frac{2k_v}{m^*L}\sum_{i=1}^{p}\sin^2\left(\frac{n\pi d_i}{L}\right) - \omega_{cn}^2\right](k_v - \omega_{cn}^2 m_v) - \frac{2k_v^2}{m^*L}\sum_{i=1}^{p}\sin^2\left(\frac{n\pi d_i}{L}\right)\right\}
$$
$$
\times (k_v - \omega_{cn}^2 m_v)^{p-1} = 0
$$

$$(5.22)$$

由式(5.22)可知，$\omega_{cn}^2 = k_v / m_v = \omega_v^2$ 为方程的 $p-1$ 重根，对于方程剩下的两个根，可令式(5.22)左边的第一个因式等于 0，求解一元二次方程得

$$
(\omega_{cn}^2)_1 = \frac{\omega_n^2 + \left[\frac{2m_v}{m^*L}\sum_{i=1}^{p}\sin^2\left(\frac{n\pi d_i}{L}\right)+1\right]\omega_v^2 + \sqrt{\left\{\omega_n^2 + \left[\frac{2m_v}{m^*L}\sum_{i=1}^{p}\sin^2\left(\frac{n\pi d_i}{L}\right)+1\right]\omega_v^2\right\}^2 - 4\omega_n^2\omega_v^2}}{2}
$$

$$(5.23)$$

$$
(\omega_{cn}^2)_2 = \frac{\omega_n^2 + \left[\frac{2m_v}{m^*L}\sum_{i=1}^{p}\sin^2\left(\frac{n\pi d_i}{L}\right)+1\right]\omega_v^2 - \sqrt{\left\{\omega_n^2 + \left[\frac{2m_v}{m^*L}\sum_{i=1}^{p}\sin^2\left(\frac{n\pi d_i}{L}\right)+1\right]\omega_v^2\right\}^2 - 4\omega_n^2\omega_v^2}}{2}
$$

$$(5.24)$$

式(5.23)为与桥梁的第 $n$ 阶固有振动频率相关的解，式(5.24)为与车体振动频率相关的解。显然，当桥上停靠有 $p$ 辆检测车时，车-桥系统频率与桥梁 $n$ 阶固有频率，即 $(\omega_{cn}^2)_1$ 与 $\omega_n^2$ 相差比桥上停靠单辆检测车时要大。这对于识别系统频率，并进一步构造出桥梁模态是有利的。

本章只需要求出车-桥系统频率与检测车停靠位置桥梁模态值的关系，然后根据此关系构造出桥梁模态振型。因此，可令式(5.22)中第一个因式等于 0，可得如下关系式：

$$\sum_{i=1}^{p} \sin^2\left(\frac{n\pi d_i}{L}\right) = \frac{m^*L}{2m_v k_v \omega_{cn}^2}(\omega_n^2 - \omega_{cn}^2)(k_v - \omega_{cn}^2 m_v) \tag{5.25}$$

### 5.2.3  基于车-桥系统频率的桥梁模态提取方法

由 5.2.2 节中关于多车-桥系统频率与桥梁模态关系的推导可知，当桥梁上检测车数量增多时，由其位置的变化引起的车-桥系统频率的改变更加显著，对实际测量也更加方便。因此，从理论上来说，桥梁上停靠的检测车数量越多，由车辆在桥梁不同位置停靠导致的车-桥系统频率改变越大。但是，由于简支梁的单跨跨径及模态测点数量的限制，检测车的数量不能过多，5.4.1 节中关于车-桥质量比的参数分析也说明检测车数量不能过多。下面分别介绍单辆检测车和多检测车(以双车为例)提取桥梁模态振型的过程。

单辆检测车识别桥梁模态振型示意图如图 5.4 所示。

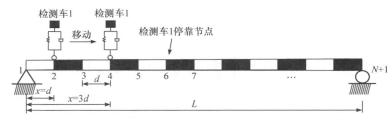

图 5.4  单辆检测车识别桥梁模态振型示意图

首先，将桥梁划分成 $N$ 个长度均为 $d$ 的单元，共有 $N+1$ 个节点，从左至右依次编号为 1，2，…，$N+1$。然后，通过间接量测法或直接在桥面布置传感器识别出桥梁的 $n$ 阶固有频率 $\omega_n^2$。由于桥梁支座处模态值为 0，移动检测车 1 至桥梁的节点 2 处，通过采集检测车上的加速度振动信号进行快速傅里叶变换可得到车-桥系统的固有频率 $\omega_{cn}^2$，由式(5.13)可反演出桥梁在节点 2 处的 $n$ 阶模态值 $\phi_n(d)$。移动检测车 1 至下一个节点，通过同样的方式可以反演出桥梁上下一节点处的模态值 $\phi_n(2d)$。重复以上过程，检测车 1 在桥梁上所有节点停靠之后，可构造出桥梁 $n$ 阶振动模态 $\phi_n(x)$。

下面以双车-桥模型为例说明多车-桥模型构造桥梁模态振型的方法，双车-桥模型参考图 4.3。

在双检测车及多检测车模型中，桥梁的划分方式与单辆检测车模型一样，检测车之间的距离与桥梁单元长度相等，检测车参数均一样。首先，通过间接量测法或直接在桥面布置传感器识别出桥梁的 $n$ 阶固有频率 $\omega_n^2$。接着，将检测车 1 和检测车 2 分别停靠在节点 1、2 位置，此时检测车 1 停靠在桥梁支座位置，采用单辆检测车模型识别出节点 2 处的模态值 $\phi_n(d)$。然后，同步移动两辆检测车至节点 2 和节点 3 处,通过采集检测车 2 或检测车 3 的振动信号可识别出车-桥系统的固有频率 $\omega_{cn}^2$。基于式(5.25)可求出节点 3 处的模态值 $\phi_n(2d)$,重复上述过程,直至测完整座桥梁,即可构造出桥梁模态振型 $\phi_n(x)$。

# 5.3 算 例 验 证

在 5.2 节中,基于若干假设条件的数学模型,推导出了桥梁模态值与车-桥系统频率之间的数学关系,并介绍了桥梁模态振型与刚度之间的力学关系,从理论上对该方法进行了论证。但是,无论是单辆检测车模型的理论推导,还是多检测车模型的理论推导,都基于以下两个关键性的假设:①检测车质量应该足够大,通过其停靠位置的改变能够使系统频率发生改变;②在检测车的停靠节点处,只考虑桥梁的 $n$ 阶模态对其振动响应的贡献。而且在理论推导中只论述多检测车模型比单辆检测车模型导致更大的系统频率变化,多检测车模型比单辆检测车模型更具优势。为了能对理论推导进行验证,并且在数值上对多检测车与单辆检测车模型进行对比分析,本节基于车-桥耦合(VBI)单元,在 MATLAB 中构造出车-桥系统的有限元模型,通过数值分析对该方法进行验证。

## 5.3.1 基于车-桥耦合单元的有限元模型构建

Yang 等[13]在研究高速列车与桥梁的耦合振动问题上,提出了车-桥耦合单元。该耦合单元解决了以往在模拟车-桥耦合振动时出现的问题,是目前国内外车-桥耦合振动模拟中使用频率最高的单元。下面以单辆检测车、双检测车与桥梁单元相互作用模型为例说明本章各类 VBI 单元的构造方法。

在有限元模型中,将桥梁划分为若干个欧拉-伯努利梁单元,每个梁单元仅考虑两端节点的竖向和转动共 4 个自由度。当梁单元上只有一辆检测车停靠时(参考图 2.8),要额外考虑检测车的 1 个自由度,因此该 VBI 单元共有 5 个自由度。当梁单元上停靠有两辆检测车时,要额外考虑 2 个自由度(参考图 2.9),该 VBI 单元共有 6 个自由度。为便于区分不同的 VBI 单元,本节将 5 个自由度的 VBI 单元称为 SVBI 单元,6 个自由度的 VBI 单元称为 DVBI 单元。DVBI 单元特性矩阵可通过 SVBI 单元特性矩阵组合得到。

当桥梁某一单元上停靠有一辆检测车时,形成 5 个自由度的 SVBI 单元的振动控制方程可以表示为[85]

$$\begin{bmatrix} m_v & 0 \\ 0 & [m_b] \end{bmatrix} \begin{Bmatrix} \ddot{u}_v \\ \{\ddot{u}_b\} \end{Bmatrix} + \begin{bmatrix} c_v & -c_v\{N(x_c)\}^{\mathrm{T}} \\ -c_v\{N(x_c)\}^{\mathrm{T}} & [c_b]+c_v\{N(x_c)\}\{N(x_c)\}^{\mathrm{T}} \end{bmatrix} \begin{Bmatrix} \dot{u}_v \\ \{\dot{u}_b\} \end{Bmatrix}$$

$$+ \begin{bmatrix} k_v & -k_v\{N(x_c)\}^{\mathrm{T}} \\ -k_v\{N(x_c)\} & [k_b]+k_v\{N(x_c)\}\{N(x_c)\}^{\mathrm{T}} \end{bmatrix} \begin{Bmatrix} u_v \\ \{u_b\} \end{Bmatrix} \tag{5.26}$$

$$= \begin{Bmatrix} k_v r(x_c) \\ -m_v g\{N(x_c)\} - k_v r(x_c)\{N(x_c)\} \end{Bmatrix}$$

式中，$[m_b]$、$[k_b]$、$[c_b]$ 分别为梁单元的质量矩阵、刚度矩阵和阻尼矩阵。$[m_b]$、$[k_b]$ 表达式分别为

$$[m_b] = \frac{m^* l}{420} \begin{bmatrix} 156 & 22l & 54 & -13l \\ 22l & 4l^2 & 13l & -3l^2 \\ 54 & 13l & 156 & -22l \\ -13l & -3l^2 & -22l & 4l^2 \end{bmatrix} \tag{5.27}$$

$$[k_b] = \frac{2EI}{l^3} \begin{bmatrix} 6 & 3l & -6 & 3l \\ 3l & 2l^2 & -3l & l^2 \\ -6 & -3l & 6 & -3l \\ 3l & l^2 & -3l & 2l^2 \end{bmatrix} \tag{5.28}$$

式中，$l$ 为单元长度；$m^*$ 为梁单元单位长度质量；$EI$ 为单元抗弯刚度。梁单元的阻尼矩阵 $[c_b]$ 采用瑞利阻尼的形式来模拟，具体表达式为

$$[c_b] = \alpha\,[m_b] + \beta\,[k_b] \tag{5.29}$$

式(5.29)中的系数可由以下公式求出：

$$\begin{bmatrix} \alpha \\ \beta \end{bmatrix} = 2\frac{\omega_m \omega_n}{\omega_n^2 - \omega_m^2} \begin{bmatrix} \omega_n & -\omega_m \\ -1/\omega_n & 1/\omega_m \end{bmatrix} \begin{bmatrix} \xi_m \\ \xi_n \end{bmatrix} \tag{5.30}$$

式中，$\xi_m$ 和 $\xi_n$ 分别为与结构阻尼两个特定频率 $\omega_m$ 和 $\omega_n$ 相关的阻尼比。由于实际中桥梁阻尼比较小，通常假设应用于两个控制频率的阻尼比相同，即 $\xi_m = \xi_n = \xi$，$\omega_m$ 和 $\omega_n$ 分别取桥梁的前两阶固有频率 $\omega_1$ 和 $\omega_2$，则 $\alpha = 2\xi\omega_1\omega_2 / (\omega_1 + \omega_2)$、$\beta = 2\xi / (\omega_1 + \omega_2)$。

另外，式(5.26)中，$\{u_b\}$ 为梁单元自由度对应的位移或者转角组成的列向量；$\{\dot{u}_b\}$、$\{\ddot{u}_b\}$ 为其对时间 $t$ 的一阶导数、二阶导数；$r(x_c)$ 为检测车停靠位置 $x_c$ 对应的路面粗糙度；$\{N(x_c)\}$ 为随机车辆位置 $x_c$ 的三次 Hermite 插值函数值组成的列向量，其具体表达式为

$$\{N(x_c)\}=\begin{Bmatrix}N_1\\N_2\\N_3\\N_4\end{Bmatrix}=\begin{Bmatrix}1-3\left(\dfrac{x_c}{l}\right)^2+2\left(\dfrac{x_c}{l}\right)^3\\x_c\left(1-\dfrac{x_c}{l}\right)^2\\3\left(\dfrac{x_c}{l}\right)^2-2\left(\dfrac{x_c}{l}\right)^3\\\dfrac{x_c^2}{l}\left(\dfrac{x_c}{l}-1\right)\end{Bmatrix} \tag{5.31}$$

当桥梁上某单元上停靠有两辆检测车时，此时形成 DVBI 单元，其单元振动控制方程可表示为

$$\begin{bmatrix}m_{v1}&0&0\\0&m_{v2}&0\\0&0&[m_b]\end{bmatrix}\begin{Bmatrix}\ddot{u}_{v1}(t)\\\ddot{u}_{v2}(t)\\\ddot{u}_b(t)\end{Bmatrix}+\begin{bmatrix}c_{v1}&0&-c_{v1}\{N(x_{c1})\}^{\mathrm{T}}\\0&c_{v2}&-c_{v2}\{N(x_{c2})\}^{\mathrm{T}}\\-c_{v1}\{N(x_{c1})\}&-c_{v2}\{N(x_{c2})\}&[c_b]+[c_{c1}]+[c_{c2}]\end{bmatrix}\begin{Bmatrix}\dot{u}_{v1}(t)\\\dot{u}_{v2}(t)\\\dot{u}_b(t)\end{Bmatrix}$$

$$+\begin{bmatrix}k_{v1}&0&-k_{v1}\{N(x_c)\}^{\mathrm{T}}\\0&k_{v2}&-k_{v2}\{N(x_{c2})\}^{\mathrm{T}}\\-k_{v1}\{N(x_c)\}&-k_{v2}\{N(x_c)\}&[k_b]+[k_{c1}]+[k_{c2}]\end{bmatrix}\begin{Bmatrix}u_{v1}(t)\\u_{v2}(t)\\u_b(t)\end{Bmatrix}$$

$$=\begin{Bmatrix}k_{v1}r(x_{c1})\\k_{v2}r(x_{c2})\\-m_{v1}g\{N(x_{c1})\}-k_{v1}r(x_{c1})\{N(x_{c1})\}-m_{v2}g\{N(x_{ac})\}-k_{v2}r(x_{c2})\{N(x_{ac})\}\end{Bmatrix}$$

$$\tag{5.32}$$

其中

$$[c_{c1}]=c_{v1}\{N(x_{c1})\}\{N(x_{c1})\}^{\mathrm{T}}$$

$$[c_{c2}]=c_{v2}\{N(x_{c2})\}\{N(x_{c2})\}^{\mathrm{T}}$$

$$[k_{c1}]=k_{v1}\{N(x_{c1})\}\{N(x_{c1})\}^{\mathrm{T}}$$

$$[k_{c2}]=k_{v2}\{N(x_{c2})\}\{N(x_{c2})\}^{\mathrm{T}}$$

由式(5.26)和式(5.32)可以发现，检测车与桥梁之间产生的相互作用力是由车辆重力 $m_v g\{N(x_c)\}$ 和路面粗糙度 $r(x)$ 产生的。需要注意的是，$r(x)$ 只影响车桥之间的接触力，而不影响式(5.26)和式(5.32)等号左侧出现的车-桥系统矩阵，因此 $r(x)$ 的存在不会改变整个系统的振动频率，也不会对整个车-桥系统的特性产生影响。

在 MATLAB 中编程进行系统特性矩阵组装时，将桥梁分成若干单元，车辆在经过桥梁的过程中，有检测车的梁单元可根据检测车的数量采用适当的 VBI 单元模拟，无车辆的梁单元则采用普通梁单元。单元特性矩阵经过组合可得到车-桥系统的质量矩阵、阻尼矩阵、刚度矩阵，并且满足以下方程：

$$[M]\{\ddot{U}\}+[C]\{\dot{U}\}+[K]\{U\}=\{F\} \tag{5.33}$$

式中，$[M]$、$[C]$、$[K]$ 分别为系统的质量矩阵、阻尼矩阵、刚度矩阵；$\{F\}$ 为作用在结构上的等效节点荷载向量。通过对系统的刚度矩阵和质量矩阵求解特征值，可以得到车-桥系统振动频率，根据车-桥系统振动频率可以求解得到桥梁的模态振型。

### 5.3.2　算例对比

为了对上述刚度识别方法的理论进行验证，本节以 5.3.1 节所构造的不同类型的 VBI 单元为基础，在 MATLAB 中建立车-桥耦合有限元模型，通过数值模拟的方式进行验证。数值算例中的参数参考文献[34]中的算例，简支梁跨径 $L=30\text{m}$，单位长度质量 $m^*=1000\text{kg/m}$，截面惯性矩 $I=0.175\text{m}^4$，弹性模量 $E=27.5\text{GPa}$，无损桥梁的截面抗弯刚度的理论值 $EI=4.8125\times10^9\,\text{N}\cdot\text{m}^2$，桥梁前三阶自振频率分别为 $f_{b1}=3.828\text{Hz}$、$f_{b2}=15.312\text{Hz}$、$f_{b3}=34.452\text{Hz}$。检测车参数取值为：$m_{v1}=m_{v2}=1000\text{kg}$，$k_{v1}=k_{v2}=1\times10^6\,\text{N/m}$，单辆检测车与桥梁的质量比 $\mu=\dfrac{m_{v1}}{m^*L}=3.33\%$。

将桥梁分为 30 个单元，编号分别为 E1～E30，数字 1，2，…，31 为节点编号，每个单元的长度为 1m，如图 5.5 所示。按图 5.5 中反演得到的刚度结果为桥梁各节点处截面的抗弯刚度。需要注意的是，本章反演的刚度为节点 2～30 处的截面刚度，而节点 1 和 31 位于桥梁支座处，该处节点受支座铰约束的影响，导致该截面处的抗弯刚度为 0，因此在刚度反演时不考虑支座节点的抗弯刚度。

图 5.5　待测桥梁模型的单元、节点编号

为了将单辆检测车与双检测车的识别结果进行对比，首先将单辆检测车分别停靠在桥梁的不同节点位置，然后得出不同停靠位置的系统自振频率，通过系统自振频率反演出桥梁的一阶模态，最后将模态振型导入 OpenSeesNavigator 系统识别工具箱反演出桥梁结构各节点位置的截面刚度。表 5.1 为检测车停靠在不同节点位置时单车-桥系统的前三阶频率，图 5.6 展示了由式(5.13)反演出的桥梁前三阶

模态振型，图 5.7 展示了由桥梁模态振型反演出的桥梁刚度。

表 5.1　不同停靠位置的单车-桥系统前三阶频率　　（单位：Hz)

| 停靠节点 | 第一阶 | 第二阶 | 第三阶 |
|---|---|---|---|
| 1 | 3.829 | 15.315 | 34.459 |
| 2 | 3.825 | 15.318 | 34.462 |
| 3 | 3.816 | 15.325 | 34.468 |
| 4 | 3.800 | 15.336 | 34.476 |
| 5 | 3.780 | 15.349 | 34.482 |
| 6 | 3.757 | 15.361 | 34.484 |
| 7 | 3.732 | 15.370 | 34.482 |
| 8 | 3.707 | 15.375 | 34.476 |
| 9 | 3.682 | 15.376 | 34.468 |
| 10 | 3.659 | 15.370 | 34.462 |
| 11 | 3.639 | 15.361 | 34.459 |
| 12 | 3.622 | 15.349 | 34.462 |
| 13 | 3.608 | 15.336 | 34.468 |
| 14 | 3.598 | 15.325 | 34.476 |
| 15 | 3.592 | 15.318 | 34.482 |
| 16 | 3.589 | 15.315 | 34.484 |
| 17 | 3.592 | 15.318 | 34.482 |
| 18 | 3.598 | 15.325 | 34.476 |
| 19 | 3.608 | 15.336 | 34.468 |
| 20 | 3.622 | 15.349 | 34.462 |
| 21 | 3.639 | 15.361 | 34.459 |
| 22 | 3.659 | 15.370 | 34.462 |
| 23 | 3.682 | 15.376 | 34.468 |
| 24 | 3.707 | 15.375 | 34.476 |
| 25 | 3.732 | 15.370 | 34.482 |
| 26 | 3.757 | 15.361 | 34.484 |
| 27 | 3.780 | 15.349 | 34.482 |
| 28 | 3.800 | 15.336 | 34.476 |
| 29 | 3.816 | 15.325 | 34.468 |
| 30 | 3.825 | 15.318 | 34.462 |
| 31 | 3.829 | 15.315 | 34.459 |

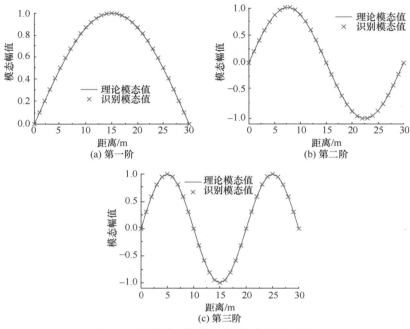

图 5.6　桥梁前三阶模态振型(单车-桥系统)

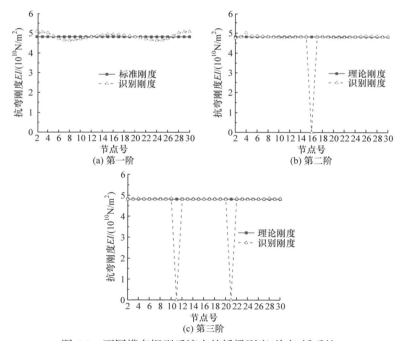

图 5.7　不同模态振型反演出的桥梁刚度(单车-桥系统)

由表 5.1 可知，每次移动单辆检测车在桥梁上的停靠位置导致车-桥系统频率发生改变，进一步构造出桥梁前三阶模态振型如图 5.6 所示，桥梁前三阶模态振型与简支梁的理论模态振型 $\phi_n(x) = \sin(n\pi x/L)$ 很接近。利用识别的模态振型反演出桥梁每个节点位置的截面抗弯刚度如图 5.7 所示。由图可知，采用第一阶模态振型反演出的刚度与理论刚度相比，最大相对误差出现在靠近桥梁支座位置的节点 2 和节点 30，均为 5.56%。采用高阶模态反演出的截面抗弯刚度与理论值相比，除 0 模态值的节点 11、16、21，其余节点处的误差均要小于 2%，与理论刚度吻合较好。

进一步对表 5.1 中的数据分析可发现，当检测车停靠在桥梁跨中附近，即节点 15、16、17 位置时，第一阶频率变化最小，为 0.0021Hz；当检测车位于节点 8、9、23、24 位置时，第二阶频率变化最小，为 0.0023Hz；当检测车位于节点 5、6、7、15、16、17、25、26、27 位置时，第三阶频率变化最小，为 0.0023Hz。频率变化较小的位置均位于模态值最大的位置。由式(5.13)对 $d$ 求导可知，当 $d$ 分别为 $L/2$、$L/4$、$3L/4$、$L/6$、$3L/6$、$5L/6$ 时其值最小，这就解释了为何当检测车位于该位置时车-桥系统频率变化较小。

由以上分析可知，当采用单辆检测车进行模态识别时，最小的车-桥系统频率变化值为 0.0021Hz，这意味着采用信号的最小频率分辨率 $\min \Delta f \geqslant 0.0021\text{Hz}$，才能分辨出变化最小的两个频率。为了达到这一最小频率分辨率，每个节点的采样时间 $T_S$ 必须满足 $\min T_S \geqslant 8(\text{min})$，若对桥梁 29 个节点(除支座处)均进行检测，则至少需要 $\min T_t \geqslant (n-1) \times 8 = 224(\text{min})$。很明显，若采用单辆检测车进行检测，则需要消耗较长时间。为了缩短检测时间，需要提高车-桥系统的最小频率分辨率，这时必须增加检测车质量，使得最小频率分辨率得到提高。在不改变单辆检测车质量的条件下，可采用双检测车方案对该方法进行改善。

采用参数相同的两辆检测车，即 $m_{v1} = m_{v2} = 1000\text{kg}$、$k_{v1} = k_{v2} = 1 \times 10^6 \text{N/m}$，此时检测车总质量与桥梁的质量比 $\mu = (m_{v1} + m_{v2})/(m^*L) = 6.67\%$，基于式(5.25)，双检测车识别结果如图 5.8 和图 5.9 所示。

对比图 5.6 和图 5.8 可以发现，单辆检测车与双检测车模型构造出的桥梁前三阶频率与理论值均有较好的吻合程度；对比图 5.7 和图 5.9 可以发现，单辆检测车比双检测车模型识别到的刚度与桥梁理论刚度更接近。以第一阶模态反演出的桥梁刚度为例，双检测车模型识别刚度的最大误差出现在节点 8 和节点 24，均为 6.84%，比单辆检测车模型识别的最大误差 5.56%大。对于这种现象，关于检测车质量的参数研究中将会对此进行解释。在桥梁高阶模态振型的 0 模态值处，识别的刚度均出现识别的误判。

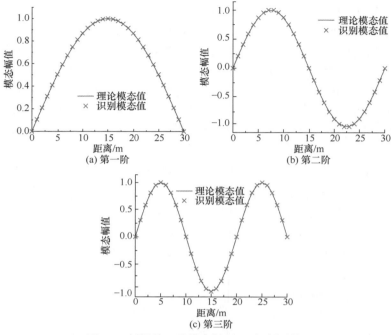

图 5.8　桥梁前三阶模态振型(双车-桥系统)

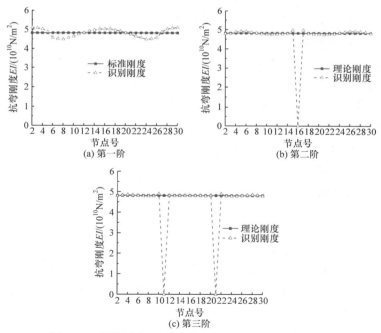

图 5.9　不同模态振型反演出的桥梁刚度(双车-桥系统)

由表 5.2 可以发现，对于第一阶双车-桥系统频率，当前检测车分别位于节点 16、节点 17 时，两者频率相同。与单辆检测车不同的是，由于存在两辆参数相同的检测车，当前检测车和后检测车分别位于跨中时，如图 5.10 所示，双车-桥系统的参数关于跨中对称，导致这两个相邻测试步的系统频率变化很小。进一步地，双车-桥系统的第二阶、第三阶频率的变化规律与单车-桥系统频率的变化规律类似，即当检测车停靠在桥梁模态值最大位置时，系统频率变化最小。以第一阶车-桥系统频率为例，只需要考虑其他测试步之间的频率变化，其最小频率变化 $\min \Delta f = 0.006 \text{Hz}$，此时前检测车分别位于靠近跨中的节点 15 和节点 16 的位置，这要求检测车振动信号的最小采样时间 $\min T_S \geqslant 1/(0.006 \times 60) \approx 3 \text{min}$，总理论测试时间 $T_t$ 为 $\min T_t \geqslant (n-1) \times 3 = 87 \text{min}$，在刚度识别效果接近的情况下，总理论测试时间缩短为单辆检测车总理论测试时间的 37.5%。

表 5.2　不同停靠位置双车-桥系统频率　　　　　　（单位：Hz）

| 停靠节点 | 第一阶 | 第二阶 | 第三阶 |
|---|---|---|---|
| 1 | 3.829 | 15.315 | 34.459 |
| 2 | 3.825 | 15.318 | 34.462 |
| 3 | 3.812 | 15.328 | 34.470 |
| 4 | 3.788 | 15.346 | 34.484 |
| 5 | 3.754 | 15.370 | 34.498 |
| 6 | 3.714 | 15.394 | 34.507 |
| 7 | 3.671 | 15.416 | 34.507 |
| 8 | 3.628 | 15.430 | 34.498 |
| 9 | 3.586 | 15.436 | 34.484 |
| 10 | 3.548 | 15.431 | 34.470 |
| 11 | 3.514 | 15.417 | 34.462 |
| 12 | 3.484 | 15.395 | 34.462 |
| 13 | 3.460 | 15.370 | 34.470 |
| 14 | 3.442 | 15.347 | 34.484 |
| 15 | 3.430 | 15.328 | 34.498 |
| 16 | 3.424 | 15.318 | 34.507 |
| 17 | 3.424 | 15.318 | 34.507 |
| 18 | 3.430 | 15.328 | 34.498 |
| 19 | 3.442 | 15.347 | 34.484 |
| 20 | 3.460 | 15.370 | 34.470 |
| 21 | 3.484 | 15.395 | 34.462 |
| 22 | 3.514 | 15.417 | 34.462 |
| 23 | 3.548 | 15.431 | 34.470 |

续表

| 停靠节点 | 第一阶 | 第二阶 | 第三阶 |
|---|---|---|---|
| 24 | 3.586 | 15.436 | 34.484 |
| 25 | 3.628 | 15.430 | 34.498 |
| 26 | 3.671 | 15.416 | 34.507 |
| 27 | 3.714 | 15.394 | 34.507 |
| 28 | 3.754 | 15.370 | 34.498 |
| 29 | 3.788 | 15.346 | 34.484 |
| 30 | 3.812 | 15.328 | 34.470 |
| 31 | 3.825 | 18.318 | 34.462 |

注：表中节点位置为前检测车停靠位置。

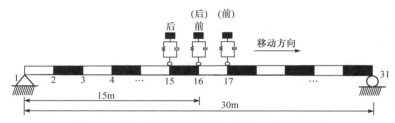

图 5.10　前检测车和后检测车分别位于桥梁跨中

以上的数值算例分析对 5.2 节中相关的理论推导进行了验证，并且进一步得出以下结论：在桥梁划分为 30 个单元的情况下，单辆检测车的刚度识别结果与理论刚度接近，但是其要求的信号采样时间更长；除了 0 模态值处的刚度识别有误，高阶模态反演的节点刚度较一阶模态好。

考虑到实际测量时桥梁的一阶模态往往要比高阶模态更容易被激发出来，且移动检测车位置导致车-桥系统频率的改变越大，对频率的测量越有利。因此，下面的研究将主要围绕双检测车模型构造出桥梁一阶模态振型，并反演出桥梁截面抗弯刚度展开。

## 5.4　参数分析

5.3 节的数值分析对本章提出的桥梁截面刚度识别方法的可行性进行了验证，并且发现检测车与桥梁的质量比、桥梁的单元数量等参数对桥梁截面刚度识别结果产生了影响。为了对该方法的适用性进行研究，本节基于现实测量的情况分析检测车质量、检测车车体频率、桥梁单元划分数量、频率测量误差以及桥梁支座条件等对刚度识别结果的影响，并且将该方法推广至连续梁桥，通过数值模拟分析该方法对两跨连续梁桥截面刚度识别的可行性。

### 5.4.1　检测车质量

　　理论推导表明，检测车的质量相对于桥梁的质量越大，在桥梁单元数量划分不变的条件下，由检测车位置改变导致车-桥系统频率的改变越大，且越有利于该方法的实际应用，该结论通过 5.3 节的数值算例对比分析得到了印证。但是，增大检测车质量后，桥梁截面抗弯刚度的识别效果更差。为了得到合适的检测车质量，本节探讨桥梁截面刚度识别方法中检测车质量对识别结果的影响，并且找到合适的检测车与桥梁质量比的范围。

　　在本节数值算例中，桥梁参数与 5.3 节相同，两辆检测车的参数相同，它们的总质量及总质量与桥梁的质量比如表 5.3 所示。

表 5.3　两辆检测车总质量及总质量与桥梁的质量比

| 工况 | $m_{v1}+m_{v2}$/kg | $(m_{v1}+m_{v2})/(m*L)$/% |
| --- | --- | --- |
| 1 | 400 | 1.33 |
| 2 | 1000 | 3.33 |
| 3 | 2000 | 6.67 |
| 4 | 3000 | 10.00 |
| 5 | 4000 | 13.33 |

　　根据本章提出的方法，在不同质量比下识别到的桥梁一阶模态振型如图 5.11 所示。

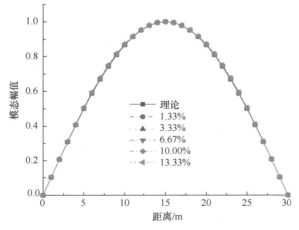

图 5.11　在不同检测车质量下桥梁一阶模态振型识别结果

　　由图 5.11 可以发现，不同质量比条件下识别到的桥梁一阶模态振型曲线几乎重合。为更加直观地展示检测车质量对桥梁截面抗弯刚度识别效果的影响，将识别到的桥梁一阶模态振型反演出桥梁节点位置的截面抗弯刚度，结果如图 5.12 所示。

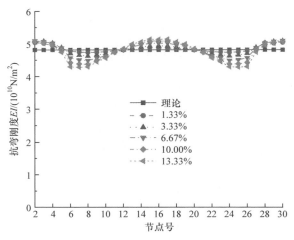

图 5.12　桥梁截面抗弯刚度识别结果

　　由图 5.12 可以发现，不同检测车质量(质量比)下识别到的桥梁截面抗弯刚度有很明显的差异，具体来说，当质量比在 1.33%～3.33%时，识别到的刚度最大误差均小于 6%，在 1.33%时小于 5%；当质量比在 3.33%～13.33%时，识别到的刚度最大误差均大于 6%；当质量比为 13.33%时，节点 7 和节点 25 的截面抗弯刚度的识别误差甚至达到了 11%。由以上分析可以发现，检测车与桥梁的质量比越大，识别效果越差。从简支梁的振动模态角度分析，原因如下：当检测车质量相对于桥梁质量较大，检测车停靠在桥梁上不同位置时，不仅会对桥梁的固有振动频率产生影响，同时也会对桥梁的振动模态产生影响，即简支梁的振动模态不再是 $\sin(n\pi x/L)$，若还是采用该模态反演抗弯刚度，则必定会产生较大误差。为了证实这一猜想，将图 5.11 中质量比为 1.33%、13.33%，且距离桥梁左侧支座 5m、8m、11m 处的模态曲线放大，如图 5.13 所示。

　　由图 5.13 可看出，当质量比为 1.33%时，识别桥梁的模态振型与理论模态振型重合较好；而当质量比增大到 13.33%时，虽然识别出的模态曲线趋势与理论模态一致，但是识别出的模态值均较理论模态值偏大，这说明简支梁的模态振型由于较大质量检测车的加入而发生了明显的变化。因此，采用该方法进行桥梁单元刚度识别时，检测车与桥梁的质量比控制在 1.33%～3.33%较为合理，下面的研究采用 1.33%的质量比进行分析。值得注意的是，由于实际桥梁单跨质量一般重达数百吨，质量比越小越有利于该方法的实际应用。

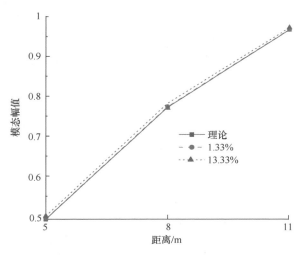

图 5.13　桥梁一阶模态振型局部放大图

## 5.4.2　检测车车体频率

在桥梁截面刚度识别方法的实际应用中，检测车车体频率不仅会影响测量信号从车-桥接触点到传感器这一重要的传递过程，也会对车-桥系统频率的变化产生重要的影响，进而对桥梁单元刚度识别造成影响。本节研究不同检测车车体频率对识别桥梁截面抗弯刚度的影响。采用两辆相同的检测车，它们的参数如表 5.4 所示，识别的桥梁截面抗弯刚度如图 5.14 所示。

表 5.4　检测车车体频率

| 工况 | 车体质量 $m_{v1}$、$m_{v2}$/kg | 车体频率 $\omega_{v1}$、$\omega_{v2}$/Hz | 桥梁一阶频率/Hz |
|---|---|---|---|
| 1 | 500 | 1 | 3.828 |
| 2 | 500 | 2 | 3.828 |
| 3 | 500 | 3 | 3.828 |
| 4 | 500 | 4 | 3.828 |
| 5 | 500 | 5 | 3.828 |

由图 5.14 可知，检测车车体频率对桥梁截面抗弯刚度的识别结果有显著影响，具体表现为：当检测车车体频率与桥梁一阶频率越接近，识别结果越差。例如，当检测车车体频率为 4Hz 时，识别刚度与理论刚度的最大误差达到了 5.55%，而当检测车车体频率为 1Hz 时，最大误差几乎为 0，因此在设计检测车参数时，检测车的振动频率应尽量远离桥梁频率。

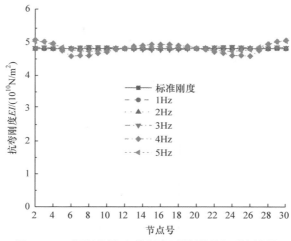

图 5.14　不同检测车车体频率下桥梁刚度反演结果

### 5.4.3 桥梁单元划分数量

本章提出的桥梁损伤识别方法，是以桥梁的单元抗弯刚度作为评判桥梁是否损伤的关键性指标，桥梁单元划分数量从根本上决定了识别损伤位置的精度，即在一定的刚度识别误差内，桥梁单元划分数量越多，识别到的桥梁损伤位置越准确，损伤识别的"分辨率"越高。但是从另一方面来看，桥梁单元划分数量越多，桥梁上分布的测试模态值的节点也就越密，这不但会导致相邻测试步之间的车-桥系统频率改变变小，而且对频率识别方法的精度要求更高，最终使得总的检测时间大大提高。因此，本节综合考虑以下三个重要指标：①最少检测时间；②损伤位置识别精度；③损伤识别误差。研究不同桥梁单元划分数量对桥梁损伤识别的影响规律，以求找到合适的桥梁单元划分数量使三个指标达到一个平衡。在反演桥梁单元刚度时只使用了桥梁的一阶模态振型，在第 2 章～第 4 章的研究中发现，桥梁单元划分 30 个对于构造简支梁的一阶模态已足够精细，因此本节设置桥梁单元划分数量均小于 30，每辆检测车质量均为 500kg，具体参数设置及数据采集时间要求如表 5.5 所示。图 5.15 展示了不同桥梁单元划分数量下桥梁单元刚度反演结果。

表 5.5　具体参数设置及数据采集时间要求

| 工况 | 单元数量/个 | 单元长度/m | 单元长与桥梁跨长比值/% | 最小分辨率/Hz | 最少数据采集时间/min |
| --- | --- | --- | --- | --- | --- |
| 1 | 30 | 1 | 3.33 | 0.001 | 500.00 |
| 2 | 20 | 1.5 | 5 | 0.002 | 166.67 |
| 3 | 10 | 3 | 10 | 0.008 | 20.83 |
| 4 | 5 | 6 | 20 | 0.013 | 6.41 |

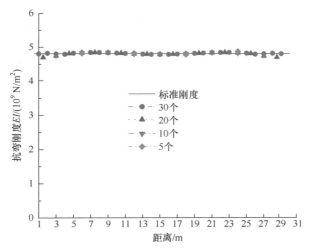

图 5.15　不同桥梁单元划分数量下桥梁单元刚度反演结果

由图 5.15 可知，在不同桥梁单元划分数量下，最终反演出的单元抗弯刚度与理论(标准)刚度几乎一致。因此，为了识别出更精确的损伤位置，对桥梁划分的单元数量应越多越好。但是，单元数量的增加，会造成节点分布密集，总的数据采集时间将会大大增加。由表 5.5 可知，在检测车质量不变的条件下，桥梁单元划分数量每增加一倍，最少数据采集时间增加 3 倍。综合考虑检测时间、损伤识别定位精度以及识别程度，将桥梁单元划分数量设置为 10 个，即单元长与桥梁跨长之比为 10%较为合适。

### 5.4.4　频率测量误差

当实际测试时，噪声会对采集到的检测车信号造成一定的干扰，从而造成识别到的车-桥系统频率产生一定的误差。为研究噪声水平对车-桥系统频率的影响，对模拟得到的车-桥系统频率进行一定的干扰，使受污染的车-桥系统频率向量为

$$[\omega_{cn}]_p = [\omega_{cn}] + E_p N_S R([\omega_{cn}]) \tag{5.34}$$

式中，$[\omega_{cn}]$ 为未受污染的车-桥系统频率组成的向量；$E_p$ 为干扰的程度；$N_S$ 为大小与 $[\omega_{cn}]$ 相同、在 $[-1,1]$ 服从均匀分布的列向量；$R([\omega_{cn}])$ 为 $[\omega_{cn}]$ 的平均值。

图 5.16 中绘制了不同程度干扰下的桥梁刚度反演结果。由图可以看到，当干扰程度为 1%时，所识别的桥梁刚度与标准刚度误差较小，最大不超过 5%；当干扰程度增大至 2%时，识别刚度与标准刚度误差较大，最大误差为 15%。以上结果说明，该桥梁刚度识别方法在车-桥系统频率存在一定的误差条件下，仍然能够识别出桥梁刚度。这里需要说明的是，在实际测试时，噪声直接对所测时程响应

进行干扰，这在第 6 章的野外实桥试验分析中，对该方法在实际桥梁上测试时的
抗噪性进行验证。

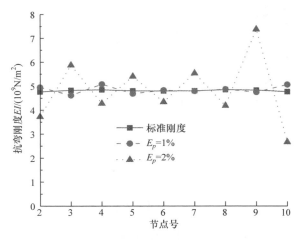

图 5.16　不同程度干扰下刚度反演结果

### 5.4.5　桥梁支座条件

本节在检测车、桥梁的参数研究基础上，改变桥梁的支座条件，使得桥梁两
端的边界条件由简支变成固支(固定支座)，研究在固定支座的条件下桥梁模态振
型及刚度识别方法的可行性。设置桥梁参数与 5.3 节算例相同，通过有限元计算
可知桥梁前三阶振动频率分别为 8.680Hz、23.932Hz、46.949Hz。采用参数相同的
两辆检测车，车体质量、频率分别为 500kg、2Hz，利用本章提出的方法识别到固
支梁的前三阶模态振型如图 5.17 所示，第一阶模态振型反演出的桥梁截面抗弯刚
度如图 5.18 所示。

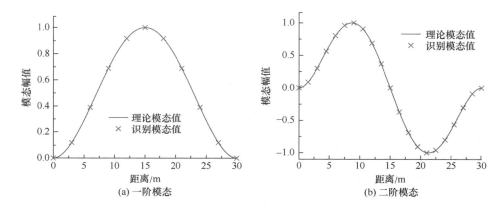

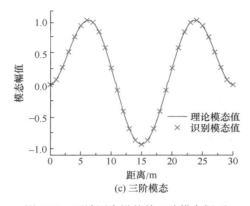

(c) 三阶模态

图 5.17　两端固支梁的前三阶模态振型

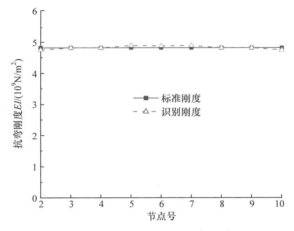

图 5.18　第一阶模态振型反演出的桥梁截面抗弯刚度

由图 5.17 和图 5.18 可知,在梁两端支座条件均为固支的情况下,采用本章提出的方法可成功地识别出桥梁的前三阶模态振型,并且利用第一阶模态振型反算得到的桥梁节点位置的截面抗弯刚度与理论刚度(标准刚度)误差均小于 2%,这表明通过移动检测车在桥梁上的停靠位置可以构造出桥梁模态振型的方法同样适用于两端为固定支座的桥梁。

需要说明的是,固支梁算例和 5.5 节中连续梁算例主要是为了探究上述理论在不同约束条件下的适用性,对于检测车在桥梁上移动时车-桥系统频率改变大小、桥梁单元划分数量、检测车质量与桥梁质量的最佳比值以及频率测量误差等参数未进行深入分析。

# 5.5　损伤识别

通过前面的参数分析可知，在桥梁无损的条件下，利用识别到的桥梁一阶模态振型能够反演出桥梁节点位置的截面抗弯刚度。实际中桥梁的损伤主要表现在桥梁内部出现裂缝及混凝土材料的老化，其质量改变往往较小，可忽略不计。在构造有限元模型时，桥梁单元的质量矩阵在桥梁损伤前后不变，而单元刚度矩阵中的刚度系数 $EI$(单元刚度)会降低，因此可通过桥梁单元刚度系数 $EI$ 的折减百分比模拟桥梁的损伤。基于此，可利用反演出的桥梁截面抗弯刚度进行损伤识别。简支梁模型及连续梁模型在进行损伤识别模拟时，它们的单元划分如图5.19所示。

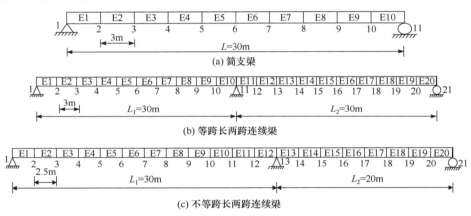

图 5.19　简支梁模型和连续梁模型的单元、节点编号

图 5.19 中字母 E 表示桥梁单元号，数字 1，2，3，…表示桥梁节点。若设置某个单元刚度小于标准刚度，则表示在桥梁的该单元位置存在损伤；若设置某个单元刚度等于标准刚度，则表示在桥梁的该单元位置不存在损伤。通过模态振型反演出的刚度为桥梁节点位置的截面抗弯刚度，其能够反映出与该节点直接相关的桥梁单元刚度，可构造截面抗弯刚度折减系数($SVI_i$)，如式(2.64)所示。

显然 $SVI_i$ 要满足 $0 \leqslant SVI_i < 1$，当 $SVI_i = 0$ 时，表明桥梁 $i$ 节点处截面未发生损伤；当 $SVI_i = 1$ 时，表明桥梁在该截面处发生很严重的损伤，其值越大，说明损伤越严重。下面通过一个简单的例子说明单元刚度与 $SVI_i$ 的关系。若设置桥梁单元 E4 损伤30%，即该单元的刚度为标准刚度的70%，理论上该损伤会造成与单元 E4 直接相关的节点4、节点5处的截面抗弯刚度 $(EI_D)_4 = (EI_D)_5 = 85\% EI_U$，$SVI_4$、$SVI_5$ 由 0 变为 0.15，而其他位置的 $SVI_i$ 均为 0。

在实际中，桥梁既存在单损伤，也存在多损伤。因此，损伤的设置必须考虑单损伤和多损伤两种情况。采用与 5.3.2 节相同的简支梁模型参数，对于连续梁，为了验证简便，只设置两跨连续梁，其模型参数与 5.4 节相同。为使检测车移动位置时桥梁频率改变得更加明显，将桥梁每跨分为 10 个单元，具体划分方式如图 5.19 所示。本节采用双检测车，参数如下：车体质量 $m_{v1} = m_{v2} = 500\text{kg}$，车体频率 $f_{v1} = f_{v2} = 2\text{Hz}$，车体阻尼比 $\xi_{v1} = \xi_{v2} = 0.02$。

### 5.5.1　单损伤

分别对桥梁结构中靠近支座、跨中的单元设置损伤，具体的损伤设置情况如表 5.6 所示，刚度识别结果如图 5.20～图 5.22 所示，刚度折减系数对比如表 5.7 所示。

表 5.6　单损伤工况设定　　　　　　　（单位：%）

| 梁类型 | 工况 | 损伤位置 | 相关的节点 | 四种不同程度的单元刚度折减系数 | | | |
| --- | --- | --- | --- | --- | --- | --- | --- |
| | | | | (a) | (b) | (c) | (d) |
| 简支梁 | 1 | $D_2$ | 2、3 | 0 | 10 | 30 | 50 |
| | 2 | $D_5$ | 5、6 | 0 | 10 | 30 | 50 |
| 等跨长两跨连续梁 | 3 | $D_2$ | 2、3 | 0 | 10 | 30 | 50 |
| | 4 | $D_5$ | 5、6 | 0 | 10 | 30 | 50 |
| | 5 | $D_9$ | 9、10 | 0 | 10 | 30 | 50 |
| 不等跨长两跨连续梁 | 6 | $D_2$ | 2、3 | 0 | 10 | 30 | 50 |
| | 7 | $D_5$ | 5、6 | 0 | 10 | 30 | 50 |
| | 8 | $D_{10}$ | 10、11 | 0 | 10 | 30 | 50 |

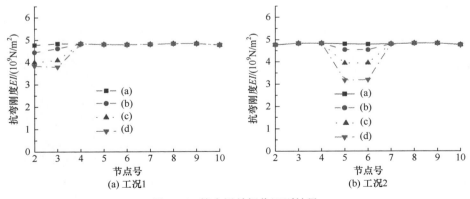

图 5.20　简支梁单损伤识别结果

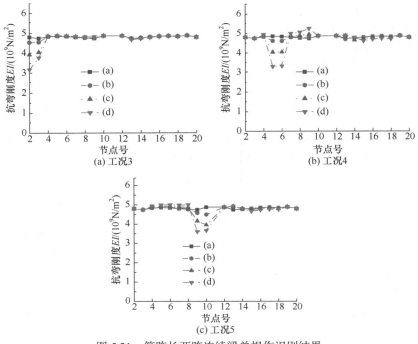

图 5.21　等跨长两跨连续梁单损伤识别结果

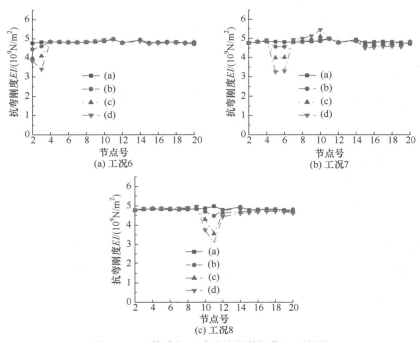

图 5.22　不等跨长两跨连续梁单损伤识别结果

**表 5.7　刚度折减系数 SVI 对比(单损伤)**　　　　　　　　　(单位：%)

| 工况 | 损伤单元 | 节点 | (a) | | (b) | | (c) | | (d) | |
|---|---|---|---|---|---|---|---|---|---|---|
| | | | 识别 SVI | 理论 SVI | 识别 SVI | 理论 SVI | 识别 SVI | 理论 SVI | 识别 SVI | 理论 SVI |
| 1 | $D_2$ | 2 | −0.14 | 0 | −7.64 | 5 | −17.05 | 15 | −20.49 | 25 |
| | | 3 | −0.45 | 0 | −4.09 | 5 | −15.03 | 15 | −21.36 | 25 |
| 2 | $D_5$ | 5 | −0.14 | 0 | −5.58 | 5 | −18.23 | 15 | −34.13 | 25 |
| | | 6 | −0.45 | 0 | −5.70 | 5 | −18.00 | 15 | −33.61 | 25 |
| 3 | $D_2$ | 2 | −0.85 | 0 | −5.76 | 5 | −18.43 | 15 | −34.16 | 25 |
| | | 3 | −0.46 | 0 | −5.54 | 5 | −15.99 | 15 | −21.75 | 25 |
| 4 | $D_5$ | 5 | −0.85 | 0 | −4.10 | 5 | −16.21 | 15 | −31.40 | 25 |
| | | 6 | −0.46 | 0 | −4.25 | 5 | −15.91 | 15 | −30.75 | 25 |
| 5 | $D_9$ | 9 | −0.85 | 0 | −5.02 | 5 | −13.72 | 15 | −25.20 | 25 |
| | | 10 | −0.46 | 0 | −6.74 | 5 | −17.92 | 15 | −23.91 | 25 |
| 6 | $D_2$ | 2 | −0.89 | 0 | −7.66 | 5 | −17.31 | 15 | −20.89 | 25 |
| | | 3 | −0.17 | 0 | −4.32 | 5 | −15.10 | 15 | −29.45 | 25 |
| 7 | $D_5$ | 5 | −0.89 | 0 | −4.97 | 5 | −17.22 | 15 | −32.66 | 25 |
| | | 6 | −0.17 | 0 | −5.03 | 5 | −16.72 | 15 | −31.69 | 25 |
| 8 | $D_{10}$ | 10 | −0.89 | 0 | −2.31 | 5 | −10.68 | 15 | −22.07 | 25 |
| | | 11 | −0.17 | 0 | −6.79 | 5 | −26.24 | 15 | −36.29 | 25 |

由图 5.20 简支梁的截面抗弯刚度识别结果可以发现，与设置损伤的单元 E2、E5 直接相连的节点 2、3、5、6 位置，桥梁的截面抗弯刚度发生了明显降低，而其他节点位置的桥梁截面抗弯刚度没有明显降低，可以初步判断在桥梁的单元 E2、E5 位置存在损伤，且随着损伤程度的增加，节点 2、3、5 和 6 的刚度降低幅度更显著。将表 5.7 中工况 1、工况 2 损伤节点位置识别出的识别 SVI 和理论 SVI 进行对比，可以发现在无损、损伤 10%及 30%时两者基本吻合，总误差小于 7%。而当损伤变大时，如工况 2 中单元 E5 损伤 50%，两者的总误差达到了 17%，这说明该损伤识别方法对简支梁的损伤程度具有一定的识别能力。

由图 5.21 和图 5.22 中相关节点位置截面抗弯刚度的降低可以说明，该方法对等跨长两跨连续梁、不等跨长两跨连续梁也能够判断出桥梁的损伤位置。由表 5.7 中对损伤工况 3～8 的对比分析可知，在无损、损伤 10%及 30%的工况下识别出的识别 SVI 与理论 SVI 总误差小于 7%，吻合较好。而对于较大损伤的情况，如工况 7、工况 8，此损伤情况为不等长两跨连续梁跨中及靠近中间支座位置的单元均出现 50%的损伤，两者的识别 SVI 和理论 SVI 总误差分别达到了 15%和 9%，识别的损伤程度与设置的损伤程度有较大误差。需要说明的是，在实际桥梁中，某单元出现 50%的刚度折减是不存在的,本节和 5.5.2 节中设置 50%的损伤工况,只是为了直观地展示该损伤识别方法对桥梁损伤程度的判断能力。

### 5.5.2 多损伤

5.5.1 节中主要研究了基于车-桥系统频率的损伤识别方法对梁式桥中存在的单损伤进行识别的可行性,为扩展该方法的适用性,需要研究梁式桥中存在多损伤时该方法的有效性。本节通过对桥梁中相邻和不相邻的两个单元设置损伤来模拟多损伤,具体损伤工况设置情况如表 5.8 所示,车辆、桥梁参数与 5.5.1 节相同。刚度识别结果如图 5.23~图 5.25 所示,刚度折减系数 SVI 对比如表 5.9 所示。

表 5.8  多损伤工况设定 （单位：%）

| 梁类型 | 工况 | 损伤位置 | 相关的节点 | 四种不同程度的单元刚度折减系数 | | | |
| --- | --- | --- | --- | --- | --- | --- | --- |
| | | | | (a) | (b) | (c) | (d) |
| 简支梁 | 1 | $D_3$、$D_8$ | 3、4 和 8、9 | 0 | 10 | 30 | 50 |
| | 2 | $D_5$、$D_6$ | 5、6、7 | 0 | 10 | 30 | 50 |
| 等跨长两跨连续梁 | 3 | $D_2$、$D_{12}$ | 2、3 和 12、13 | 0 | 10 | 30 | 50 |
| | 4 | $D_5$、$D_6$ | 5、6、7 | 0 | 10 | 30 | 50 |
| 不等跨长两跨连续梁 | 5 | $D_3$、$D_{15}$ | 3、4 和 15、16 | 0 | 10 | 30 | 50 |
| | 6 | $D_6$、$D_7$ | 6、7、8 | 0 | 10 | 30 | 50 |

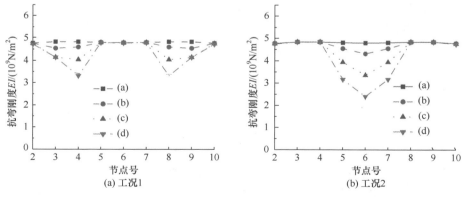

图 5.23  简支梁多损伤识别结果

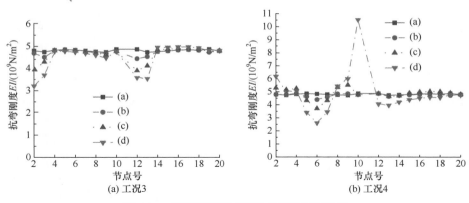

图 5.24　等跨长两跨连续梁多损伤识别结果

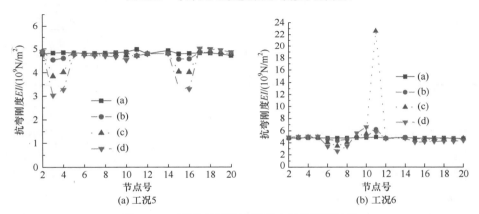

图 5.25　不等跨长两跨连续梁多损伤识别结果

表 5.9　刚度折减系数 SVI 对比(多损伤)　　　　(单位：%)

| 损伤工况 | 损伤单元 | 节点 | (a) | | (b) | | (c) | | (d) | |
|---|---|---|---|---|---|---|---|---|---|---|
| | | | 识别 SVI | 理论 SVI | 识别 SVI | 理论 SVI | 识别 SVI | 理论 SVI | 识别 SVI | 理论 SVI |
| 1 | $D_3$、$D_8$ | 3 | −0.14 | 0 | −5.56 | 5 | −13.96 | 15 | −13.96 | 25 |
| | | 4 | −0.45 | 0 | −4.45 | 5 | −16.07 | 15 | −31.16 | 25 |
| | | 8 | 0.44 | 0 | −4.45 | 5 | −16.07 | 15 | −31.16 | 25 |
| | | 9 | 0.44 | 0 | −5.56 | 5 | −13.96 | 15 | −13.96 | 25 |
| 2 | $D_5$、$D_6$ | 5 | −0.14 | 0 | −5.57 | 5 | −18.24 | 15 | −34.20 | 25 |
| | | 6 | −0.45 | 0 | −10.39 | 10 | −30.27 | 30 | −50.22 | 50 |
| | | 7 | −0.14 | 0 | −5.57 | 5 | −18.24 | 15 | −34.20 | 25 |
| 3 | $D_2$、$D_{12}$ | 2 | −0.31 | 0 | −2.69 | 5 | −18.18 | 15 | −33.56 | 25 |
| | | 3 | −1.45 | 0 | −6.31 | 5 | −10.68 | 15 | −23.13 | 25 |

续表

| 损伤工况 | 损伤单元 | 节点 | (a) | | (b) | | (c) | | (d) | |
|---|---|---|---|---|---|---|---|---|---|---|
| | | | 识别 SVI | 理论 SVI | 识别 SVI | 理论 SVI | 识别 SVI | 理论 SVI | 识别 SVI | 理论 SVI |
| 3 | $D_2$、$D_{12}$ | 12 | −1.15 | 0 | −7.63 | 5 | −18.84 | 15 | −25.65 | 25 |
| | | 13 | −1.64 | 0 | −5.76 | 5 | −14.30 | 15 | −26.49 | 25 |
| 4 | $D_5$、$D_6$ | 5 | −0.85 | 0 | −3.76 | 5 | −9.87 | 15 | −29.27 | 25 |
| | | 6 | −0.46 | 0 | −8.61 | 10 | −22.78 | 30 | −45.92 | 50 |
| | | 7 | −0.33 | 0 | −4.57 | 5 | −9.87 | 15 | −28.30 | 25 |
| 5 | $D_3$、$D_{15}$ | 3 | 0.17 | 0 | 5.95 | 5 | 19.98 | 15 | 37.00 | 25 |
| | | 4 | 0.53 | 0 | 4.49 | 5 | 16.45 | 15 | 31.93 | 25 |
| | | 15 | 0.62 | 0 | 5.23 | 5 | 16.15 | 15 | 30.13 | 25 |
| | | 16 | 0.13 | 0 | 5.06 | 5 | 16.63 | 15 | 31.16 | 25 |
| 6 | $D_6$、$D_7$ | 6 | 0.04 | 0 | 4.70 | 5 | 15.64 | 15 | 29.50 | 25 |
| | | 7 | 0.16 | 0 | 9.38 | 10 | 27.82 | 30 | 46.32 | 50 |
| | | 8 | 0.07 | 0 | 4.47 | 5 | 15.05 | 15 | 28.31 | 25 |

由图 5.23 中简支梁截面抗弯刚度识别结果可发现,与无损桥梁相比,在单元 E3、E8 存在损伤的条件下,桥梁节点 3、4、8、9 处的截面抗弯刚度均有所降低。同样,在工况 2 中,节点 5、6、7 处的截面抗弯刚度也存在明显降低,且当损伤程度增大时,其抗弯刚度降低幅度更大,因此可以判定工况 1 中单元 E3 和 E8 存在损伤,工况 2 中单元 E5 和 E6 存在损伤。在找到损伤位置之后,进一步需要对损伤程度进行量化评估,通过将表 5.9 中的节点位置识别出的识别 SVI 和理论 SVI 进行对比可发现,对于无损、损伤 10% 及 30% 的情况,两者的总误差控制在 7% 以内,而对于损伤 50% 的情况,两者的总误差达到了 20%,这说明在小于 30% 的损伤情况下该方法能够初步判定损伤程度。

对于两跨连续梁,由图 5.24 可以发现,在等跨长两跨连续梁中,当在不相邻位置存在损伤时,识别出相应的截面抗弯刚度均出现明显降低。由表 5.9 工况 3 可知,识别出的识别 SVI 和理论 SVI 之间的总误差小于 8%。而当桥梁相邻位置存在损伤时,识别出的桥梁节点位置截面抗弯刚度在靠近左侧、中间支座位置与理论值有较大误差,且随着损伤程度变大,误差也变大。

对于不等跨长两跨连续梁,由图 5.25 可以发现,其刚度识别结果与等跨长两跨连续梁有相似的规律。

综上所述,由截面抗弯刚度及其构造出的损伤指标 SVI 可以准确地识别出桥梁的损伤位置,当损伤程度小于 30% 时,对损伤程度也具有很好的评估效果。

# 5.6　本章小结

本章主要通过数值模拟的方法对第 4 章提出的桥梁刚度识别方法进行了验证和参数分析，并且基于损伤指标——刚度折减系数 SVI 进行了桥梁损伤识别相关算例研究，所做的研究工作及取得的主要结论如下。

(1) 为对模态振型的识别理论进行验证，进行了数值模拟。首先通过单辆检测车和双检测车的数值算例对理论推导进行了验证，并从总测试时间、实际测试频率识别效果因素考虑，得出了双检测车比单辆检测车更具优势。然后以双检测车测试为基础，考虑了检测车质量、检测车车体频率、桥梁单元划分数量、频率测量误差、桥梁支座条件等对桥梁截面抗弯刚度识别的影响，结果表明：检测车总质量不宜过大，检测车总质量与桥梁的质量比在 1.33%～3.33%较为合适，比值太大会导致桥梁自身模态振型发生改变；车体频率在远离桥梁自振频率时刚度识别效果最好；不同桥梁单元划分数量对识别桥梁抗弯刚度影响较小，为使车-桥系统频率改变更加显著，应将桥梁单元划分数量适当减少；在一定的频率测量误差条件下，该方法对桥梁刚度同样具有很好的识别效果；将桥梁支座由简支变成固支及两跨连续梁，第 1 章推导的振型构造理论也同样适用。

(2) 通过改变桥梁单元刚度矩阵中的刚度系数 *EI* 来模拟桥梁损伤，并设置损伤程度为 10%～50%的单损伤和多损伤，通过构造损伤指标 SVI 来评估损伤程度。结果表明：无论是单损伤单元还是多损伤单元，识别出的桥梁截面抗弯刚度系数 *EI* 在桥梁的损伤位置均发生明显的降低，损伤程度越高，降低幅度越大；当损伤程度小于 10%～30%时，通过 SVI 指标可有效评估损伤程度。

# 第 6 章　基于三车系统运行静采方式的桥梁结构损伤诊断理论Ⅲ

## 6.1　引　　言

本章基于考虑车-桥阻尼和路面粗糙度情况下的简支梁车-桥耦合模型，针对双检测车多点静止采集的新型间接量测法相关理论进行推导，首先介绍基于双车-桥耦合理论模型的静止停靠于桥面板的车体与车-桥关联点的时程响应相互转化关系，并分别推导上述两种情况下的相邻传递率函数；然后以此为前提介绍基于协方差驱动的随机子空间法进行模态参数识别的步骤；随后融合关联点传递率性质与子空间结果法进行全局模态构建与修正；最后利用改进的直接刚度法反演梁截面抗弯刚度。

## 6.2　理　论　基　础

### 6.2.1　随机子空间法提取桥梁局部振型

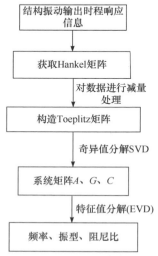

图 6.1　基于协方差驱动的随机子空间法识别模态参数步骤

基于第 4 章中接触点响应理论基础，本章结合基于协方差驱动的随机子空间法来识别桥梁在选定测点位置的第 1 阶振型 $\phi_1(x)$，整体识别步骤如图 6.1 所示。

由图 6.1 可知，首先需要基于待测桥梁结构振动输出时程响应信息获取 Hankel 矩阵，然后利用其统计特性计算协方差序列，进一步构造 Toeplitz 矩阵，从而达到数据缩减的目的。然后状态矩阵进行奇异值分解得到系统矩阵 $A$、$G$、$C$，从而提取结构的频率、振型、阻尼比。下面对图 6.1 的步骤进行详细说明。

1. Hankel 矩阵的确定

基于输出数据构建的 Hankel 矩阵定义如下：

$$Y_{0/2i-1} = \frac{1}{\sqrt{j}} \left( \begin{array}{ccccc} y_0 & y_1 & y_2 & \cdots & y_{j-1} \\ y_1 & y_2 & y_3 & \cdots & y_j \\ \vdots & \vdots & \vdots & & \vdots \\ y_{i-1} & y_i & y_{i+1} & \cdots & y_{i+j-2} \\ \hline y_i & y_{i+1} & y_{i+2} & \cdots & y_{i+j-1} \\ y_{i+1} & y_{i+2} & y_{i+3} & \cdots & y_{i+j} \\ \vdots & \vdots & \vdots & & \vdots \\ y_{2i-1} & y_{2i} & y_{2i+1} & \cdots & y_{2i+j-2} \end{array} \right) = \left( \frac{Y_p}{Y_f} \right) \tag{6.1}$$

Hankel 矩阵 $Y_{0/2i-1}$ 定义为具有 $2i$ 块行、$j$ 列的分块矩阵。其中，每一块行内还含有 $l$ 行，$l$ 同样表示输出通道的数量，即 $y_k \in R^l$。基于统计学角度，假设列数 $j$ 趋近于无穷大，同时矩阵 $Y_{0/2i-1}$ 的上、下分块分别代表"过去"与"将来"，下标 $0/2i-1$ 代表 $Y_{0/2i-1}$ 矩阵的第一块行和最后一块行(第一列)的角标，式(6.1)等号右边 $Y$ 的下角标 p 和 f 分别表示 past("历史")和 future("将来")。由式(6.1)右端可以看出，矩阵 $Y_p$ 和 $Y_f$ 将 $Y_{0/2i-1}$ 分成均为 $i$ 块行的两部分。

还存在另一种划分方法，"过去"的块行数为 $i+1$，"将来"的块行数为 $i-1$，即将 past 和 future 的边界向下移动一块行。

$$Y_{0/2i-1} = \left( \frac{Y_{0/i}}{Y_{i+1/2i-1}} \right) = \frac{1}{\sqrt{j}} \left( \begin{array}{ccccc} y_0 & y_1 & y_2 & \cdots & y_{j-1} \\ y_1 & y_2 & y_3 & \cdots & y_j \\ \vdots & \vdots & \vdots & & \vdots \\ y_{i-1} & y_i & y_{i+1} & \cdots & y_{i+j-2} \\ y_i & y_{i+1} & y_{i+2} & \cdots & y_{i+j-1} \\ \hline y_{i+1} & y_{i+2} & y_{i+3} & \cdots & y_{i+j} \\ y_{i+2} & y_{i+3} & y_{i+4} & \cdots & y_{i+j+1} \\ \vdots & \vdots & \vdots & & \vdots \\ y_{2i-1} & y_{2i} & y_{2i+1} & \cdots & y_{2i+j-2} \end{array} \right) = \left( \frac{Y_p^+}{Y_f^-} \right) \tag{6.2}$$

式中，上标"+"和"−"分别代表"过去"块行加一和"将来"块行减一。

$i$ 和 $j$ 是随机子空间法的两个重要控制参数。$2i$ 表示分块矩阵块行的数量，其中 $i$ 与系统阶次相关，并假设 $i$ 值略高于系统阶次，$j$ 表示分块矩阵列数。常见 $i$ 取值计算方法如下：

$$i = 2 \times \frac{最大计算阶数}{输出通道数} \tag{6.3}$$

2. 输出协方差矩阵的确定

式(6.4)表示基于本节方法的基本模型——随机状态空间模型，$v_k$ 和 $w_k$ 均为噪声，输出协方差如式(6.5)和式(6.6)所示。

$$\begin{cases} x_{k+1} = Ax_k + w_k \\ y_k = Cx_k + v_k \end{cases} \tag{6.4}$$

$$R_i = E\left[ y_{k+i} y_k^{\mathrm{T}} \right] = CA^{i-1}G \tag{6.5}$$

$$R_i = \lim_{j \to \infty} \frac{1}{j} \sum y_{k+i} y_k^{\mathrm{T}} \tag{6.6}$$

采用统计学公式计算 $j$ 个数据的输出协方差的无偏估计：

$$\hat{R}_i = \frac{1}{j} \sum_{k=0}^{j-1} y_{k+i} y_k^{\mathrm{T}} \tag{6.7}$$

同理可知，基于该输出协方差的无偏估计获取的模态参数同样是真值的无偏估计。

接下来构建 Toeplitz 矩阵，由原来的 $2li \times j$ 维的 Hankel 矩阵进行数量缩减，变成了 $li \times li$ 维的 Toeplitz 矩阵，即计算由协方差序列组成的块 Toeplitz 矩阵 $T_{1/i}$，假定 $j$ 趋近于无穷大，且数据具有各态历经性(又称埃尔哥得性)，由式(6.1)可得

$$T_{1/i} = Y_{\mathrm{f}} Y_{\mathrm{p}}^{\mathrm{T}} = \begin{pmatrix} R_i & R_{i-1} & \cdots & R_1 \\ R_{i+1} & R_i & \cdots & R_2 \\ \vdots & \vdots & & \vdots \\ R_{2i-1} & R_{2i-2} & \cdots & R_i \end{pmatrix} \tag{6.8}$$

3. 块 Toeplitz 矩阵分解

将式(6.5)代入式(6.8)可得

$$T_{1/i} = \begin{pmatrix} CA^{i-1}G & CA^{i-2}G & \cdots & CG \\ CA^iG & CA^{i-1}G & \cdots & CAG \\ \vdots & \vdots & & \vdots \\ CA^{2i-2}G & CA^{2i-3}G & \cdots & CA^{i-1}G \end{pmatrix} = \begin{pmatrix} C \\ CA \\ \vdots \\ CA^{i-1} \end{pmatrix} \begin{pmatrix} A^{i-1}G & \cdots & AG & G \end{pmatrix} = O_i \Gamma_i \tag{6.9}$$

$$O_i = \begin{pmatrix} C & CA & CA^2 & \cdots & CA^{i-1} \end{pmatrix}^{\mathrm{T}} \tag{6.10}$$

$$\Gamma_i = \begin{pmatrix} A^{i-1}G & \cdots & AG & G \end{pmatrix}$$

式中，$O_i$ 代表可观矩阵；$\Gamma_i$ 代表反转随机可控矩阵，对 Toeplitz 矩阵进行奇异值

分解：

$$T_{1/i} = USV^{\mathrm{T}} = \begin{pmatrix} U_1 & U_2 \end{pmatrix} \begin{pmatrix} S_1 & 0 \\ 0 & S_2 = 0 \end{pmatrix} \begin{pmatrix} V_1^{\mathrm{T}} \\ V_2^{\mathrm{T}} \end{pmatrix} = U_1 S_1 V_1^{\mathrm{T}} \tag{6.11}$$

式中，$U$、$V$ 均为正交阵；$S$ 为正奇异矩阵构成的对角阵，正奇异值遵循降序，且 $U_1 \in R^{li\times n}$，$S_1 \in R^{n\times n}$，$V_1 \in R^{li\times n}$，$n$ 为系统阶次。

$S$ 和 $S_1$ 表达式为

$$S = \begin{pmatrix} S_1 & 0 \\ 0 & S_2 = 0 \end{pmatrix} \tag{6.12}$$

$$S_1 = \mathrm{diag}[\sigma_i], \quad \sigma_1 \geqslant \sigma_2 \geqslant \cdots \geqslant \sigma_n \geqslant 0 \tag{6.13}$$

4. 确定 Toeplitz 矩阵阶次

确定 Toeplitz 矩阵阶次是随机子空间法的关键，确定 Toeplitz 矩阵阶次的方法主要有以下几种。

(1) 投影矩阵法：先对其进行奇异值分解，由分解后矩阵中的非零奇异值为系统定阶，该方法的缺点是在环境噪声下的鲁棒性不足，影响定阶结果。

(2) 奇异值跳跃法：将 Toeplitz 矩阵的奇异值绘于同一张图，利用每两个奇异值对应于一阶模态的规律，借助矩阵中出现奇异值跳跃点的编号判定系统阶次，复杂工程结构上应用较少。

(3) 稳定图法：通过假定系统阶次的范围，将不同阶次下对应的计算结果画在同一幅 $X$ 轴为频率、$Y$ 轴为阶次的二维坐标图上，然后在对应的各阶模态轴上，计算相邻模态参数值的相对容差，以该指标进行判定，若对应相邻模态参数值在容差范围内，则认为它们是一致的。本节将频率限定值、阻尼比限定值、振型限定值依据工程经验分别设置为 1%、5%、2%，如式(6.14)~式(6.17)所示。

$$Y_{\mathrm{f}} Y_{\mathrm{f}}^{\mathrm{T}} = Y_{\mathrm{p}} Y_{\mathrm{p}}^{\mathrm{T}} = \begin{pmatrix} R_0 & R_{-1} & \cdots & R_{1-i} \\ R_1 & R_0 & \cdots & R_{2-i} \\ \vdots & \vdots & & \vdots \\ R_{i-1} & R_{i-2} & \cdots & R_0 \end{pmatrix} \tag{6.14}$$

$$\frac{f^{(i)} - f^{(i+1)}}{f^{(i)}} \times 100\% < 1\% \tag{6.15}$$

$$\frac{\xi^{(i)} - \xi^{(i+1)}}{\xi^{(i)}} \times 100\% < 5\% \tag{6.16}$$

$$[1-\text{MAC}(i,i+1)]\times 100\% < 2\% \tag{6.17}$$

式中，$f^{(i)}$ 为第 $i$ 阶频率；$\xi^{(i)}$ 为第 $i$ 阶阻尼比；MAC 为模态保证准则(modal assurance criterion，MAC)。

5. 系统矩阵及局部模态参数识别

首先，将 Toeplitz 矩阵奇异值分解结果分为矩阵 $O_i$ 和 $\Gamma_i$：

$$O_i = U_1 S_1^{\frac{1}{2}} T, \quad \Gamma_i = T^{-1} S_1^{\frac{1}{2}} V_1^{\mathrm{T}} \tag{6.18}$$

式中，$T$ 为 $n$ 阶非奇异矩阵，代表对原状态空间模型的相似变换。

基于此，将矩阵 $T$ 简化为单位阵，对式(6.18)进行化简，可得

$$O_i = U_1 S_1^{\frac{1}{2}}, \quad \Gamma_i = T^{-1} S_1^{\frac{1}{2}} \tag{6.19}$$

结合可观矩阵 $O_i$ 和反转随机可控矩阵 $\Gamma_i$ 的定义，矩阵 $C$ 等价于可观矩阵 $O_i$ 的前 $l$ 行，矩阵 $G$ 等于反转随机可控矩阵 $\Gamma_i$ 的后 $l$ 列。根据式(6.9)对 $T_{1/i}$ 的定义，定义 $T_{2/(i+1)}$ 为

$$T_{2/(i+1)} = O_i A \Gamma_i \tag{6.20}$$

$T_{1/i}$ 和 $T_{2/(i+1)}$ 结构相同，因此将式(6.19)代入式(6.20)可得

$$A = S_1^{-\frac{1}{2}} U_1^{\mathrm{T}} T_{2/(i+1)} V_1 S_1^{-\frac{1}{2}} \tag{6.21}$$

结合可观矩阵 $O_i$ 和反转随机可控矩阵 $\Gamma_i$ 的定义，$C$ 等价于 $O_i$ 的前 $l$ 行，$G$ 等价于 $\Gamma_i$ 的后 $l$ 列。对应的 MATLAB 表达式为

$$C = O_i(1:l,:) \tag{6.22}$$

$$G = \Gamma_i(:,l(i-1)+1:li) \tag{6.23}$$

模态参数识别的关键问题已经解决，根据式(6.12)和式(6.13)中提取的系统阶次 $n$，由式(6.21)和式(6.22)计算获得系统矩阵 $A$、$G$、$C$。

对系统矩阵 $A$ 特征值分解如下：

$$A = \Psi \Lambda \Psi^{-1} \tag{6.24}$$

式中，$\Lambda = \text{diag}[\mu_i]$ 为一个 $n$ 阶对角矩阵；$\mu_i$ 为离散时间负特征值 $\mu_i$；$\Psi$ 为系统特征向量矩阵。其中，矩阵 $A$ 的特征值与系统特征矩阵的关系可表示为

$$\lambda_i = \frac{\ln \mu_i}{\Delta t} \tag{6.25}$$

式中，$\lambda_i$ 为模型特征值；$\Delta t$ 为模型采样时间间隔。

模型特征值 $\lambda_i$、系统固有振动频率 $\omega_i$ 和系统模态阻尼比 $\xi_i$ 的计算关系为

$$\lambda_i, \overline{\lambda}_i = -\xi_i \omega_i \pm j \omega_i \sqrt{1 - \xi_i^2} \tag{6.26}$$

根据式(6.26)，计算结构的第 $i$ 阶固有频率 $f_i$、阻尼比 $\varsigma_i$ 以及振型 $\phi_i$ 分别为

$$f_i = \frac{\sqrt{|\lambda_i|}}{2\pi} \tag{6.27}$$

$$\varsigma_i = -\frac{\lambda_i + \overline{\lambda}_i}{2\sqrt{\lambda_i \overline{\lambda}_i}} \tag{6.28}$$

$$\phi_i = C\Psi_i \tag{6.29}$$

### 6.2.2　基于传递率方法构造桥梁整体振型

利用基于协方差驱动的随机子空间法提取各测点相对模态振型 $\varphi_{12}$ 和 $\varphi_{13}$ 之前，需要通过测试提取各测点的时程响应。因此，在整个模态构造的过程中，每次静态采集均以两个测点为一组，待采集完毕后同步移动两辆检测车进入下一组测点，直至通行完整座待测桥梁。

图 6.2 展示的是桥梁振型构造模型，假设一次试验中通过随机子空间法提取图中 2、3 号位置的振型分别为 $\phi_2 = \varphi_{12}$ 和 $\phi_3 = \varphi_{13}$。检测车同步移动获得 3、4 号位置的振型分别为 $\varphi_{23}$ 和 $\varphi_{24}$。

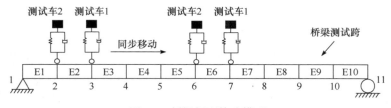

图 6.2　桥梁振型构造模型

基于传递率性质，此时 4 号位置的振型值 $\phi_4$ 为

$$\phi_4 = \phi_3 \times \frac{\varphi_{24}}{\varphi_{23}}$$
$$\phi_k = \phi_{k-1} \times \frac{\varphi_{ik}}{\varphi_{ik-1}} \tag{6.30}$$

式中，$k$ 为桥面测试位置；$i$ 为两相邻测试跨间的测试次数，由于是双车系统，$i$ 的取值只能为 1 或 2。

重复上述步骤,即可获取任意测点 $k$ 的振型,归一化后可以构造出桥梁整体振型。

### 6.2.3　主要工作流程图

按照上述原理,基于多点静止采集的间接量测法流程如图 6.3 所示。

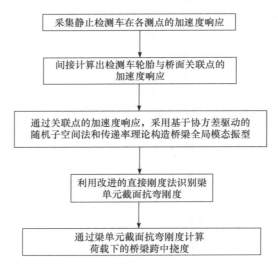

图 6.3　基于多点静止采集的间接量测法流程图

# 6.3　算 例 验 证

第 5 章基于车-桥耦合模型的理论得出了利用两点间传递率不受外激励和车-桥阻尼影响的推论,并梳理了从车体时程响应获取桥梁截面刚度的流程。为对理论推导的结果进行验证和拓展,本节首先将车体时程响应、反演关联点时程响应与实际关联点时程响应进行时频域(时域和频域)和模态刚度结果对比;然后简要地介绍对关联点信号的前处理方法和损伤识别的后处理方法;随后以控制变量法进一步考虑以车-桥阻尼和噪声为代表的车-桥参数和现场外激励的参数分析;最后对桥梁支座损伤和高阶模态识别进行初步数值模拟研究。

### 6.3.1　多点静止采集桥梁检测法识别步骤简介

算例简支梁的参数如下:跨径 $L$=30m,横截面面积 $A$=7.965m²,截面惯性矩 $I$=0.79m,桥梁的节点刚度在无损伤刚度下的节点刚度理论值为 $2.58\times10^{10}$N·m²,

桥梁阻尼比为 0.02，一阶桥频为 $f_{b1} = 2.048\mathrm{Hz}$，二阶桥频为 $f_{b2} = 8.112\mathrm{Hz}$。根据第 2 章理论推导得出的结论，检测车 $i(i=1、2)$的设计参数均需要保持一致。因此，设计检测车质量 $m_{vi}$=1500kg，车辆阻尼 $C_{vi}$=1000N·s/m，车体刚度 $k_{vi}$=528093N/m，车体自振频率 $w_{vi}$=3.05Hz。数值模拟中设置的两辆检测车间距和相邻两个测点间距均为 $d$=2.5m。下面介绍双检测车多点停靠采集时程响应流程。

　　本节提出的多点静止采集桥梁检测法概念示意图如图 6.4 所示，首先需要对数值模拟桥梁进行梁单元划分，随后让两台特别设计的单自由度检测车轮轴间保持恒定的距离，在 2、3 测点处采集 1min(采样率一般设置为 100Hz)后，缓慢移动至 3、4 测点，重复上一次的采集模式，直至完成所有布设测点处的车体时程响应信号收集。

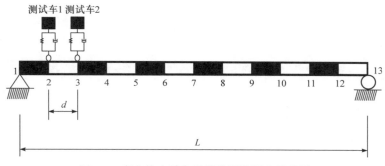

图 6.4　多点静止采集桥梁检测法概念示意图

　　下面将上述设计的初始参数通过一个简单无损伤工况，先对该测试方法的模拟及数据处理过程进行介绍，然后进行后续的车-桥参数影响分析和外激励因素影响模拟分析。

### 1. 反演关联点信号及信号对比

　　本章提出的车-桥耦合下的多点静止采集桥梁检测法的第一步就是提取各测点下的检测车信号，并反演到车-桥关联点上，同时与从模拟桥测点上直接提取的信号进行对比，通过有限元数值模拟提取这三类时程响应，研究并验证三者间的关系，为后续的模拟及试验奠定基础。

　　对检测车信号、直接采集的关联点信号以及基于检测车信号间接计算的车-桥关联点信号进行分析，以其中一个测点为例，三者的时频域结果如图 6.5～图 6.10 所示。

　　由图 6.5～图 6.10 可以看出检测车信号与反演关联点的时域和频域上的相关性。从时域上来看，检测车信号和反演关联点信号的振动加速度信号趋势相似，显示出检测车信号与反演关联点信号间存在相关性。反演关联点信号和实际关联

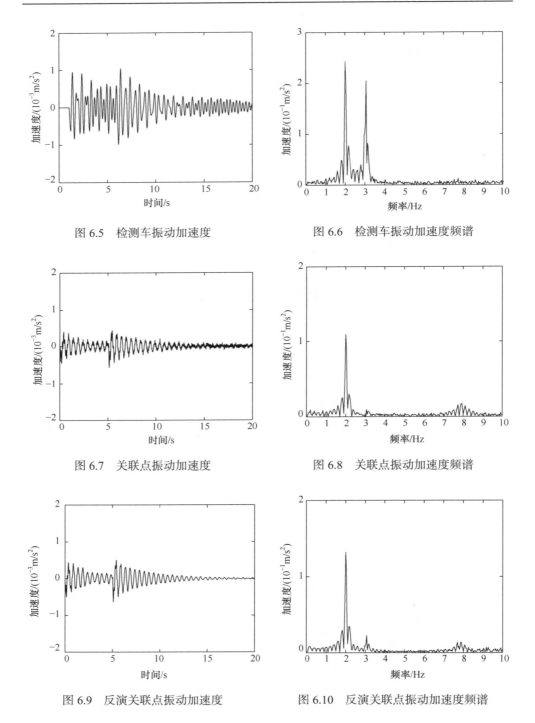

图 6.5　检测车振动加速度

图 6.6　检测车振动加速度频谱

图 6.7　关联点振动加速度

图 6.8　关联点振动加速度频谱

图 6.9　反演关联点振动加速度

图 6.10　反演关联点振动加速度频谱

点信号，即桥面测点提取的信号基本一致，从数值模拟的角度证明了通过车体响应计算关联点响应的可能性；对频谱结果进行分析，检测车振动加速度频谱中有两个峰值，另外两个关联点只有一个峰值，前者包含车体频率和桥频，而后者只含有桥频，符合规律。且关联点频谱图和反演关联点信号频谱图峰值一致，识别出了一阶桥频，进一步证明了从检测车信号中能够提取出反映桥梁工作状况的模态信息，从检测车信号转换到关联点信号的过程中，相当于进行了一次"滤波"，将车体信息滤除，为后续通过基于协方差驱动的随机子空间法识别模态参数提供精准有效的加速度信号。

2. 随机子空间法提取模态振型

采用 Abaqus 进行数值模拟提取出静止检测车的竖向加速度响应后，反演到关联点振动加速度，结合基于协方差驱动的随机子空间法提取的局部模态，借助传递率构造的一阶振型如图 6.11 所示。

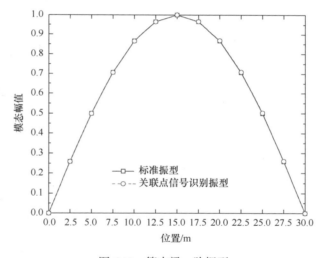

图 6.11　简支梁一阶振型

3. 节点刚度识别及修正

由图 6.11 可以看出，在桥梁单元未发生损伤的情况下，提取到的一阶振型与标准振型重合，进一步利用改进的直接刚度法识别桥梁各个节点刚度及边单元修正结果如图 6.12 所示。

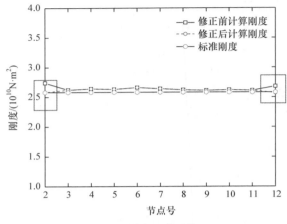

图 6.12　刚度反演及修正

### 6.3.2　车体信号与关联点信号损伤识别对比

为进一步研究以关联点信号为输出响应的损伤识别效果,本节设置路面粗糙度为 C 级,将检测车信号和关联点信号各自识别的无损伤及单元有损伤工况下的振型和节点刚度进行比对,设置的工况参数如表 6.1 所示。

表 6.1　检测车信号与关联点信号工况

| 工况 | 检测车 | 反演关联点 | 量测关联点 |
|---|---|---|---|
| 工况一 | 无折减 | 无折减 | 无折减 |
| 工况二 | E4 单元刚度折减 20% | E4 单元刚度折减 20% | E4 单元刚度折减 20% |

由表 6.1 可知,本节分别设置了桥梁单元无损工况(工况一)及单损伤工况(工况二:E4 单元的刚度折减 20%),对应 E4 单元左右节点刚度分别折减 10%。表 6.2 为对应工况下的桥频识别结果。

表 6.2　检测车信号与关联点信号桥频识别结果　　　　(单位:Hz)

| 工况 | 检测车 | 反演关联点 | 量测关联点 |
|---|---|---|---|
| 工况一 | 2.05 | 2.05 | 2.05 |
| 工况二 | 2.04 | 2.04 | 2.04 |

不同工况下,车体信号与关联点信号对比的振型识别结果如图 6.13 和图 6.14 所示。

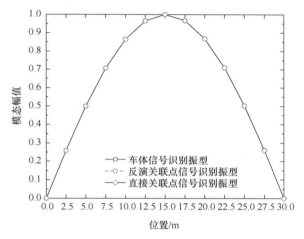

图 6.13　工况一下车体响应与关联点响应振型对比

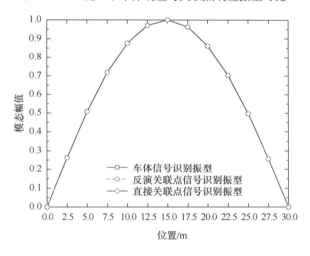

图 6.14　工况二下车体响应与关联点响应振型对比

　　不同工况下，车体信号与关联点信号对比的节点刚度识别结果如图 6.15 和图 6.16 所示。

　　基于模态参数识别结果可以看出，在工况一中，反演关联点信号识别的第一阶模态相对车体信号识别的第一阶模态略微接近直接量测法下关联点识别的模态值，且前者识别的节点刚度更加接近基于直接量测关联点信号下识别到的刚度；在工况二中，反演关联点下的刚度相比车体信号识别结果更加接近基于直接量测关联点信号下识别到的刚度，例如，E4 单元损伤 20%的情况下，即损伤单元节点 4、5 分别损伤 10%，采用车体信号反算的刚度最大误差为 5.67%，反算或直接关联点信号误差不足 3%，后者的精度更高，更接近直接量测法的结果，在后续的数值模拟中统一使用反演关联点信号作为输出信号。

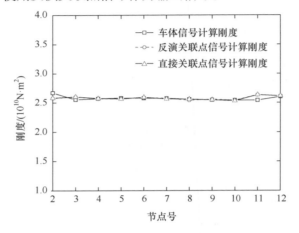

图 6.15　工况一下车体响应与关联点响应计算刚度对比

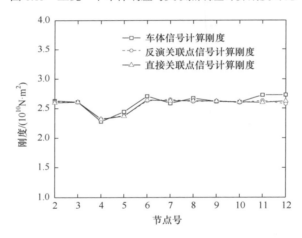

图 6.16　工况二下车体响应与关联点响应计算刚度对比

### 6.3.3　前处理和两步法后处理介绍及对比分析

1. 前处理方法概述

　　振动信号预处理是一种基本数据还原方式，目的是将测试振动时程响应数据尽可能还原成接近结构实际振动状况的时程响应。实际工程中，测试系统采集到的时程响应会由于环境因素(如噪声)而偏离结构在外激励下的真实时程响应，因此需要通过振动信号预处理来减少或消除采集到的时程响应里的噪声干扰，常用的消除高频噪声的方法包括多点平均处理法和平滑处理法等[87]。

本节首先设置了基于前后数据倍数差为 5 倍、3 倍、2 倍三种不同筛选倍数筛选出异常信号数据，结合五点滑动平均法[87]对异常信号进行预处理，以消除混杂在数据中的高频噪声，考察在不同的修正倍数和 20dB 噪声下，E3 单元刚度折减 20%、E9 单元刚度折减 30%对模态振型及节点刚度识别的修正效果，如图 6.17 和图 6.18 所示。

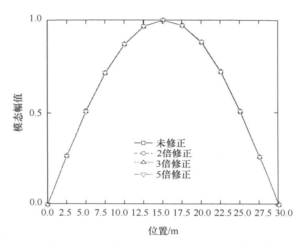

图 6.17　E3 单元损伤 20%、E9 单元损伤 30%工况下不同修正模态振型识别结果

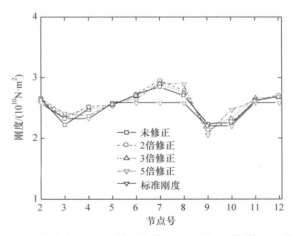

图 6.18　E3 单元损伤 20%、E9 单元损伤 30%工况下不同修正刚度识别结果

由图 6.17 可以看出，基于不同修正倍数预处理后与未进行预处理的模态值均接近，需要进一步进行刚度反演来观察预处理对损伤识别的优化效果。由图 6.18 可以看出，未进行预处理时，由方形图标构成，可以看到单元 E3，即节点 3、4 处的数据。节点 3 的数据较标准刚度(10%)低−13.98%。需要注意单元损伤 20%，

节点识别到的损伤标准只有 10%，因此没有太大误差。

5 倍修正预处理的情况下，成功识别到 E3 单元 20%的单元刚度折减，节点刚度识别结果分别为 -6.77%和 -8.27%。而 E9 单元 30%的单元刚度折减，节点刚度识别结果分别为 -20.51%和 -4.52%，右端节点误差超过 5%，未识别到 15%节点损伤。因此，5 倍修正后 30%刚度损伤效果不佳。

3 倍修正预处理的情况下，成功识别到 E3 单元 20%的单元刚度折减，节点刚度识别结果分别为 -7.82%和 -4.43%，但右端节点误差略超过 5%。成功识别 E9 单元 30%的单元刚度折减，节点刚度识别结果分别为 -14.75%和 -10.30%，成功识别到 15%节点损伤。因此，3 倍修正后的刚度识别结果较未修正结果有所改进。

2 倍修正预处理的情况下，成功识别到 E9 单元 30%的单元刚度折减，节点刚度识别结果分别为 -17.12%和 -12.06%。而 E3 单元 20%的单元刚度折减，节点刚度识别结果分别为 -10.37%和 -2.29%，两端节点误差超过 5%，未识别到 15%节点损伤。因此，2 倍修正后 20%刚度损伤效果不佳。

噪声水平高的情况下对加速度信号进行预处理能够改进损伤识别精度，改进程度与效果和损伤程度有关；由不同倍数的预处理结果可以发现，相对的小损伤(如 E3 单元损伤 20%)对预处理倍数更为敏感，降低预处理倍数对改善小损伤识别有良好效果；同时，降低预处理倍数能够提升相对的大损伤(如 E9 单元损伤 30%)的识别精度，但是提升空间不大。

综上所述，过大或过小的预处理倍数都会掩盖小损伤，因此在高噪声且桥梁存在多损伤复杂情况下，决定预处理倍数的是相对的小损伤，即以能够识别到小损伤为目标进行预处理。

### 2. 后处理方法概述

识别出桥梁结构的模态振型后，下一步是通过作者团队研发的 OpenSees Navigator 系统识别工具箱进行刚度识别来直接定位损伤位置和损伤程度。为改进后续损伤程度识别的准确性，基于一步法的基础上进行改进，即将损伤定位识别和损伤程度识别两个步骤分开，先进行以刚度结果与对应标准值 95%置信区间进行损伤定位，然后对无损部位的振型进行优化，最后进行后续的梁节点刚度识别。

本节设置工况为 20dB 噪声下，E3 单元刚度折减 20%、E9 单元刚度折减 30%，旨在考察复杂情况、不同后处理方法下对桥梁刚度识别及损伤定位的修正效果，识别结果如图 6.19 和图 6.20 所示。

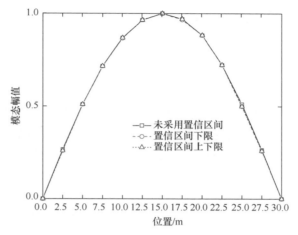

图 6.19　E3 单元损伤 20%、E9 单元损伤 30%工况下不同置信区间模态振型识别结果

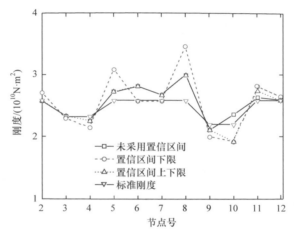

图 6.20　E3 单元损伤 20%、E9 单元损伤 30%工况下不同置信区间刚度识别结果

　　由图 6.19 振型识别结果不难看出,是否采用置信区间对振型识别的结果影响不大,识别的结果都在工程进度范围内,需要结合节点刚度识别结果进行分析。由图 6.20 可以看出,针对以半置信区间和全置信区间为标准的两步法对刚度异常高于标准值的情况改善程度不同,采用全置信区间效果优于半置信区间,相对误差分别从 19.5%和 34.25%降至 5.36%和 15.92%,后者接近不采用两步法的情况。从梁单元损伤识别的情况来看,未采用两步法在 E9 单元右侧节点刚度折减发生了误判,采用两步法均识别出上述设置的损伤工况,识别值偏大,这对实际桥梁检测中损伤定位是有利的。

# 6.4　参　数　分　析

### 6.4.1　桥梁阻尼比的参数分析

　　车-桥参数与 6.3 节相同，设置不同的桥梁阻尼比进行分析，通过改变桥梁阻尼比这一单因素，可以利用变量控制研究其对模态参数及后续节点刚度识别的影响，设置与 6.3 节相同的工况一和工况二进行对比分析，识别的一阶桥频如表 6.3 所示。

表 6.3　不同桥梁阻尼比下一阶桥频识别结果　　　　　　　　(单位：Hz)

| 工况 | 阻尼比=0 | 阻尼比=0.01 | 阻尼比=0.02 |
|---|---|---|---|
| 工况一 | 2.05 | 2.05 | 2.05 |
| 工况二 | 2.04 | 2.04 | 2.04 |
| 工况 | 阻尼比=0.03 | 阻尼比=0.04 | 阻尼比=0.05 |
| 工况一 | 2.04 | 2.03 | 2.03 |
| 工况二 | 2.04 | 2.04 | 2.03 |

　　工况一、工况二下的理论一阶桥频分别为 2.05Hz、2.04Hz。与表 6.3 中的一阶桥频识别结果相对误差低于 2%，说明采用反演关联点信号在桥梁阻尼比变化的情况下能够准确识别一阶桥频。

　　图 6.21 和图 6.22 为在设定的各个阻尼比下，梁单元无损工况(工况一)及 E4 单元刚度折减 20%(工况二)的一阶模态振型识别结果。

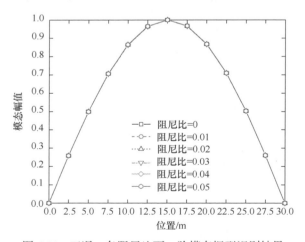

图 6.21　工况一各阻尼比下一阶模态振型识别结果

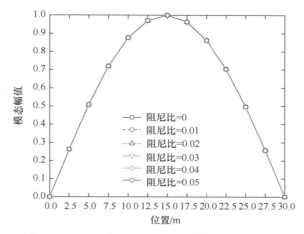

图 6.22　工况二各阻尼比下一阶模态振型识别结果

　　由图 6.21 的分析结果可知,工况一各阻尼比下一阶振型识别值与对应的标准振型值几乎重合,识别振型与标准振型的误差低于 1%,说明桥梁阻尼比变化对桥梁一阶振型的识别影响极小。同样地,由图 6.22 的分析结果可知,工况二各阻尼比下同样能够提取到一阶振型,且识别振型与标准振型的误差低于 1%。综上所述,桥梁阻尼比影响下不同工况均能取得良好的振型识别结果。

　　图 6.23 和图 6.24 为设定的不同桥梁阻尼比下,工况一及工况二的节点刚度识别结果。

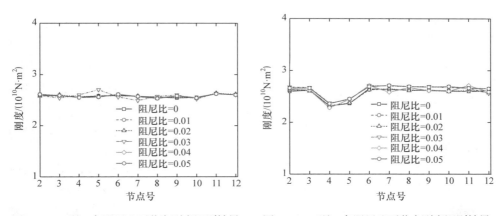

图 6.23　工况一各阻尼比下节点刚度识别结果　　图 6.24　工况二各阻尼比下节点刚度识别结果

　　由图 6.23 和图 6.24 可以看出,工况一中各个节点下的刚度都与 6.3 节桥梁参数介绍中的梁截面抗弯刚度接近,相对计算刚度误差低于 5%,说明桥梁阻尼比变化对节点刚度识别的影响很小。同理,工况二中各个无损节点处的刚度都与 6.3

节桥梁参数介绍中的梁截面抗弯刚度接近。此外，均识别出 4、5 号节点处的单元刚度折减，相对识别刚度误差低于 7%，说明桥梁阻尼比变化对节点刚度识别的影响很小，且不会影响对桥梁损伤部位的监测与损伤程度的识别。

综合上述分析结果，基于反演关联点信号进行的桥频、振型、节点刚度识别工作，在桥梁阻尼比变化的情况下，仍具备良好的鲁棒性，可以较好地进行损伤定位和损伤程度判断。

### 6.4.2 车辆阻尼的参数分析

车-桥参数与 6.3 节相同，设置不同的车辆阻尼进行分析，通过改变车辆阻尼这一单因素，可以利用变量控制研究其对模态参数及后续节点刚度识别的影响。

同样设置与 6.3 节相同的工况一和工况二进行对比分析，识别的一阶桥频如表 6.4 所示。

**表 6.4　不同车辆阻尼下一阶桥频识别结果**　　　　　　　（单位：Hz）

| 工况 | 车辆阻尼=0N·s/m | 车辆阻尼=500N·s/m | 车辆阻尼=1000N·s/m |
|---|---|---|---|
| 工况一 | 2.05 | 2.05 | 2.04 |
| 工况二 | 2.04 | 2.04 | 2.03 |
| 工况 | 车辆阻尼=1500N·s/m | 车辆阻尼=2000N·s/m | — |
| 工况一 | 2.04 | 2.03 | — |
| 工况二 | 2.03 | 2.03 | — |

工况一、工况二下的理论一阶桥频分别为 2.05Hz、2.04Hz，与表 6.4 中的一阶桥频识别结果相对误差均低于 2%，说明采用反演关联点信号在车辆阻尼变化的情况下能够准确识别一阶桥频。

图 6.25 和图 6.26 为设定的不同车辆阻尼下，工况一和工况二的一阶模态振型识别结果。

由图 6.25 的振型识别结果分析可知，工况一下的一阶振型识别值与对应的标准振型值几乎重合，识别振型与标准振型的误差低于 1%，说明车辆阻尼变化对桥梁一阶振型识别的影响极小。同样地，由图 6.26 的振型识别结果分析可知，工况二下同样能够提取到各车辆阻尼下的桥梁一阶振型，且识别振型与标准振型的误差低于 1%。综上所述，车辆阻尼影响下不同工况均能取得良好的振型识别结果。

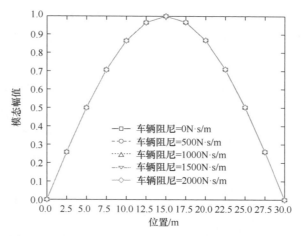

图 6.25　工况一不同车辆阻尼下一阶模态振型识别结果

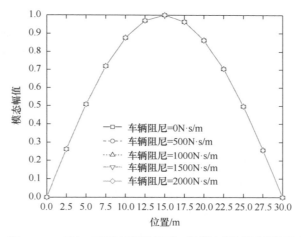

图 6.26　工况二不同车辆阻尼下一阶模态振型识别结果

　　图 6.27 和图 6.28 为设定的不同车辆阻尼下,工况一及工况二的节点刚度识别结果。

　　由图 6.27 和图 6.28 可以看出,工况一中各个节点下的刚度都与 6.3 节桥梁参数介绍中的梁截面抗弯刚度接近,相对计算刚度误差低于 5%,说明桥梁阻尼比变化对节点刚度识别的影响很小。同理,工况二中各个无损伤节点处的刚度都与 6.3 节桥梁参数介绍中的梁截面抗弯刚度接近。此外,均识别出 4、5 号节点处的单元刚度折减,相对识别刚度误差低于 5%,说明车辆阻尼变化对节点刚度识别的影响很小,且不会影响对桥梁损伤部位的监测与损伤程度的识别。

　　综合上述分析结果，基于反演关联点信号进行的桥频、振型、节点刚度识别工作，在车辆阻尼变化的情况下仍具备良好的鲁棒性，可以较好地进行损伤定位和损伤程度判断。

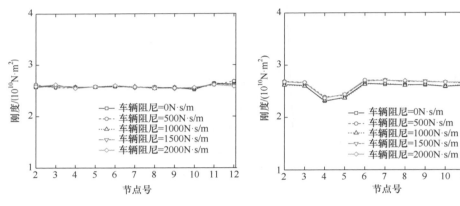

图 6.27　工况一不同车辆阻尼下节点　　　　图 6.28　工况二不同车辆阻尼下节点
　　　　　　 刚度识别结果　　　　　　　　　　　　　　　 刚度识别结果

### 6.4.3　环境噪声的参数分析

　　实桥试验数据采集过程中，获取的时程响应信号会受到环境噪声的污染，可以通过信噪比 SNR 和噪声水平 $E_p$ 来构建添加噪声后的测试测信号，信噪比 SNR 和噪声水平 $E_p$ 的转换关系为

$$SNR = 20 \times lg\left(\frac{1}{E_p}\right) \tag{6.31}$$

　　本节工况选取的信噪比分别为 0dB、30dB、40dB，代入式(6.31)计算可得信噪比对应的噪声水平 $E_p$ 分别为 10%、3.16%、1%。

　　同时设原始的车体响应为 $x_0$，添加噪声后的车体响应为 $x_n$，则两者的数学关系可以表示为

$$x_n = x_0 + E_p \cdot \sigma(x) \times N \tag{6.32}$$

式中，$\sigma(x)$ 为 $x_0$ 的标准差；$N$ 为高斯白噪声。

　　车-桥参数与 6.3 节相同，设置不同的噪声水平进行分析，通过改变噪声水平这一单因素，利用变量控制研究其对模态参数及后续节点刚度识别的影响，同样设置与 6.3 节相同的工况一和工况二进行对比分析，识别的一阶桥频如表 6.5 所示。

表 6.5　环境噪声影响下一阶桥频识别结果　　　　　　　（单位：Hz）

| 工况 | 不同信噪比对应的一阶桥频 | | |
| --- | --- | --- | --- |
| | 40dB | 30dB | 20dB |
| 工况一 | 2.05 | 2.04 | 2.05 |
| 工况二 | 2.04 | 2.03 | 2.04 |

　　工况一、工况二下的理论一阶桥频分别为 2.05Hz、2.04Hz，与表 6.5 中的一阶桥频识别结果相对误差均低于 2%，说明采用反演关联点信号在本节设置的信噪比下能够准确识别一阶桥频。

　　图 6.29 和图 6.30 为设定的不同信噪比下，工况一和工况二的一阶模态振型识别结果。

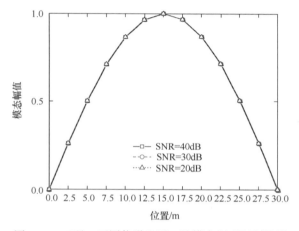

图 6.29　工况一不同信噪比下一阶模态振型识别结果

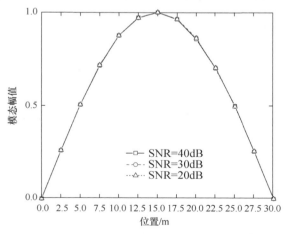

图 6.30　工况二不同信噪比下一阶模态振型识别结果

　　由图 6.29 的振型识别结果分析可知，工况一下的一阶振型识别值与对应的标准振型值几乎重合，识别振型与标准振型的误差低于 2%，说明不同信噪比下对桥梁一阶振型的识别影响极小。同样地，由图 6.30 中的振型识别结果分析可知，工况二下同样能够提取到不同信噪比下的桥梁一阶振型，且识别振型与标准振型的误差低于 2%。综上所述，环境噪声影响下的不同工况均能取得良好的振型识别结果。

　　图 6.31 和图 6.32 为设定的不同信噪比下，工况一及工况二的节点刚度识别结果。

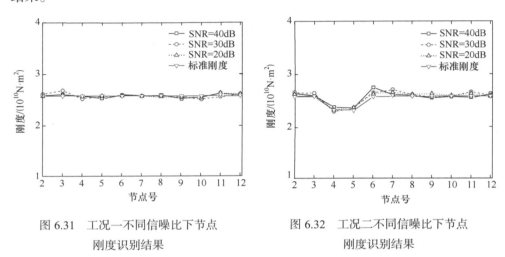

图 6.31　工况一不同信噪比下节点　　　　　图 6.32　工况二不同信噪比下节点
　　　　　刚度识别结果　　　　　　　　　　　　　　刚度识别结果

　　由图 6.31 和图 6.32 可以看出，工况一中各个节点下的刚度都与 6.3 节桥梁参数介绍中的梁截面抗弯刚度接近，相对计算刚度误差低于 7%，说明 30dB 与 40dB 信噪比的影响对节点刚度识别的影响较小。同理，工况二中各个无损节点处的刚度都与 6.3 节桥梁参数介绍中的梁截面抗弯刚度接近。此外，均识别出 4、5 号节点处的单元刚度折减，相对识别刚度误差低于 5%，说明信噪比 30dB 以上的情况对节点刚度识别的影响不大，且不会影响对桥梁损伤部位的监测与损伤程度的识别。

　　综合上述分析结果，基于反演关联点信号进行的桥频、振型、节点刚度识别工作，处于环境噪声干扰的情况下仍具备一定的鲁棒性，可以较好地进行损伤定位和损伤程度判断。

### 6.4.4　随机车辆的参数分析

　　公路桥梁随机车辆作为常见外激励的一种，对桥梁模态参数识别的影响很大。因此，本节通过设置多台移动车辆的车重、行驶速度与车间距来对公路桥梁随机车辆对桥梁模态参数识别的影响进行一个初步探究。其中，车间距通过入场时间及行驶速度的不同进行模拟，同样地，其他参数与初始设置相同，控制路面粗糙度为 D 级不变，探讨随机车辆这一单一因素下对识别结果的影响。本节设置的两组随机车辆参数如表 6.6 所示。

**表 6.6　随机车辆工况设置参数信息**

| 工况 | 车编号 | 行驶速度/(m/s) | 车重/kg | 入场时间/s | 路面粗糙度 |
|------|--------|---------------|---------|-----------|-----------|
| 工况 1 | 1 | 3 | 4069 | 2 | |
| | 2 | 8 | 1760 | 5 | D |
| | 3 | 4 | 3212 | 1 | |
| 工况 2 | 1 | 5 | 2489 | 3 | |
| | 2 | 4 | 2150 | 4 | D |
| | 3 | 5 | 3676 | 3 | |
| | 4 | 6 | 1074 | 2 | |

同样设置与 6.3 节相同的工况一和工况二进行对比分析，识别的一阶桥频如表 6.7 所示。

**表 6.7　随机车辆影响下一阶桥频识别结果** （单位：Hz）

| 工况 | 车流 1 | 车流 2 |
|------|--------|--------|
| 工况一 | 2.05 | 2.05 |
| 工况二 | 2.04 | 2.04 |

工况一、工况二下的理论一阶桥频分别为 2.05Hz、2.04Hz，与表 6.7 中的一阶桥频识别结果相对误差均低于 1%，说明采用反演关联点信号在本节设置的不同随机车辆工况下能够准确识别一阶桥频。

图 6.33 和图 6.34 为设定的不同随机车辆工况下，工况一和工况二的一阶模态振型识别结果。

由图 6.33 的振型识别结果分析可知，工况一下的一阶振型识别值与对应的标准振型值几乎重合，识别振型与标准振型的误差低于 2%，说明不同随机车辆对桥梁一阶振型的识别影响极小。同样地，由图 6.34 的振型识别结果分析可知，工况二下同样能够提取到不同随机车辆下的桥梁一阶振型，且识别振型与标准振型的误差低于 2%。综上所述，不同随机车辆影响下的不同工况均能取得良好的振型识别结果。

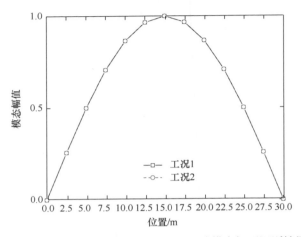

图 6.33　工况一不同随机车辆工况下一阶模态振型识别结果

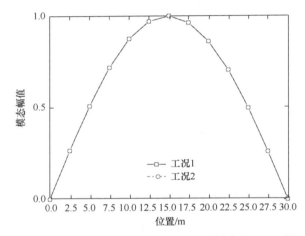

图 6.34　工况二不同随机车辆工况下一阶模态振型识别结果

　　图 6.35 和图 6.36 为设定的不同随机车辆下,工况一及工况二下的节点刚度识别结果。

　　由图 6.35 和图 6.36 可以看出,工况一中各个节点下的刚度都与 6.3 节桥梁参数介绍中的梁截面抗弯刚度接近,相对计算刚度误差低于 5%,说明不同随机车辆作为外激励对节点刚度识别的影响较小。同理,工况二中各个无损节点处的刚度都与 6.3 节桥梁参数介绍中的梁截面抗弯刚度接近。此外,均识别出 4、5 号节点处的单元刚度折减,相对识别刚度误差低于 5%,说明不同随机车辆作为外激励对节点刚度识别的影响不大,且不会影响对桥梁损伤部位的监测与损伤程度的识别。

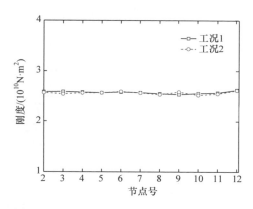 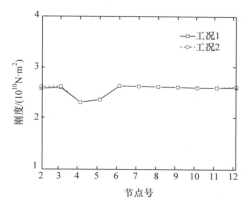

图 6.35　工况一不同随机车辆工况下节点刚　　图 6.36　工况二不同随机车辆工况下节点刚
　　　　　　度识别结果　　　　　　　　　　　　　　　　度识别结果

综合上述分析结果，基于反演关联点信号进行的桥频、振型、节点刚度识别工作，处于随机车辆作为外激励的情况下仍具备优良的鲁棒性，可以较好地进行损伤定位和损伤程度判断。

### 6.4.5　路面粗糙度的参数分析

本章提出的方法不同于传统的车-桥耦合检测方法，检测车是静止采集而不是在桥上运动。因此，路面粗糙度对多点静止采集的车体信号无直接影响，然而路面粗糙度对作为激励在桥面运动的随机车辆是有影响的。因此，本节将路面粗糙度作为随机车辆以外新的外激励并采用 ISO 8608:1995(E)[22]中建议的路面粗糙度位移功能密度函数 $G_d(n_0)$ 进行模拟。

按照路面的光滑程度由好至坏将路面粗糙度分为八个等级，分别为 A～H 级。本节选取前四级(A～D 级)路面粗糙度来研究其对模态参数识别的影响，A～D 级路面粗糙度对应的位移功能密度函数 $G_d(n_0)$ 分别如下。

(1) A 级：$G_d(n_0) = 4 \times 10^{-6}\,\mathrm{m}^3$。

(2) B 级：$G_d(n_0) = 8 \times 10^{-6}\,\mathrm{m}^3$。

(3) C 级：$G_d(n_0) = 16 \times 10^{-6}\,\mathrm{m}^3$。

(4) D 级：$G_d(n_0) = 32 \times 10^{-6}\,\mathrm{m}^3$。

同样设置与 6.3 节相同的工况一和工况二进行对比分析，不同路面粗糙度下识别的一阶桥频如表 6.8 所示。

表 6.8　不同路面粗糙度下一阶桥频识别结果　　　　　　（单位：Hz）

| 工况 | 不同路面粗糙度对应的一阶桥频 | | | |
| --- | --- | --- | --- | --- |
| | A 级 | B 级 | C 级 | D 级 |
| 工况一 | 2.05 | 2.05 | 2.05 | 2.05 |
| 工况二 | 2.04 | 2.04 | 2.04 | 2.04 |

　　工况一、工况二下的理论一阶桥频分别为 2.05Hz、2.04Hz，与表 6.8 中的一阶桥频识别结果相对误差均低于 1%，说明采用反演关联点信号在本节设置的不同路面粗糙度下能够准确识别一阶桥频。

　　图 6.37 和图 6.38 为设定的不同路面粗糙度下，工况一和工况二的一阶模态振型识别结果。

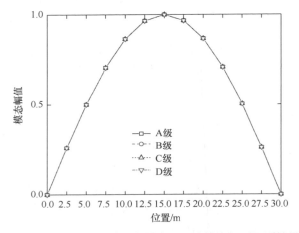

图 6.37　工况一不同路面粗糙度下一阶模态振型识别结果

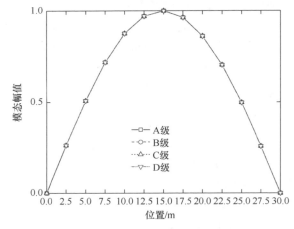

图 6.38　工况二不同路面粗糙度下一阶模态振型识别结果

由图 6.37 的振型识别结果分析可知,工况一下的一阶振型识别值与对应的标准振型值几乎重合,识别振型与标准振型的误差低于 2%,说明不同等级路面粗糙度对桥梁一阶振型的识别影响极小。同样地,由图 6.38 的振型识别结果分析可知,工况二下同样能够提取到不同等级路面粗糙度下桥梁一阶振型,且识别振型与标准振型的误差低于 2%。综上所述,不同等级的路面粗糙度影响下的不同工况均能取得良好的振型识别结果。

图 6.39 和图 6.40 为设定的不同路面粗糙度下,工况一及工况二的节点刚度识别结果。

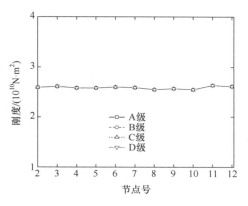

图 6.39　工况一不同路面粗糙度下节点　　　图 6.40　工况二不同路面粗糙度下节点
　　　　刚度识别结果　　　　　　　　　　　　　　刚度识别结果

由图 6.39 和图 6.40 可以看出,工况一中各个节点下的刚度都与 6.3 节桥梁参数介绍中的梁截面抗弯刚度接近,相对识别刚度误差低于 5%,说明不同路面粗糙度作为外激励对节点刚度识别的影响较小。同理,工况二中各个无损节点处的刚度都与 6.3 节桥梁参数介绍中的梁截面抗弯刚度接近。此外,均识别出 4、5 号节点处的单元刚度折减,相对识别刚度误差低于 5%,说明不同等级路面粗糙度作为外激励对节点刚度识别的影响不大,且不会影响对桥梁损伤部位的监测与损伤程度的识别。

综合上述分析结果,基于反演关联点信号进行的桥频、振型、节点刚度识别工作,在不同等级路面粗糙度作为外激励的情况下仍具备优良的鲁棒性,可以较好地进行损伤定位和损伤程度判断。

## 6.5　地震波作为外激励的分析

考虑实际工程中可能出现不同程度的地震波对桥梁产生激励,因此该外激励也是研究对象之一。车-桥参数与初始设置相同,设置在测试桥跨中输入地震波作为外激励进行分析,利用变量控制研究其对模态振型及后续节点刚度识别的影响。EI Centro 波输入位置如图 6.41 所示。

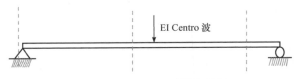

图 6.41　EI Centro 波输入位置

本节输入的外激励 EI centro 波的加速度振动信号如图 6.42 所示。

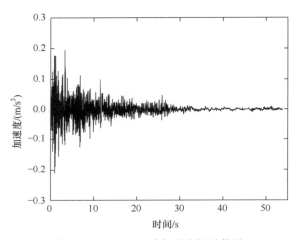

图 6.42　EI Centro 波加速度振动信号

　　地震波作为外激励的情况下,工况一和工况二识别的一阶频率分别为 2.05Hz 和 2.03Hz,与对应工况下的标准频率相对误差均低于 2%,说明采用反演关联点信号在本节设置的地震波下能够准确识别一阶桥频。

　　地震波作为外激励的条件下,工况一及工况二的一阶模态振型识别结果如图 6.43 和图 6.44 所示。

　　由图 6.43 的振型识别结果分析可知,工况一下的一阶振型识别值与对应的标准振型值几乎重合,识别振型与标准振型的误差低于 2%,说明本节设置的 EI Centro 波对桥梁一阶振型的识别影响极小。同样地,由图 6.44 的振型识别结果分析可知,工况二下同样能够提取到 EI Centro 波作为外激励下的桥梁一阶振型,且识别振型与标准振型的误差低于 2%。综上所述,EI Centro 波作为外激励下的不同工况均能取得良好的振型识别结果。

　　图 6.45 和图 6.46 为设定的 EI Centro 波作为外激励下,工况一及工况二的节

点刚度识别结果。

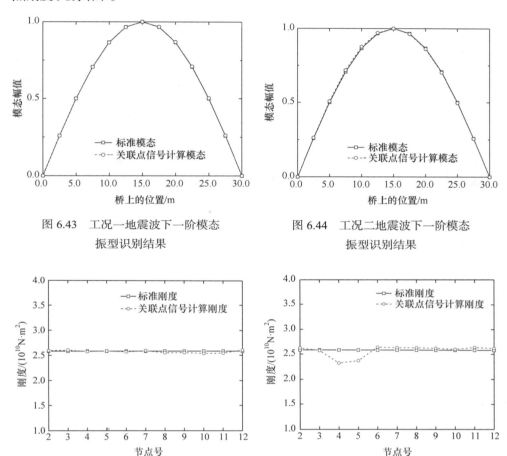

图 6.43　工况一地震波下一阶模态
振型识别结果

图 6.44　工况二地震波下一阶模态
振型识别结果

图 6.45　工况一地震波下节点刚度识别结果　　图 6.46　工况二地震波下节点刚度识别结果

　　由图 6.45 和图 6.46 可以看出，工况一中各个节点下的刚度都与 6.3 节桥梁参数介绍中的梁截面抗弯刚度接近，相对识别刚度误差低于 5%，说明 EI Centro 波作为外激励对节点刚度识别的影响较小。同理，工况二中各个无损节点处的刚度都与 6.3 节桥梁参数介绍中的梁截面抗弯刚度接近。此外，均识别出 4、5 号节点处的单元刚度折减，说明 EI Centro 波作为外激励能够有效对节点刚度进行识别，且不会影响对桥梁损伤部位的监测与损伤程度的识别。

　　综合上述分析结果，基于反演关联点信号进行的桥频、振型、节点刚度识别工作，在 EI Centro 波作为外激励的情况下仍具备优良的鲁棒性，可以较好地进行损伤定位和损伤程度判断。

## 6.6　支座损伤的初步研究

　　支座损伤的识别是桥梁检测过程中的一个重要难题。支座损伤的模拟是通过设置弹簧支座及相对于无限刚度对应的不同弹性模量来近似模拟支座损伤，弹簧支座的弹性模量分别取 $1\times10^{20}$N/m、$1\times10^{11}$N/m、$2.58\times10^{10}$N/m、$1\times10^{10}$N/m、$1\times10^{9}$N/m，其中弹簧弹性模量的上限值视为支座无损伤的情况，其余均视为支座弹性模量出现相应的折减，即视为支座损伤。通过数值模拟分析发现，对于设置不同弹簧支座刚度工况，限于篇幅，本节展示简支梁仅发生支座损伤识别模态和刚度的变化，如图 6.47 和图 6.48 所示。

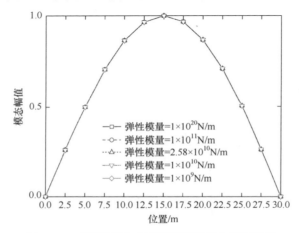

图 6.47　不同弹簧支座刚度下桥梁模态识别结果

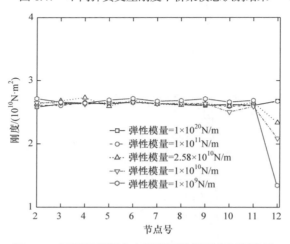

图 6.48　不同的弹簧支座刚度下桥梁刚度识别结果

由图 6.47 和图 6.48 可知,对于不同程度的支座损伤,模态振型反映出来的是离支座最近节点的模态值正误差增大;反演刚度反映出来的是离支座最近边节点的节点刚度相较标准刚度出现折减,弹簧支座损伤程度越大,弹簧弹性模量越小,靠近支座单元节点刚度折减程度越大。从数值模拟的结果来看,桥梁支座损伤与边单元节点的刚度有关,桥梁支座损伤会导致靠近支座的边单元节点的刚度出现相应折减,因此可以通过靠近支座边单元节点刚度折减来对支座损伤定位及支座损伤程度估测。

## 6.7　高阶模态振型的初步识别

对于实际工程,除了一阶模态,二阶、三阶模态参数值对低频响应同样占有很重要的地位,本节通过多点静止采集桥梁检测法对桥梁二阶、三阶桥频和模态振型进行识别。车-桥参数与初始设定相同,得到一阶桥频为 2.04Hz、二阶桥频为 8.10Hz、三阶桥频为 16.32Hz。桥梁的标准一阶桥频为 2.05Hz、标准二阶桥频为 8.17Hz、标准三阶桥频为 18.46Hz。识别频率与标准频率相对误差在 0.76%以内。识别二阶、三阶模态振型如图 6.49 和图 6.50 所示。

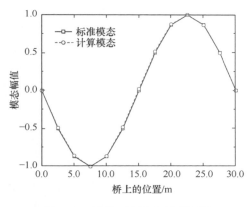

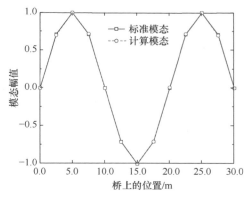

图 6.49　桥梁二阶模态振型识别　　　　图 6.50　桥梁三阶模态振型识别

由图 6.49 的振型识别结果分析可知,无损工况下的第二阶振型识别值与对应的标准振型值几乎重合,识别振型与标准振型的误差低于 2%,成功识别无损工况下的第二阶振型。同样地,由图 6.50 的振型识别结果分析可知,无损工况下的桥梁三阶振型识别值与对应的标准振型值几乎重合,识别振型与标准振型的误差低于 2%,成功识别无损工况下的桥梁三阶振型。综上所述,对本节提出的方法通过数值模拟初步验证了其提取高阶振型的可能性。

## 6.8　本章小结

本章首先简要介绍前处理和后处理方法在噪声干扰和多损伤的工况下对损伤识别结果的改进效果，然后以控制变量法的研究形式对车-桥阻尼、环境噪声、随机车辆、路面粗糙度和地震波等参数进行数值模拟分析，最后初步讨论了桥梁支座损伤识别及桥梁高阶模态提取的可能性，得出的结论如下：①针对噪声干扰和多损伤的工况下，前处理和后处理方法能够改善其损伤识别效果不佳的状况；②提出的基于车-桥耦合系统的多点静止采集方法，以反演关联点信号作为输出信号，相比于车体信号，接触点信号更能准确地识别模态参数及损伤；③桥支座损伤与边单元刚度折减存在相关性，且通过本章提出的方法能够提取桥梁在无损工况下的二阶、三阶桥频。

# 第7章 工程试验验证

## 7.1 引　　言

理论推导、数值模拟、试验验证是科学研究的三大手段。理论推导为研究工作指明方向，而数值模拟作为对理论推导进行验证的重要手段，其为推动理论应用于实际打下重要基础。试验验证作为关键一环，特别是现场桥梁试验，其真实的现场测试环境对检测方法的各个环节做出严苛的考验，是将基于自动化检测车进行桥梁损伤诊断方法运用到工程实际中的最后一步。第 2 章～第 6 章着重阐述了几种基于刚度指标的损伤诊断方法的理论推导过程，并以数值模拟的方式对这些方法进行了验证，基于这几种方法的实际应用进行了参数分析，研究了它们对不同桥梁的适用性。本章介绍基于提出的桥梁损伤诊断方法进行野外实桥试验，通过实桥试验对第 2 章～第 6 章所论述方法的实际可行性进行验证。

## 7.2　典型试验桥梁

桥梁的选择要尽量与数值模拟相近，本章在双车动采运行下的试验桥梁选择位于重庆市涪陵区的红星桥(图 7.1)，红星桥位于涪陵区李渡新区，该桥为一座三跨的等截面简支梁桥，每跨长度为 $L$=20m，桥梁总长度为 60m，根据迈达斯

图 7.1　重庆市涪陵区红星桥

(MIDAS)截面特性计算器可以求得该桥梁的截面惯性矩为 $I=0.38\text{m}^4$，弹性模量 $E=3.0\times10^{10}\text{N/m}^2$。红星桥为红星水库通往李渡新区的通道，该桥刚建成验收，车流量几乎为零，同时该地段位于偏僻的郊区，噪声干扰相对很弱，因此本试验不需要考虑噪声对试验结果的影响。路面粗糙度状况一般，根据实地考察，该桥很适合于间接量测法的实测试验研究。

其余试验选用李子湾大桥，如图 7.2 所示，该桥位于重庆市涪陵区 G319 国道上。李子湾大桥属于简支梁桥，桥梁总长度 196m，横截面总宽 12m，双车道，由 6 个单跨和 2 段引桥组成。桥梁单跨由 6 块预应力混凝土空心板组成，带有 12 个空心板孔洞，跨径为 30m，引桥长度 8m，即 8m+30m×6+8m(6 跨)。根据施工图纸资料，利用计算机辅助设计(computer aided design，CAD)截面特性计算器求得桥梁截面面积为 $7.4544\text{m}^2$，截面惯性矩为 $0.79\text{m}^4$。又从李子湾大桥定期检测报告中的回弹试验得到桥面混凝土强度检测结果，确定该桥的混凝土弹性模量 $E=32.5\text{GPa}$，密度为 $2400\text{kg/m}^3$。

图 7.2　重庆市涪陵区李子湾大桥

在路面粗糙度方面，该桥面铺装沥青混凝土面层，表面平整，路面状况良好。

# 7.3　试验仪器

### 7.3.1　牵引车

牵引车的作用是为检测车 1 和检测车 2 提供动力，保证三车一起在桥上行驶。根据文献[78]，牵引车提供的动力尽可能满足不向检测车 1 和检测车 2 传递任何附加扰动，只为检测车提供水平拉力。因此，本次试验选用的牵引车为皮卡车，如图 7.3 所示，车体质量为 2.2t。选择皮卡车的原因主要有两个方面：①因为本次试验需要同时拖动检测车 1 和检测车 2，检测车本身质量也较大，皮卡车能较好满足动力需求；②皮卡车的货箱有充分的空间，可以用来放置相关仪器，方便运输。

图 7.3　皮卡车照片

## 7.3.2　单轴检测车

### 1. 动采检测车

检测车是放置加速度传感器的载体，设计原则包括车体构造简单、车身质量集中于轮轴中心，最重要的是尽可能接近单自由度弹簧质量块的理论模型。但是在现实生活中，符合单自由度弹簧质量块理论模型的检测车是不存在的，在实桥试验中为了更加接近理论模型，将检测车设计成单轴车。本次试验设计的单轴检测车形状大小如图 7.4 所示。由图 7.4 可以看出，检测车设计较为简单，整个车身由轮轴和钢骨架组成，车体前后左右对称，这样设计可以保证检测车的重心落在轮轴中心处。轮轴是由圆形钢材内部灌入混凝土制成的，经过焊接后使轮轴与钢骨架形成整体，避免行驶时轮轴产生额外信号干扰。

(a) 外观示意图

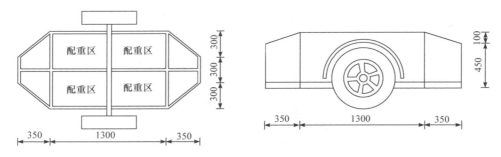

(b) 尺寸规格示意图

图 7.4　单轴检测车(单位：mm)

　　轮轴前后两侧设置"配重区"，用来放置改变车体频率的钢板，如图 7.5 所示，并通过特制的装置来固定钢板，防止试验时钢板移动产生干扰信号，影响试验结果。配重钢板的尺寸为 390mm×290mm×20mm，重量为 17.5kg，实拍图如图 7.6 所示。配重钢板的作用是通过调整检测车的质量，从而改变检测车的频率，使两辆检测车达到相同的车体频率。

图 7.5　检测车配重区　　　　　　　　　图 7.6　配重钢板实拍图

　　在实际桥梁工程中，大部分简支梁桥的一阶自振频率在 4～10Hz[87]。检测车车体频率的合理范围为 2～3Hz，且越低越好。但考虑到低频率的检测车难以设计，设计成本也较高。因此，试验将检测车的频率控制在 3Hz 左右，也能较好满足试验要求。通过检测车配重加载试验发现，当检测车质量达到 1470kg 时，检测车车体频率为 3Hz。

　　三车同时在桥梁上行驶时，涉及车与车之间连接的问题。关于三车之间的连接，设计了两种连接方式，一种是刚性连接，如图 7.7 所示；另一种是柔性连接，如图 7.8 所示。刚性连接用于牵引车与检测车 1 之间的连接，约束检测车 1 竖向和水平方向的运动，但不会限制检测车 1 水平面的转动。这样设计能保证检测车 1 在运动中不会发生俯仰，以免影响车上的传感器采集信号。刚性连接中，牵引车和检测车 1 各自的连接件用螺栓与车体连接，然后通过连接件上的圆球卡住连在一起，必须保证二者的连接件处于同一水平高度。柔性连接主要用于检测车 1 与检测车 2 之间的连接，依靠牵引车提供水平方向的拉力，保证两检测车以相同的速度行驶，但两检测车之间不存在相互影响。柔性连接采用的是 U 型环连接。在拖动过程中，柔性连接会受力绷直，很好提供水平拉力，且不会对两检测车的信号采集产生影响。

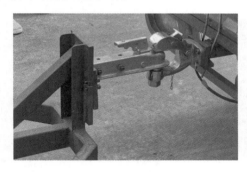

图 7.7　刚性连接

图 7.8　柔性连接

在试验中，要从检测车上采集包含桥梁信息的信号，需要通过轮胎传递桥梁信息，且要保证轮胎的振动能量传递性强。因此，轮胎的选用是尤为重要的一环。试验准备阶段，主要参考三种轮胎：钢胎、实心 PU 胎和普通橡胶气胎。钢胎在有粗糙度的路面上会有"跳动"，影响传感器采集信号，同时会产生高频干扰；实心 PU 胎的阻尼较大，会减弱加速度信号传递；而普通橡胶气胎阻尼较小，在有粗糙度的路面上行驶稳定。因此，本试验选用普通橡胶气胎，胎压为 1.8bar($1bar = 10^5Pa = 1dN/mm^2$)，如图 7.9 所示。

图 7.9　普通橡胶气胎

2. 静采检测车

相比于动采，静采使用了不同的检测车，其中理论Ⅰ采用与动采一致的单轴检测车，理论Ⅱ由于要采集车-桥频率，质量必须足够大，其外观如图 7.10(a) 所示。该车的主要结构包括轮胎和被其支撑的承重框架，其分别模拟单自由度系统中的弹簧、阻尼和质量块，由于桥梁的重量较大，为增大该检测车的配重范围，特采用实心橡胶轮胎，其单只轮胎承重最高可达 31t。承重框架结构由实心钢轴和钢板焊接而成，车体共分布有 8 个配重区块，通过在配重区块增减钢板改变检测车质量，由于车体尺寸限制，单辆检测车的最大重量为 5300kg。检测车车体结构呈中心对称分布，车辆承重框架材质均为钢材，这可使车辆的质心位置与车体结构的几何中心位置在竖直方向上重合，将传感器放于车轴中心处采集车体振动响应信号。通过测量可得检测车的外形尺寸如图 7.10(b)所示。为了解车体的振动特性，可通过铁锤敲击车轴施加激励，使其产生强迫振动来获取车体的动力参数。

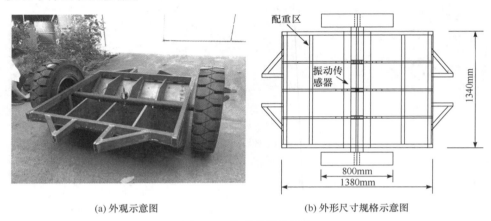

(a) 外观示意图　　　　　　　　　　(b) 外形尺寸规格示意图

图 7.10　静采单轴检测车

### 7.3.3　数据采集仪

本试验采用的是 D3000 动态数据采集仪，如图 7.11 所示。该仪器由浙江博远电子科技有限公司生产制造，适用于振动、风速、应变等工程长期监测。该仪器的技术特点：完全开放的接口协议，可以对接用户的监测平台；全球定位系统(global positioning system，GPS)、网络时间协议(network time protocol，NTP)同步授时；兼容电压、压电集成电路(IEPE)信号；配有备用电池、快闪存储器卡(TF)，保证长期监测数据不间断。该仪器的主要技术指标如图 7.12 所示，不仅可以自由设定系统采样频率，而且连接简单、便于携带，能较好满足本次试验的要求。在试验中，检测车和桥梁的自振频率均在 10Hz 以内。因此，检测车的静力试验、动力试验和桥梁检测试验中，数据采集仪的采样频率均设置为 100Hz。

图 7.11　D3000 动态数据采集仪

| | |
|---|---|
| 电压量程 | ±10V、±2.5mV、±20mV软件可选 |
| 输入噪声 | ±3μVrms |
| 动态范围 | 120dB |
| AD位数 | 24bit |
| 采样速度 | 最高 1200Hz/通道，多档可设 |
| IEPE 供电 | ±24V/4mA |
| 频率下限 | 电压输入时为DC，IEPE输入时为0.2Hz |
| 存储容量 | 机身内存512M，TF 卡可扩展至 64GB |
| 输入端子 | 主板上采用2.5mm间距的插针，可以<br>外接BNC接头配合外部结构固定 |
| 测点数 | 4点/台 |

图 7.12　D3000 动态数据采集仪主要技术指标

### 7.3.4　加速度传感器

在桥梁检测中，传感器扮演着至关重要的角色，传感器将直接影响检测车加速度信号的采集，从而间接影响桥梁单元刚度的识别。试验采用 941B 型低频振动传感器，由浙江博远电子科技有限公司生产，传感器的底面尺寸为 52mm×52mm 的正方形，高度为 60mm，如图 7.13 所示。该传感器广泛用于桥梁、隧道、大坝、海洋平台、水轮发电机组的振动测量，主要技术特点有以下几方面。

(1) 一机多能：通过控制传感器的微型拨动开关，可直接采集加速度和速度信号，与放大器连接后，可采集位移信号。

图 7.13　941B 型低频振动传感器

(2) 多物理量同时测量：多参量测量型号的振动传感器可实现加速度和速度信号的直接采集。

(3) 使用便捷：传感器不需要电源供电，不需要归零。

(4) 性能优异：传感器采用了无源伺服反馈技术，能够完成超低频(低至 0.17Hz)、大位移(600mm)的振动信号采集。

(5) 宽频带、高分辨率、大动态范围、抗冲击性能好、适合运输，可以直接与各种数据采集系统连接。

941B 型低频振动传感器的主要技术指标如图 7.14 所示。本试验中主要关注检测车的竖向加速度响应，特别是车体质心位置的加速度响应，因此需要将加速

| 技术指标 | 档位<br>参量 | 1<br>加速度 | 2<br>小速度 | 3<br>中速度 | 4<br>大速度 |
|---|---|---|---|---|---|
| 灵敏度/[V/(m·s²),V/(m·s)] | | 0.3 | 23 | 2.4 | 0.8 |
| 最大量程 | 加速度/(m/s², 0~$p$) | 20 | — | — | — |
| | 速度/(m/s, 0~$p$) | — | 0.125 | 0.3 | 0.6 |
| | 位移/(mm, 0~$p$) | — | 20 | 200 | 500 |
| 通频带 (Hz,$^{+1}_{-3}$dB) | | 0.25~80 | 1~100 | 0.25~100 | 0.17~100 |
| 输出负荷电阻/kΩ | | 1000 | 1000 | 1000 | 1000 |
| 分辨率 | 加速度/(m/s²) | $5×10^{-6}$ | — | — | — |
| | 速度/(m/s) | — | $4×10^{-8}$ | $4×10^{-7}$ | $1.6×10^{-6}$ |
| | 位移/m | — | $4×10^{-8}$ | $4×10^{-7}$ | $1.6×10^{-6}$ |
| 尺寸，质量 | | 56mm×56mm×77mm，0.75kg | | | |

图 7.14　941B 型低频振动传感器主要技术指标

度传感器固定在检测车轮轴中心位置，保证在拖动过程中与车体固定，确保得到的加速度信号稳定、有效。本试验中，在粘贴传感器前，先用砂纸对轮轴中心位置打磨，使其表面平整，便于传感器与轮轴中心处用 502 胶水粘贴固定。

### 7.3.5 红外线扫描器

李子湾大桥共有六跨，正式试验时动采检测车在桥上连续通过六跨。为了区分出每次试验时桥梁各跨的加速度信号，本试验中采用红外线扫描器来记录检测车驶入和驶出桥梁各跨的时间节点。采用的红外线扫描器是中国沪工集团有限公司生产的 E3JK-5D 红外线扫描器，如图 7.15 所示。红外线扫描器和检测车上的加速度传感器一起连接到数据采集仪，可以保证红外线扫描器采集信号的采样频率、起始和终止时刻都与加速度传感器保持一致。与红外线扫描器配套使用的还有反光贴，如图 7.16 所示。试验时将反光贴贴在木条上，再将木条立于桥梁各跨的起止点，红外线扫描器放在检测车 1 车轴上方的车盖上。当检测车 1 经过桥梁各跨的起止点时，红外线扫描器会扫到木条上的反光贴，同时会反射高振幅的信号，而高振幅的信号对应的时间节点就是检测车 1 驶入或者驶出桥梁各跨的时刻。

图 7.15 E3JK-5D 红外线扫描器　　　　　图 7.16 反光贴

## 7.4 准 备 试 验

### 7.4.1 检测车强迫振动试验

强迫振动试验是指检测车在无任何外力作用的静止状态下，突然给检测车瞬时的竖向冲击力，使车体在竖直方向发生振动。而微振动试验是指车体处于静止状态，在环境激励下发生自由振动。强迫振动试验比微振动试验有更大的外力输入，更能激发出车体频率。因此，通过强迫振动试验可以初步确定检测车车体频率的大小。

强迫振动试验的传感器安装位置如图 7.17 所示，安装在检测车轮轴中心处。因为该位置是检测车的平面形心位置，容易通过车体独特的对称设计和钢板配重调整质心，使得质心在平面上与形心重合。轮轴中心处的传感器最能反映车体信息，可以将检测车等效为单自由度弹簧质量块模型。试验场地为重庆市璧山区湿地公园内，周围人少且环境安静。试验中数据采集仪的采样频率设为 100Hz，每次适当增加配重钢板数量，然后采用橡胶锤连续等间隔竖直敲击检测车车轴，每 10s 敲击一次，共 10 次。

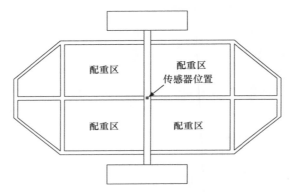

图 7.17　强迫振动试验传感器布置图

### 1. 动采检测车强迫振动试验

通过上述方法，采集到的动采检测车强迫振动试验加速度时程响应如图 7.18 所示。

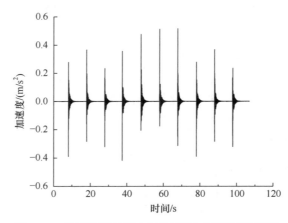

图 7.18　动采检测车强迫振动试验加速度时程响应

　　接着对采集到的动采检测车加速度响应进行快速傅里叶变换，识别出检测车的频率。当检测车的频率较大时，增加钢板数量后再识别检测车的频率，直至检测车的频率降到合适。由强迫振动试验可以发现，随着配重钢板数量的增加，检测车的频率会逐渐降低且趋向于定值。在本试验中，当检测车的质量达到 1470kg 时，检测车车体频率为 3.0Hz。由于检测车 1 和检测车 2 的设计参数都是相同的，当两检测车的质量都为 1470kg 时，响应频谱分别如图 7.19 和图 7.20 所示。

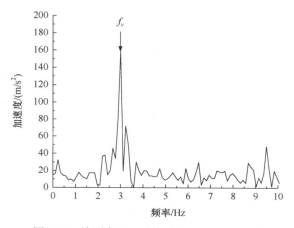

图 7.19　检测车 1 强迫振动试验响应频谱图

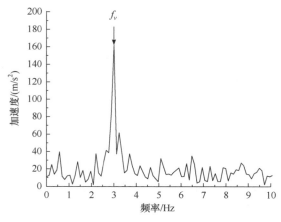

图 7.20　检测车 2 强迫振动试验响应频谱图

　　为了与强迫振动试验进行对比，通过检测车微振动试验，在不用橡胶锤敲击的情况下，车体在静止状态下只受环境激励的影响，同样发现在 3.0Hz 左右有峰值，检测车 1 和检测车 2 的响应频谱分别如图 7.21 和图 7.22 所示。因此，可以认为当检测车质量等于 1470kg 时，检测车车体频率为 3.0Hz。

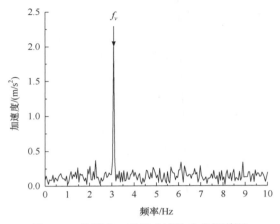

图 7.21　检测车 1 微振动试验响应频谱图

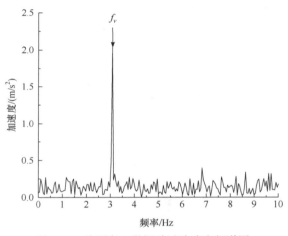

图 7.22　检测车 2 微振动试验响应频谱图

## 2. 静采检测车强迫振动试验

　　理论 I 采用与动采一致的单轴检测车，其振动试验也是一致的。理论 II 中采用的检测车通过测试发现，当检测车的质量在不超过某一范围内增加时，其振动频率会降低，而当检测车质量增大到一定程度时，其振动频率最终会趋于一稳定值。由于本次测试的桥梁单跨质量约为 400000kg，调整两辆检测车的质量均为5200kg，单辆、两辆检测车的总质量与桥梁单跨总质量之比分别为 1.3%、2.6%。通过车体强迫振动试验对车体振动特性进行测试，并采用随机子空间法识别到检测车 1 和检测车 2 的参数如下：振动频率分别为 2.23Hz、2.24Hz，阻尼比分别为0.012、0.014，两辆检测车的振动特性接近，其自振频率均远离桥梁的一阶振动频率 3.7Hz，满足测试要求。

### 7.4.2　检测车动力试验

　　检测车动力试验是指动采检测车 1 和检测车 2 在牵引车的拖动下在平坦路面上行驶，掌握两检测车在运动状态下车体的动力响应。检测车动力试验不同于桥梁实测试验，动力试验的目的是了解检测车 1 和检测车 2 在运动过程中的情况，及时发现车体的问题并进行改进。检测车车体的运动状态相比于静止状态，在实际情况中受很多因素的影响，包括牵引车速度、路面粗糙度、三车之间的连接方式、单轴检测车的俯仰和车体间的碰撞等。通过检测车动力试验，可以直观了解检测车在运动情况下的状态，针对发现的问题进行改进，为后续的实桥试验做好准备。

　　本试验只是为了掌握检测车的运动特性，可以采用电动三轮车当成牵引车，图 7.23 为检测车动力试验现场。检测车 1 和检测车 2 的质量均为 1470kg，牵引车车速为 5km/h 左右（以电动三轮车仪表盘显示为准）。图 7.24 和图 7.25 分别为检测车 1 和检测车 2 的加速度响应频谱图，两检测车的频率都为 3Hz 左右。

图 7.23　检测车动力试验现场

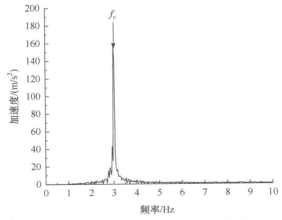

图 7.24　检测车 1 动力试验加速度响应频谱图

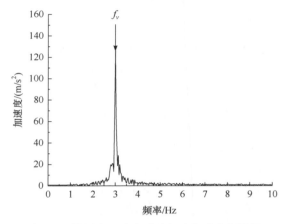

图 7.25　检测车 2 动力试验加速度响应频谱图

### 7.4.3　桥梁微振动试验

桥梁微振动试验是桥梁直接量测法中使用最频繁的方法，目的是掌握桥梁的基本特性，包括桥梁频率、振型等，也可以为桥梁间接量测法提供参考。桥梁微振动试验主要对桥梁频率进行测量，与通过检测车的加速度信号识别桥梁频率的结果进行对比。桥梁单元刚度识别需要先测出桥梁的一阶频率，因此桥梁微振动试验主要是测量桥梁一阶频率。试验时将传感器分别放在所测桥跨中位置，将得到的加速度信号进行快速傅里叶变换，可以从频谱图中直接观察到桥梁一阶频率。图 7.26 为李子湾大桥第二跨跨中位置采集的加速度信号频谱图。通过多次试验发现，第二跨频谱图在 3.7Hz 有一个很明显的峰值，因此认为李子湾大桥第二跨的一阶频率都为 3.7Hz。

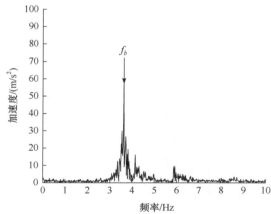

图 7.26　李子湾大桥第二跨跨中位置微振动试验加速度频谱图

### 7.4.4　桥与车的传递性试验

在桥梁间接量测法试验中，关键是将桥梁响应的信息传递到车体响应中，然后通过带通滤波和短时傅里叶变换从车体响应中提取出桥梁模态形状，最后导入 OpenSeesNavigator 系统识别工具箱，反演得到桥梁单元节点刚度。在实桥试验中，桥梁响应信息通过检测车的轮胎传递到悬架系统，再传递到检测车轮轴中心位置的传感器。在检测车的设计过程中，传递途径是重中之重，若传递路径被阻断，或者传递的效果达不到预期，则桥梁间接量测法试验将无法进行。因此，在正式的桥梁间接量测法试验之前，需要了解桥梁与检测车之间的振动传递情况，并及时做好改进。

静采方式和动采方式采用同样的传递性试验方法。开始前，分别将检测车 1 和检测车 2 静止停在所测桥不同桥跨中处，在检测车的轮轴中心处和轮胎附近的桥面上分别安装一个加速度传感器，传感器布置如图 7.27 所示。检测车轮轴中心处的传感器用来采集检测车竖向加速度信号，车胎附近的桥面传感器用来采集轮胎与桥面接触点的加速度信号，设置采样频率为 100Hz，采集时间为 120s。

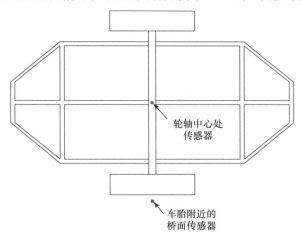

图 7.27　传递性试验的传感器布置图

检测车轮轴中心处采集的加速度响应在时域内几乎看不出任何规律，将检测车 1 和检测车 2 采集的加速度信号分别进行快速傅里叶变换，可以得到频谱响应。图 7.28 和图 7.29 为动采检测车中李子湾大桥第二跨频谱响应。与图 7.26 进行对比可以发现：①检测车和桥面采集的加速度信号都可以识别出桥梁一阶频率为 3.7Hz；②检测车采集的加速度信号中有 3Hz 的车体频率，而桥面采集的加速度信号中并不存在车体频率，且车体频率小于桥梁一阶频率，不在共振范围内。

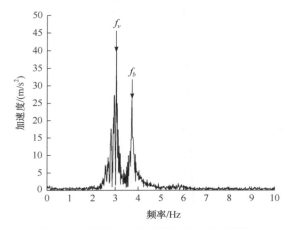

图 7.28　检测车 1 传递性试验响应频谱图

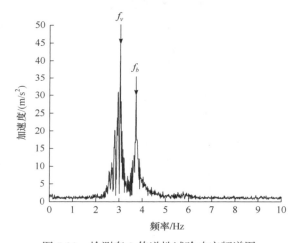

图 7.29　检测车 2 传递性试验响应频谱图

　　综上所述，桥梁的振动响应能传递到车体响应中，并可以识别出桥梁一阶频率。因此，设计的单轴检测车具有良好的传递性，可以用来进行桥梁间接量测法试验。

# 7.5　双车系统运行动采方式下试验

## 7.5.1　信号的采集和处理

　　试验选用红星桥，试验分为下面几个主要步骤：

　　(1) 利用 502 胶水将传感器粘贴在车体轮轴中央，同时将红外线扫描器按照探头方向朝着车外的方式安置在车体右侧，并将传感器、感应器与数据采集系统进行连接。

(2) 通过预先设置好的配重块，将车体重量增加至 1067.5kg(大检测车)，并通过铰接的方式将牵引车上的连接臂杆与检测车相连接，确定连接与车体平衡之后，将车体移动至桥梁驶入端开始测量，此时在桥梁的驶入端和驶出端设置好反光板。

(3) 试验开始后，牵引车以 1m/s 的速度将检测车拖拽上待测桥梁，利用安装在检测车轮轴中央的传感器，接收从桥梁传递至检测车上的振动能量，输出检测车的振动反应，再从检测车振动反应中间接提取出桥梁频率。为了消除路面粗糙度对提取桥梁信号的影响，将配重块卸掉 2 块，使检测车质量变为 1032.5kg(小检测车)，再次将车体移动至桥梁驶入端，对桥梁进行测量。这里的关注点是保持牵引车-检测车系统沿桥梁中心线移动，以避免不必要的扭转变形发生，同时保证两车能够在同一线路上运行，以利于数据处理时削弱路面粗糙度的影响。

整个试验过程中，牵引车牵引着检测车完整经历整个桥梁，运用红外线扫描器的脉冲信号对整体信号进行"分段"，红外线扫描器的响应如图 7.30 所示，图中可以明显区别出各跨，按照红外线扫描器分割的时间段找到加速度传感器对应的信号位置，"分割"出对应跨数的加速度信号。

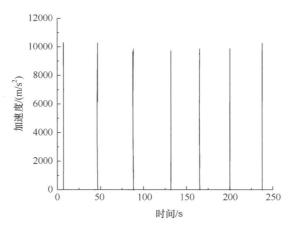

图 7.30　测试红外线扫描器时程信号

## 7.5.2　桥频的识别

本次试验采用牵引车保持速度约为 1m/s，检测车配重总重量为 1067.5kg，传感器安装在拖车轮轴中央，取样频率设定为 100Hz，手动控制牵引车车速，因此存在少许误差。在数据处理时，通过三次插值，将采集到的加速度信号数据量保持在 2000，试验结果如图 7.31 所示，图 7.31 为加速度时程图，将其进行快速傅里叶变换，结果如图 7.32 所示，图 7.32 为频域信号示意图。

当配重为 1032.5kg 时，传感器安装位置和采样频率均不变。传感器采集到的振动数据时域信号如图 7.33 所示，将其进行快速傅里叶变换结果如图 7.34 所示，图 7.34 为频域信号示意图。

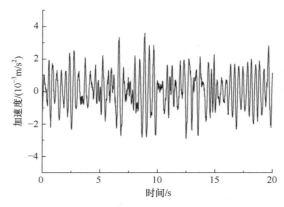

图 7.31　大检测车加速度时域信号示意图

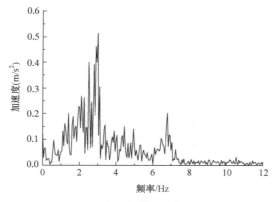

图 7.32　大检测车体频域信号示意图

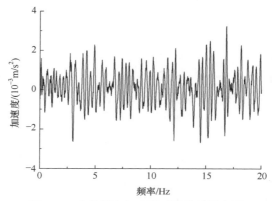

图 7.33　小检测车加速度时域信号示意图

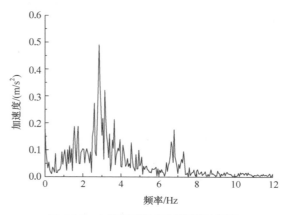

图 7.34　小检测车体频域信号示意图

由图 7.31～图 7.34 可知,大检测车、小检测车所识别出的桥梁频率均为 7.8Hz,检测车车体频率均为 3Hz。与直接量测法得到的桥梁频率相同, 得出两组由传感器输出的振动信号均为有效包含桥梁信号的检测车振动信号。

### 7.5.3　模态振型提取与节点刚度反演

通过将两次拖动得到的加速度信号作差得到消除路面粗糙度后的加速度信号,通过带通滤波法消除车辆信号的影响,本试验的滤波范围为 5～8Hz。然后利用半功率法,计算桥梁竖向阻尼比为 0.007。将加速度信号除以桥梁阻尼比系数 $e^{0.0476t}$ 可以得到消除阻尼比之后的加速度信号,如图 7.35 所示。

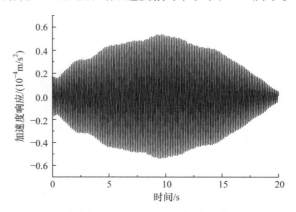

图 7.35　消除桥梁阻尼比之后的加速度信号示意图

将消除路面粗糙度和桥梁阻尼比之后的加速度信号进行短时傅里叶分解,设置窗宽为 200,提取每一窗频域信号中桥梁频率对应的幅值,作比后开根号,获得各组桥梁阶点对应的模态振型,将所得模态与简支梁的标准模态进行比较,如

图 7.36 所示。

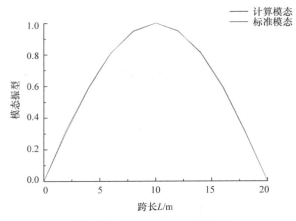

图 7.36　桥梁模态信号示意图

将得到的模态振型通过 OpenSeesNavigator 系统识别工具箱,利用改进的直接刚度法,对桥梁各节点进行刚度反演。首先建立桥梁模型,其中桥梁参数取 7.2 节所述,每跨长度为 $L$=20m,截面面积 $A$=3.715m$^2$,桥梁中跨的截面惯性矩 $I$=0.38m$^4$,弹性模量 $E$=3.0×10$^{10}$N/m$^2$,桥梁节点的理论刚度为 1.14×10$^{10}$N·m$^2$。

最终可以获得桥梁各节点的刚度大小,并和桥梁的理论刚度进行比较,如图 7.37 所示。

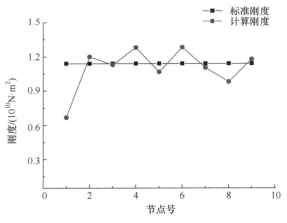

图 7.37　桥梁刚度结果示意图

将获得的刚度反演结果利用数据延拓方法进行修正,获得修正后的桥梁各节点的刚度如图 7.38 所示。由试验数据分析的结果可以看出,通过识别刚度(计算刚度)与理论刚度(标准刚度)进行对比可以看出,虽然通过数据延拓方法对边单元进行了修正，但是该方法实测试验识别出来的误差边单元最大仍达到了 18.9%，中间单元最大达到了 15.99%，所有识别结果均可初步认为在工程允许范围内。

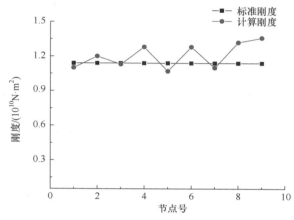

图 7.38　利用数据延拓方法修正边单元后的刚度示意图

### 7.5.4　桥梁强度对比

将桥梁模态振型导入 OpenSeesNavigator 系统识别工具箱，可得到桥梁节点刚度。桥梁节点刚度与单元刚度之间存在换算关系，桥跨两相邻节点刚度之和的平均值等于桥梁单元刚度，换算关系如表 7.1 所示。

表 7.1　红星桥第二跨节点刚度与单元刚度换算关系(双车系统运行动采方式)

| 节点号 | 节点刚度/($10^{10}$N·m$^2$) | 单元号 | 单元刚度/($10^{10}$N·m$^2$) | 理论刚度/($10^{10}$N·m$^2$) |
|---|---|---|---|---|
| 1 | — | ① | 1.11 | 1.14 |
| 2 | 1.11 | ② | 1.16 | 1.14 |
| 3 | 1.21 | ③ | 1.17 | 1.14 |
| 4 | 1.13 | ④ | 1.21 | 1.14 |
| 5 | 1.28 | ⑤ | 1.12 | 1.14 |
| 6 | 1.06 | ⑥ | 1.12 | 1.14 |
| 7 | 1.28 | ⑦ | 1.19 | 1.14 |
| 8 | 1.10 | ⑧ | 1.21 | 1.14 |
| 9 | 1.32 | ⑨ | 1.34 | 1.14 |
| 10 | 1.36 | ⑩ | 1.36 | 1.14 |
| 11 | — | — | — | — |

由表 7.1 可知桥梁单元①～⑩的刚度 $EI$，然后将每个单元刚度 $EI$ 除以已知的桥梁截面惯性矩 $I$，即可得到桥梁第二跨单元①～⑩的弹性模量 $E$。接着将桥梁各

测试跨 10 个单元的弹性模量 $E$ 求和后再取平均值，得到桥梁各测试跨的平均弹性模量 $\overline{E}$，则桥梁的弹性模量为 2.86GPa。参考弹性模量 $E$ 与混凝土强度之间的关系[89]，红星桥的强度估计值为 33MPa。与试验结果比较发现，两者的误差很小，在 10%以内。

# 7.6　三车系统运行动采方式下试验

### 7.6.1　信号的采集和处理

三车运行动采下的桥梁损伤识别相对于双车有一定的区别，本次试验选取的是李子湾大桥，试验主要分为以下几个步骤：

(1) 加载配重钢板直至两辆检测车的总质量均达到 1470kg，两辆检测车的频率均为 3Hz；安装如图 7.7 和图 7.8 所示的连接件，将牵引车和两辆检测车连接起来；利用配重钢板调平，保证检测车的重心落在轮轴中心位置，避免检测车发生俯仰。连接后的三车参数如图 7.39 所示，其中检测车 1 和检测车 2 的间距 $d_1$=2m，牵引车与检测车 1 的间距 $d_2$=3.5m，符合 3.4 节的模拟结果。

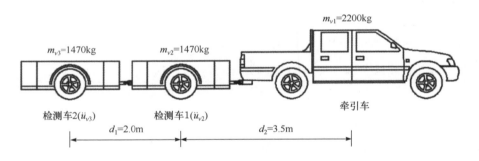

图 7.39　三车参数示意图

(2) 利用砂纸对检测车轮轴中心位置进行打磨，然后将加速度传感器各自粘贴在检测车 1 和检测车 2 的轮轴中心位置，如图 7.27 所示，分别记录检测车 1 和检测车 2 的车体加速度响应 $\ddot{u}_{v2}$ 和 $\ddot{u}_{v3}$。为了区分出桥梁各跨的信号，将红外线扫描器贴在检测车 1 轮轴上方的车盖位置，如图 7.40 所示。采集系统放置于检测车内部，每次试验结束后将数据采集仪内的内存卡取出，读取检测车 1 和检测车 2 的车体加速度响应。试验前，在桥梁每跨的起止点放置贴有反光贴的小木棍，对采集的车体加速度响应进行"分跨"处理。

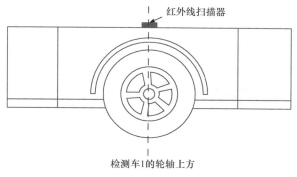

图 7.40　红外线扫描器布置示意图

(3) 牵引车拖动两辆检测车以 1m/s 的速度通过李子湾大桥，数据采集仪的采样频率为 100Hz。当检测车 1 和检测车 2 通过桥梁时，安装在两辆检测车上的加速度传感器采集检测车的车体响应信号。同时，试验人员需要关注试验过程中检测车车体的俯仰、撞击情况，及时记录通过桥梁各跨的时间，试验过程如图 7.41 所示。

图 7.41　桥梁间接量测法试验现场

桥梁间接量测法试验过程中，牵引车拖动两辆检测车经过六跨桥梁，利用红外线扫描器的脉冲信号对检测车车体的加速度信号进行"分跨"处理。

### 7.6.2　桥频的识别

三车在桥面上行驶时，人为控制牵引车的速度，无法保证以 1m/s 的恒定速度经过桥梁各跨，通过每跨的时长可能存在误差。因此，在处理检测车 1 和检测车 2 的车体响应数据时，根据检测车通过桥梁每跨的理论时间为 30s，数据采集仪的采样频率为 100Hz，则可以利用样条插值将"分段"得到的桥梁各跨信号保持在 3000 个数据点。本节以李子湾大桥第二跨为例进行数据分析，检测车 1 和检测车 2 的车体加速度响应分别如图 7.42 和图 7.43 所示，接着对检测车 1 和检测车 2 的车体响应进行快速傅里叶变换，得到的频谱分别如图 7.44 和图 7.45 所示。

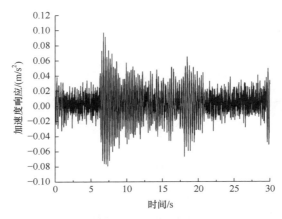

图 7.42　检测车 1 的车体加速度响应

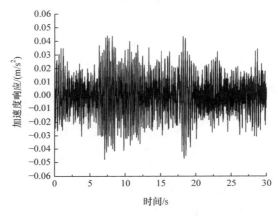

图 7.43　检测车 2 的车体加速度响应

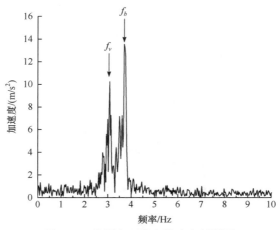

图 7.44　检测车 1 的车体响应频谱图

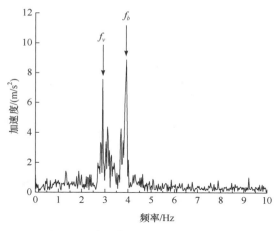

图 7.45　检测车 2 的车体响应频谱图

由图 7.44 和图 7.45 可以看出，检测车 1 和检测车 2 的频率均为 3Hz，识别出的桥梁频率均为 3.7Hz 左右。与桥梁微振动试验的结果进行比较，发现两者识别出的桥梁频率一致，说明检测车 1 和检测车 2 的车体加速度响应都包含桥梁信息的振动信号。

### 7.6.3　模态振型提取与单元刚度反演

本节根据检测车运行时的加速度响应是否稳定，是否能够明显识别桥梁频率作为筛选条件，选出试验工况较好的桥跨进行分析。通过筛选发现，李子湾大桥第二跨能较好满足筛选条件。因此，接下来分别展示李子湾大桥第二跨的桥梁模态振型和单元刚度识别结果。

先对检测车 1 和检测车 2 的加速度响应进行位置同步，再相减，消除路面粗糙度的影响，然后通过带通滤波消除桥梁阻尼比的影响，接着利用短时傅里叶变换提取桥梁一阶模态振型。在进行短时傅里叶变换时，设置窗宽为 600，提取每一窗频域信号内桥梁频率对应的幅值，作比后再进行开根号处理，得到各组桥梁节点对应的模态。又因为桥梁响应在后半部分衰减殆尽，无法提取完整的桥梁模态，提出从桥梁两端各行驶一次的方法，认为每次行驶过程中仅信号前半部分识别的桥梁模态振型为有效模态振型，然后将两次前半部分的模态振型重新组合，得到"新的模态振型"。经过模态的重新组合，得到李子湾大桥第二跨的一阶模态振型如图 7.46 所示。

将得到的桥梁模态振型导入 OpenSeesNavigator 系统识别工具箱，利用融合改进的直接刚度法，对桥梁单元刚度进行计算。识别的李子湾大桥第二跨的单元刚度(识别刚度)与理论刚度进行比较，结果如图 7.47 所示。

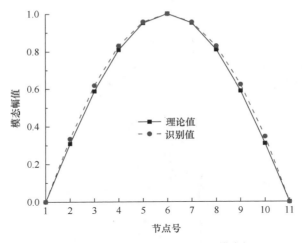

图 7.46 李子湾大桥第二跨的一阶模态振型

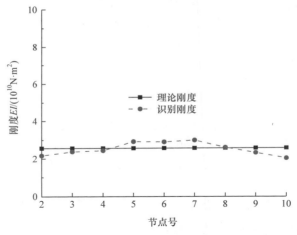

图 7.47 识别的李子湾大桥第二跨的单元刚度(识别刚度)与理论刚度对比

由图 7.46 的模态识别结果可以看出,识别的模态振型与简支梁标准模态振型大致吻合,但模态值有些许的误差。图 7.47 的单元刚度识别结果与理论刚度的误差稍大,其中边单元节点刚度误差最大,达到 15%,其余节点的刚度误差都在 10%以内。经过分析发现,识别出的桥梁单元刚度误差可能是由桥梁混凝土截面材料的不均匀性造成的。

### 7.6.4 桥梁强度对比

根据节点刚度可得相应的单元刚度,李子湾大桥第二跨的换算关系如表 7.2 所示。

**表 7.2　李子湾大桥第二跨节点刚度与单元刚度换算关系(三车系统运行动采方式)**

| 节点号 | 节点刚度/($10^{10}$N·m²) | 单元号 | 单元刚度/($10^{10}$N·m²) | 理论刚度/($10^{10}$N·m²) |
|---|---|---|---|---|
| 1 | — | ① | 2.17 | 2.57 |
| 2 | 2.17 | ② | 2.28 | 2.57 |
| 3 | 2.38 | ③ | 2.41 | 2.57 |
| 4 | 2.44 | ④ | 2.68 | 2.57 |
| 5 | 2.92 | ⑤ | 2.91 | 2.57 |
| 6 | 2.90 | ⑥ | 2.84 | 2.57 |
| 7 | 2.78 | ⑦ | 2.79 | 2.57 |
| 8 | 2.60 | ⑧ | 2.46 | 2.57 |
| 9 | 2.31 | ⑨ | 2.29 | 2.57 |
| 10 | 2.26 | ⑩ | 2.26 | 2.57 |
| 11 | — | | — | — |

由表 7.2 可知李子湾大桥第二跨单元①～⑩的刚度 $EI$，由此可得平均弹性模量 $\overline{E}$，桥梁第二跨的弹性模量为 32GPa。参考弹性模量 $E$ 与混凝土强度之间的关系[89]，李子湾大桥第二跨的强度估计值为 37.5MPa。同一时期的桥梁检测报告中提到，混凝土强度检测结果为 40MPa。与试验结果进行比较发现，两者的误差很小，在 7%以内。说明本章提出的基于三车系统运行动采方式识别桥梁单元刚度的方法有效。

### 7.6.5　桥梁挠度对比

对于实际桥梁结构，识别的桥梁单元刚度难以得到验证，但桥梁挠度与识别的桥梁单元刚度息息相关。当桥跨上有车辆荷载时，桥跨将根据外部车辆荷载的大小发生竖向变形。以李子湾大桥第二跨为例，分析不同工况下桥梁竖向变形情况，具体如表 7.3 所示。

**表 7.3　不同工况下的桥梁挠度对比(三车系统运行动采方式)**

| 工况 | 不同跨径对应的相对挠度/mm | | |
|---|---|---|---|
| | 1/4 跨 | 1/2 跨 | 3/4 跨 |
| 工况 1 | 0.61 | 1.01 | 0.64 |
| 工况 2 | 0.60 | 1.00 | 0.63 |
| 工况 3 | 0.64 | 1.09 | 0.67 |

工况 1 表示将牵引车和两检测车移动至桥梁跨中位置，委托第三方检测单位利用电子水准仪测量在车辆荷载作用下桥跨 1/4、1/2 和 3/4 位置的相对挠度。

工况 2 表示依据表 7.1 中识别的桥梁第二跨单元刚度，建立桥梁第二跨单元刚度力学模型，并将等同于车辆荷载大小的力施加在力学模型上，以此计算出桥梁相对挠度。

工况 3 表示利用桥梁理论单元刚度建立桥梁第二跨单元刚度力学模型，施加与工况 2 相同的作用力在力学模型上，计算出桥梁相对挠度。

由表 7.3 可以看出，由工况 2 中第二跨识别的单元刚度计算得到的桥梁相对挠度与工况 1 中全站仪测得的桥梁相对挠度非常接近，但由工况 3 中利用桥梁理论单元刚度计算得到的相对挠度与工况 1 中全站仪测得的桥梁相对挠度明显不同。通过对比发现，本章提出的三车系统运行动采方式具有明显的优势，也间接说明基于三车技术识别桥梁单元刚度方法的有效性。

# 7.7　三车系统运行静采方式下试验 I

## 7.7.1　信号的采集和处理

静采试验与动采试验在数据的采集上是不相同的，试验同样选取李子湾大桥，本节所使用的三车系统运行静采方式主要试验步骤如下：

(1) 在检测车上安置传感器，先用砂纸在各点位上反复擦拭，直至点位附近区域平整，然后用 502 胶水将传感器固定在点位上，注意确保传感器的安置方向正确。

(2) 安置好传感器后，将传感器与数据采集系统连接，然后调试设备。为了使连接线不凌乱，同时为了避免连接线在检测车移动的过程中被扯断，使用专门的绝缘胶带将连接线绑定成一束，同时将连接线固定在检测车的相关位置。

(3) 基于两车的间距选取李子湾大桥的第二跨作为测试跨。检测车的运行方向是从武隆开往涪陵方向，如图 7.48 所示。本次试验设置了 a1～a11 共 11 个测点。

调试设备的同时，在桥面上用卷尺和有色粉笔测量并标记点位，粉笔容易被擦掉，因此使用橡皮泥在每个点位上进行标记。

重要的测点测试过程如下：使用两辆检测车 V1、V2，以固定的间距 $d = 2.5\text{m}$ 进行移动，同时采集信号。检测车 V1、V2 最初以间距 $d$ 分别静止在点 a2、a1，采集 1min 左右的竖向加速度信号，然后将两辆检测车同步移动相同的距离

(*d*=2.5m)至点 a4、a3，然后静止采集信号。持续该过程直至所有要求的点位都测
试完成。整个过程中，两辆检测车的间距为 2.5m 保持不变。为了使整个测试过
程标准化及方便数据处理，每一步的移动距离设置为两辆检测车的间距 *d*=2.5m。
检测车 V2 下一次的位置就是现在的检测车 V1 的位置。测试过程中，设置桥梁的
长度是两辆检测车间距的整数倍，目的是这样识别出的模态更均匀。

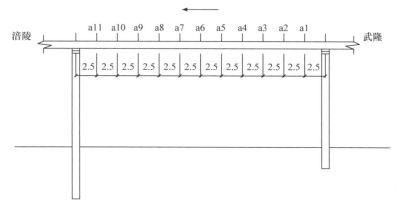

图 7.48 测点布置(单位：m)

## 7.7.2 桥频的识别

检测车均为单轴单自由度，车体质量 $m_{v1}=m_{v2}=1470$kg，车辆阻尼 $c_{v1}=c_{v2}=$
1000N·s/m，刚度 $k_{v1}=k_{v2}=524076$N/m，车体频率均为 $w_{v1}=w_{v2}=3$Hz。两辆检测车现
场照片如图 7.49 所示。

图 7.49 检测车现场照片

桥梁频率识别结果如图 7.50 所示。

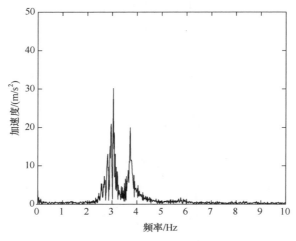

图 7.50　检测车加速度信号频域图

### 7.7.3　模态振型提取与节点刚度反演

通过对接触点信号进行分析，计算出相邻两接触点的传递率，然后构建整个桥梁的传递率矩阵，使所得的传递率矩阵对应桥梁频率，采用奇异值分解法提取桥梁的振型模态如图 7.51 所示，对所得的振型模态采用改进的直接刚度法识别出桥梁各单元的刚度如图 7.52 所示。

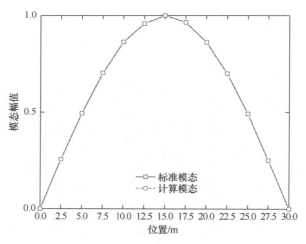

图 7.51　桥梁第二跨识别模态

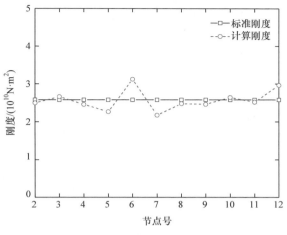

图 7.52　桥梁第二跨识别刚度

由图 7.52 可以看出，桥梁第二跨识别的单元刚度与理论标准刚度有一定的误差，节点 5 和 7 最大刚度误差均控制在 16%范围内。

### 7.7.4　桥梁强度对比

第 6 章得到的单元刚度不是实际的桥梁单元刚度，通过所得的节点刚度可得到相应的单元刚度。李子湾大桥第二跨的换算关系如表 7.4 所示。

表 7.4　李子湾大桥第二跨节点刚度与单元刚度换算关系(三车系统运行静采方式Ⅰ)

| 节点号 | 节点刚度/($10^{10}$N·m²) | 单元号 | 单元刚度/($10^{10}$N·m²) | 理论刚度/($10^{10}$N·m²) |
|---|---|---|---|---|
| 1 | — | ① | 2.50 | 2.57 |
| 2 | 2.50 | ② | 2.58 | 2.57 |
| 3 | 2.66 | ③ | 2.56 | 2.57 |
| 4 | 2.46 | ④ | 2.37 | 2.57 |
| 5 | 2.27 | ⑤ | 2.70 | 2.57 |
| 6 | 3.12 | ⑥ | 2.65 | 2.57 |
| 7 | 2.17 | ⑦ | 2.33 | 2.57 |
| 8 | 2.48 | ⑧ | 2.47 | 2.57 |
| 9 | 2.46 | ⑨ | 2.55 | 2.57 |
| 10 | 2.64 | ⑩ | 2.58 | 2.57 |
| 11 | 2.51 | ⑪ | 2.74 | 2.57 |
| 12 | 2.96 | ⑫ | 2.96 | 2.57 |
| 13 | — | | — | — |

由表 7.4 可知，李子湾大桥第二跨的强度估计值为 38MPa。同一时期的桥梁检测报告中提到，混凝土强度检测结果为 40MPa。与试验结果进行比较发现，两者的误差很小，在 5%以内。

### 7.7.5　桥梁挠度对比

在自重荷载和两辆检测车及牵引作用下，利用计算的节点刚度可反演出该跨径中的相对挠度，具体工况如表 7.5 所示，采用相同质量的牵引车和检测车。

表 7.5　不同工况下的桥梁挠度对比(三车系统运行静采方式)

| 工况 | 不同跨径对应的相对挠度/mm | | |
| --- | --- | --- | --- |
| | 1/4 跨 | 1/2 跨 | 3/4 跨 |
| 工况 1 | 0.61 | 1.01 | 0.64 |
| 工况 2 | 0.66 | 1.07 | 0.61 |
| 工况 3 | 0.64 | 1.09 | 0.67 |

利用反演的刚度求得桥梁跨中的相对挠度差为 1.07mm，与实际用全站仪测试出的第二跨相对跨中挠度 1mm 接近，与理论挠度相差不大，对推进间接量测法应用于实际工程的相对挠度测试有实质性促进作用。

# 7.8　三车系统运行静采方式下试验 II

### 7.8.1　信号的采集和处理

本节所采用的数据采集方式与 7.7 节基本一致，但是对采集到的数据采用一种新的方法进行处理。7.7 节利用相邻两点的传递率构造传递率矩阵，然后通过奇异值分解提取模态，本节则是基于"停靠在桥梁上的质量块能改变桥梁振动频率特性"来构造桥梁模态振型。

当两辆检测车停靠在图 7.53 中的位置，即检测车 1 分别停靠在节点 3 和节点 7 位置时，车辆采集到的时程响应及其频谱分别如图 7.54 和图 7.55 所示。

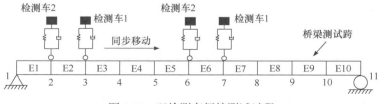

图 7.53　双检测车间接测试过程

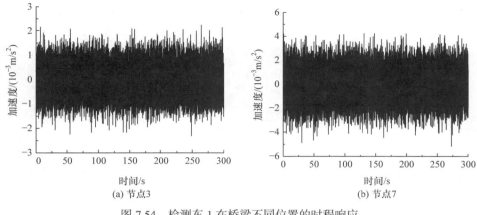

图 7.54　检测车 1 在桥梁不同位置的时程响应

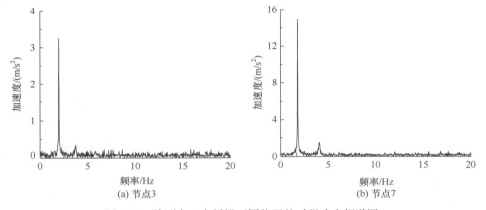

图 7.55　检测车 1 在桥梁不同位置的时程响应频谱图

由图 7.54 可以看出，车体振动响应在时域内并没有表现出任何规律性，这是由在采集信号时桥梁上不断有车流经过导致的。但是，由图 7.55 可以看出，无论检测车 1 停靠在节点 3 还是节点 7，频谱图中均出现两个峰值，由检测车振动频率特性及桥梁直接量测法可知，第一个峰值对应的频率在 2.4Hz 左右，可推断为检测车自身的振动频率，第二个峰值对应的频率在 3.7Hz 左右，可推断为与桥梁一阶频率相关的车-桥系统振动频率，从峰值大小判断车体自身的振动响应较桥梁振动响应大。以上分析说明，在车体振动响应中不仅包含车体自身振动频率响应，同时也包含车-桥系统振动频率响应，并且前者在振动响应中占主导地位。

### 7.8.2　接触点响应计算

在整个间接量测法测试过程中，检测车是停在桥梁上采集振动信号的，如图 7.56

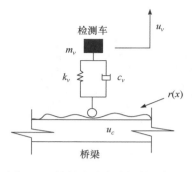

图 7.56　接触点响应求解数学模型

所示，检测车没有在桥梁上运动，因此路面粗糙度 $r(x)$ 没有直接导致检测车振动，检测车的振动激励主要来自检测车停靠位置的桥面振动，即车辆轮胎与桥面接触点的振动响应 $u_c$。研究[79]表明，由于车-桥接触点振动响应 $u_c$ 中不包含检测车的频率响应成分，相比于检测车的加速度响应 $\ddot{u}_v$，车-桥接触点加速度响应 $\ddot{u}_c$ 在识别桥梁频率方面更具优势，因此在本章提取车-桥系统频率时均采用频率识别效果更好的车-桥接触点响应。

在实际测试中采集的信号为检测车的加速度响应 $\ddot{u}_v$，为求出车-桥接触点的加速度响应 $\ddot{u}_c$，由 5.2 节中检测车的振动方程可得

$$\ddot{u}_v(t) + 2\omega_v\xi_v\dot{u}_v(t) + \omega_v^2 u_v(t) = \omega_v^2 u_c + 2\omega_v\xi_v\dot{u}_c \tag{7.1}$$

式(7.1)两边对时间求两次导可得

$$\ddddot{u}_v(t) + 2\omega_v\xi_v\dddot{u}_v(t) + \omega_v^2\ddot{u}_v(t) = \omega_v^2\ddot{u}_c + 2\omega_v\xi_v\dddot{u}_c \tag{7.2}$$

采集到的加速度响应为离散值，式(7.2)中 $\ddddot{u}_v(t)$、$\dddot{u}_v(t)$ 可通过对检测车采集到的加速度信号 $\ddot{u}_v(t)$ 求一阶、二阶差商得到，检测车参数 $\omega_v$、$\xi_v$ 为已知，因此可通过求解关于 $\ddot{u}_c$ 的一阶常系数微分方程得到车-桥接触点的加速度响应 $\ddot{u}_c$。

### 7.8.3　车-桥频率的识别

为识别出精度更高的车-桥振动频率，根据式(7.2)反演出车-桥接触点加速度响应如图 7.57 所示，其频谱如图 7.58 所示。由图 7.58 可知，反演出的车-桥接触

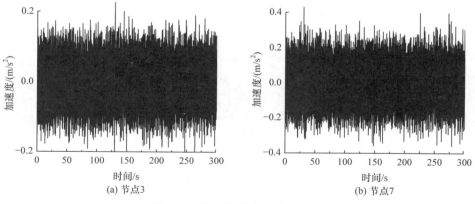

　　　　(a) 节点3　　　　　　　　　　　　　　(b) 节点7

图 7.57　车-桥接触点加速度响应

点响应中不包含车体振动频率，只包含桥梁振动频率成分。为直观地展示车-桥频率的变化，将图 7.58 中的不同频谱绘于图 7.59 中，由图 7.59 可清楚地看到车-桥系统的一阶频率由两辆检测车停靠位置的改变而引起的变化。上述分析表明，车-桥接触点响应中由于没有车体振动响应的干扰，其在识别车-桥系统频率方面较车体振动响应更具优势。因此，在提取桥梁模态振型时均采用反演出的车-桥接触点振动信号提取频率。

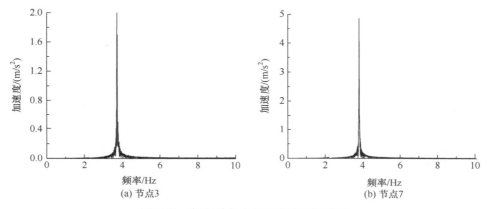

图 7.58　车-桥接触点加速度响应频谱图

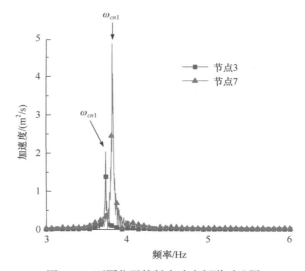

图 7.59　不同位置接触点响应频谱对比图

## 7.8.4　模态振型提取与节点刚度反演

根据本章提出的单辆检测车和双检测车构造桥梁模态振型的方法分别构造出

桥梁一阶模态振型如图 7.60 所示,由图中标记有圆点的曲线可以看出,单辆检测车在桥梁跨中附近移动时车-桥系统频率变化较小,加上现场测试时环境噪声影响,使识别的车-桥系统频率误差加大,导致跨中附近的桥梁一阶模态值几乎没有改变。而当双检测车在同样的位置移动时,增大了车-桥质量比,导致车-桥系统频率变化更大,识别到的桥梁模态振型更加精确。以上结果不仅验证了理论推导中车-桥系统频率与桥梁模态值之间关系的正确性,同时也对质量比越大,车-桥系统频率改变越明显这一结论进行了验证。

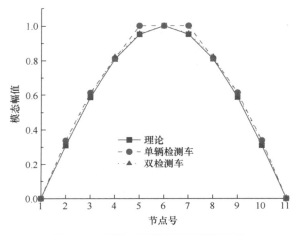

图 7.60　桥梁一阶模态振型识别结果

　　由于单辆检测车识别出的桥梁模态振型与理论模态值误差大,这里仅采用双检测车构造的桥梁一阶模态振型反演桥梁节点位置截面刚度,结果如图 7.61 所示。

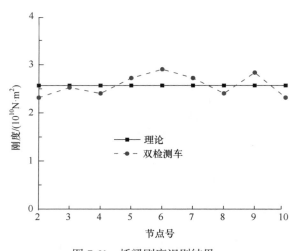

图 7.61　桥梁刚度识别结果

由图 7.61 可知，反演的刚度在节点 6 位置与理论刚度误差较大，约为 15%，其余节点刚度与理论值相差均小于 11%。需要说明的是，桥梁建造施工、运营阶段桥梁的老化等都会导致桥梁不同位置材料强度的不均匀性，也会造成不同位置桥梁截面刚度的不均匀性，因此会对识别结果造成一定的影响。综合以上分析可知，通过现场实桥试验可以对本章所提出的桥梁模态振型和刚度识别方法的可行性进行初步验证。

### 7.8.5 桥梁强度对比

将得到的桥梁模态振型导入 OpenSeesNavigator 系统识别工具箱，通过整理得到单元刚度，换算关系如表 7.6 所示。

表 7.6　李子湾大桥第二跨节点刚度与单元刚度换算关系(三车系统运行静采方式 II)

| 节点号 | 节点刚度 /($10^{10}$N·m$^2$) | 单元号 | 单元刚度 /($10^{10}$N·m$^2$) | 理论刚度/($10^{10}$N·m$^2$) |
|---|---|---|---|---|
| 1 | — | ① | 2.31 | 2.57 |
| 2 | 2.31 | ② | 2.42 | 2.57 |
| 3 | 2.52 | ③ | 2.46 | 2.57 |
| 4 | 2.40 | ④ | 2.56 | 2.57 |
| 5 | 2.72 | ⑤ | 2.81 | 2.57 |
| 6 | 2.90 | ⑥ | 2.81 | 2.57 |
| 7 | 2.72 | ⑦ | 2.56 | 2.57 |
| 8 | 2.40 | ⑧ | 2.62 | 2.57 |
| 9 | 2.83 | ⑨ | 2.57 | 2.57 |
| 10 | 2.31 | ⑩ | 2.31 | 2.57 |
| 11 | — | | — | — |

由表 7.6 可知，桥梁第二跨弹性模量为 32.2GPa，李子湾大桥第二跨强度估计值为 37.5MPa，混凝土强度检测结果为 40.0MPa。

## 7.9　三车系统运行静采方式下试验 III

### 7.9.1 信号的采集和处理

本次试验选取的桥梁为兰花凼桥，兰花凼桥位于重庆市涪陵区 S512 线汝但路上，桥位桩号为 K168+168，于 2015 年建成。桥梁全长 94m，兰花凼桥上部结构为 4×20m 的钢筋混凝土空心板梁桥，每跨有 5 片空心板梁。桥梁设计荷载为公路-Ⅱ级，桥梁支座采用板式橡胶支座。桥面横向布置为：0.25m(护栏)+6.50m(车行道)+0.25m(栏杆)=7.00m。根据兰花凼桥设计图纸及早期桥检报告信息，通过设计图纸利用 MIDAS 绘制梁截面计算兰花凼桥的横截面面积 $A$=6.056m$^2$，截面惯性矩为 $I_x$=1.6534m$^4$，混凝土弹性模量 $E$=3.45×10$^{10}$N/m$^2$，梁截面抗弯刚度为 $EI$ = 5.70×10$^{10}$N·m$^2$，兰花凼桥桥面及桥跨分布如图 7.62 和图 7.63 所示。

图 7.62　兰花凼桥桥面

图 7.63　兰花凼桥桥跨分布

　　由于测试时几乎要在所有节点位置采集振动信号，数据采集量庞大，这里仅将具有代表性的双检测车实测数据及其处理过程进行展示。当检测车 1 停靠在图 6.4 中节点 3 位置时，车辆采集时程响应(图 7.64)，反演关联点加速度响应和修正后的关联点加速度响应如图 7.65 和图 7.66 所示。

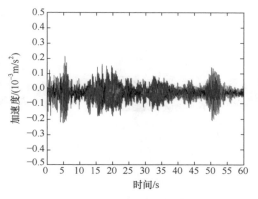

图 7.64　节点 3 处车体加速度响应　　　　　图 7.65　节点 3 处反演关联点加速度响应

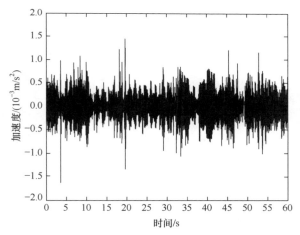

图 7.66　节点 3 处修正后的关联点加速度响应

从时域角度分析，由图 7.64 和图 7.65 观察可知，检测车车体振动信号与对应的反演关联点信号在时域内的振动响应微弱，且没有一定的规律性，这是采集信号时激励(激励主要是环境噪声和少量的随机车辆)不足导致的。修正后的关联点时程响应与修正前关联点时程响应规律基本一致。从频域角度分析，采用本章方法在修正后的关联点时程响应中仅提取到桥梁振动频率 $f_b$=7.532Hz，车体振动成分已被剔除。上述分析综合表明，基于修正后的反演关联点响应较车体响应在桥梁模态参数的识别上具有更大的优势。

### 7.9.2　兰花凼桥第四跨第一阶振型及节点刚度识别

总结前述准备试验获取的车体频率、桥频分别为 3.967Hz 和 7.483Hz，本节继续提取桥梁的一阶模态振型及对应的梁单元节点刚度。兰花凼桥第四跨多点静止采集桥梁测试照片如图 7.67 所示。

图 7.67　兰花凼桥第四跨多点静止采集桥梁测试照片

兰花凼桥第四跨模态振型及截面抗弯刚度识别结果如图 7.68 和图 7.69 所示。

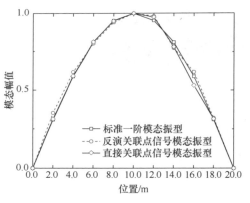
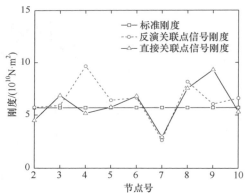

图 7.68　兰花凼桥第四跨第一阶振型对比　　　图 7.69　兰花凼桥第四跨节点刚度识别对比

结果表明，采用本章提出的基于双车多点静止采集桥梁检测法，能够通过车体反演关联点信号识别试验桥梁一阶桥频，一阶桥频识别结果与直接提取桥面关联点信号进行傅里叶变换的识别结果相对误差低于 2%，同时识别的模态振型结果与直接量测关联点信号提取的模态振型的结果接近。识别的单元刚度同直接量测法结果相比，在节点 4、9 处存在一定误差，考虑是由试验现场复杂环境导致的正常误差。两者识别的最大负刚度误差点均仅出现在节点 7，最大单元刚度误差不超过 15%，在工程允许的范围内，并未识别出桥梁单元存在损伤。根据定检报告结果显示，第四跨桥无明显损伤，因此该方法与直接量测法的刚度识别结果基本一致，能够为桥梁损伤检测提供一定参考。

### 7.9.3　跨中挠度对比

本章提出的桥梁检测方法以梁截面刚度作为损伤指标，同时桥梁跨中挠度与梁截面刚度存在计算推演关系，因此基于识别的刚度可反演出兰花凼桥第四跨的跨中挠度。利用识别到的梁截面刚度进行建模，并设置第四跨自重和检测车自重荷载，可以计算得出将检测车停靠于跨中时的相对挠度为 0.08mm，而现场试验中第三方检测单位利用挠度测试仪提取的跨中相对挠度为 0.13mm。对比结果，两者相对误差为 38.4%，可为后续的挠度识别提供初步参考。

## 7.10　不同方式下对比分析

7.1 节～7.9 节通过试验论证了基于自动化检测车对桥梁损伤诊断的实用性，探索了该方法在工程应用层面的价值。

通过最后的刚度比较可以看出，相比于双车运行动采方式，三车运行动采方式提高了数据采集的速度，减少了试验时对桥梁交通状况的阻碍，同时也不用考虑双车动采两次拖动难以保持在统一路径的问题。由结果可知，三车动采所识别的刚度数据依旧有较高的精度。三车运行静采理论Ⅰ和理论Ⅱ区别主要为数据处理方面的问题，从最后的处理结果来看，两种方式都能得到较好的结果，但是从数据的处理过程来看，理论Ⅱ更能适应各种状况。

## 7.11　其他桥梁工程验证

基于自动化检测车的桥梁损伤诊断理论一经提出，就有各国的学者进行了现场试验验证，除了本章所讲述的试验，世界各国学者也有提出其他相关试验，例如，Oshima 等[36]在重型卡车上施加激振力识别桥梁频率；Chang 等[20]通过试验车验证了车辆停放会引起桥梁频率的变化；McGetrick 等[42]利用一辆双轴厢式货车通过钢桁架得到了桥梁响应和车辆响应，得到的损伤指标具有相同的规律等。这都为基于自动化检测车的桥梁损伤诊断理论运用于工程实践提供了依据。

## 7.12　本 章 小 结

本章通过五种不同的试验方式验证了基于自动化检测车的桥梁损伤诊断理论在实际工程中的运用。

利用双车系统运行动采方式对红星桥进行了实桥试验，先进行桥梁频率识别，消除路面粗糙度和桥梁阻尼比；然后对桥梁模态进行提取，反演桥梁刚度，修正边单元刚度；最后得到桥梁节点的实测刚度，通过试验数据分析可以看出，对路面粗糙度和桥梁阻尼比消除后，基本上可以得到工程允许范围内的桥梁节点刚度。

利用三车系统运行动采方式对李子湾大桥进行了实桥试验，研究基于三车技术识别桥梁模态及单元刚度的可行性。通过三车技术先识别了桥梁频率、消除了路面粗糙度和桥梁阻尼比的影响，然后提取桥梁模态，识别桥梁单元刚度。

利用三车系统运行静采方式下理论Ⅰ对李子湾大桥进行了实桥试验，通过直接量测法识别桥梁频率，进行验证准备，利用三车运行静采试验采集检测车的加速度信号，利用传递率矩阵提取桥梁模态，识别桥梁抗弯刚度。

三车系统运行静采方式下理论Ⅱ试验方法与理论Ⅰ基本一致，不同之处在于理论Ⅱ数据处理时基于"停靠在桥梁上的质量块能改变桥梁振动频率特性"，其不是通过构造传递率矩阵提取模态，而是基于车-桥频率、桥频和车体频率与模态的关系提取模态，进而得到桥梁单元刚度。

在三车系统运行静采方式理论Ⅰ和理论Ⅱ的基础上，采用随机子空间法进行改进，有效增加了运行静采方式下提取桥梁模态参数的鲁棒性。

将五种方法对比可以看出，利用动采方式进行桥梁损伤诊断时通过增加一辆检测车可以更为快捷地减少路面粗糙度对识别损伤的影响，并且能够保证损伤诊断的精确性；利用静采方式进行桥梁损伤诊断时，通过不同的数据处理方式可以增加信号的容错率，提高采集效率。三车系统运行静采方式理论Ⅱ中推导了多车-桥系统识别桥梁模态，本章仅采用三车-桥系统进行了验证，并且得到了工程上允许的误差，可见该方法有着很好的前景。随着现场试验的深入，基于自动化检测车的桥梁损伤诊断方法必将大放光彩。

# 第 8 章　总结与展望

传统的直接量测法因成本高、操作烦琐等缺点，限制了直接量测法在中小跨桥梁检测方面的应用。而基于车-桥耦合的间接量测法具有高效、经济、便捷等优点，受到了国内外学者的广泛关注。本书通过介绍双车运行动采方式和三车运行动采方式的理论和试验，验证了基于自动化检测车对桥梁损伤诊断的可行性。又利用传统的基于自动化检测车的桥梁损伤诊断方法介绍了三车系统运行静采方式，拓展了基于自动化检测车的桥梁损伤诊断方法。

## 8.1　总　　结

本书基于车-桥耦合、双车和三车动采系统以及三车静采系统，从理论推导、数值模拟和试验研究三部分对桥频、车-桥频率、模态振型、刚度识别进行了研究。这里需要注意的是，三车系统运行静采方式理论Ⅱ虽然是以三车进行试验的，但该方法在理论上也可以用于多车。

在本书中，从理论上推导得到了双车、三车动采系统和三车静采系统中检测车响应的近似解析解，论证了双车系统中牵引车分别拖动两辆参数成比例(不能完全相同)的检测车以同一路径依次匀速通过桥梁，对两辆检测车的加速度作差有效消除了路面粗糙度的影响。本书论证三车系统中牵引车同时拖动两辆参数成比例(可以相同)的检测车匀速通过桥梁，对两辆检测车的加速度先进行位置同步，再作差，有效消除了路面粗糙度的影响。本书还论证了在任意外激励下，两辆检测车响应的传递率始终不变。本书通过将传递率矩阵进行奇异值分解提取出模态，论证了多车-桥系统频率与桥梁模态关系的理论解，并通过多车-桥系统频率提取了桥梁模态。

本书利用数值模拟分析首先考虑双车、三车动采系统，在 A 级、B 级、C 级路面粗糙度下双车、三车动采系统消除路面粗糙度后能够识别桥频、振型和单元刚度，但在 C 级路面粗糙度下，双车系统的模态振型和刚度识别效果优于三车系统。本书将车速、车体频率、车-桥阻尼等因素对刚度识别的影响进行了分析，结果表明，在两种系统中车速较低时，识别结果较好；当车体频率与桥频接近时，无法进行识别，因此车体频率应远离桥频；车辆阻尼对识别结果影响不大；桥梁阻尼比的影响可以通过除以衰减系数来消除；三车系统中车体的间距对识别结果影响较大，三车系统中车间距不宜过大，三车出桥阶段对车-桥系统的影响大于入桥阶段，出桥阶段的识别模态振型较差，可以使检测车从桥梁正反两个方向各行驶一次，取有效模态振型进行重新组合，该重组模态可以有效识别桥梁刚度。

本书通过数值模拟分析三车系统运行静采方式理论 I，采用传递率矩阵并将其进行奇异值分解识别模态，通过识别的刚度发现，该方法能够较好解决桥梁阻尼比、车辆阻尼、外激励变化等因素对损伤识别结果的影响。对于三车系统运行静采方式理论 II，数值模拟后发现当检测车总质量与桥梁的质量比在一定范围内、检测车车体频率远离桥梁频率时，可识别出较准确的桥梁模态振型和刚度，在所测频率具有一定干扰的条件下该方法仍然能够识别出桥梁刚度。本书通过数值算例表明，该损伤检测方法同样适用于两端固支及多跨连续梁桥梁。三车系统运行静采方式理论 III，在前面两种理论的基础上进一步研究，利用随机子空间法前处理和后处理方法增加了运行静采理论识别桥梁参数的鲁棒性，提高了桥梁单元刚度识别的准确性。

最后的实桥试验验证了双车、三车动采系统和三车静采系统识别桥频、车-桥频率、一阶模态振型和刚度的可行性。成功制造出单轴检测车，通过路径传递试验，验证了桥梁振动传递到车体响应中的传递性；通过增加配重块的方法降低了车体频率，达到了试验要求；通过路面动力试验观察了其运动特性；最后得到了桥梁的刚度特性，表明基于自动化检测车的桥梁损伤诊断有着良好的前景。

# 8.2 展　　望

我国保有世界上最多数量的桥梁，未来也会新建更多的桥梁，许多客观因素(如材料老化、自然灾害、超负荷服役等)导致许多桥梁未超出其使用年限就发生失效和破坏，造成生命和财产的巨大损失。为避免悲剧的发生，桥梁在服役期间的健康监测显得尤为重要。然而，目前主要应用于大型桥梁中的传统健康监测方法很难推广到占绝大多数的中、小跨径桥梁中，因此具有经济、高效、便捷等特点的桥梁间接量测法便迅速吸引了桥梁健康监测研究者的目光，并投入了大量的精力对其进行研究，希望早日将该方法应用于实际中。本书对基于自动化检测车的桥梁损伤诊断方法的应用进行了新的尝试和研究，限于作者水平有限和时间不足，本书探讨内容的深度和广度还值得进一步研究和拓展，因此作者对下一步工作进行如下展望：

(1) 进行更加全面的数值模拟研究。理论推导只是基于一定假设条件得出的理想化结果，通过数值模拟研究可进一步拓展理论的适用性，并将更多实际中存在的影响因素，如测试噪声、温度等考虑进去，以期对理论应用于实际的可行性进行进一步验证。

(2) 探索精度更高、效率更快的频率识别方法。该桥梁损伤识别方法的关键在于频率的识别，现有的快速傅里叶变换识别频率的精度有限，且对数据采样时间有所要求。为了能在桥梁实际检测时识别出更高阶的桥梁模态信息，研究高精度的频率识别方法对实际应用具有很重要的意义。

(3) 加强试验研究。桥梁健康监测方法最终目的是应用于实际桥梁监测，而实际环境的复杂性是数值模拟无法完全复原的。因此，为推动自动化检测车应用到实际中，应设计出更加实用、高效的桥梁检测车进行实桥试验。

# 参 考 文 献

[1] 王海天, 盛遑. 浅谈海河桥梁景观设计特点[J]. 城市, 2007, (2): 55-58.

[2] 中华人民共和国交通运输部. 2010 年公路水路交通运输行业发展统计公报[J]. 交通财会, 2011, (5): 90-95.

[3] 中华人民共和国国家发展和改革委员会. 国家公路网规划（2013 年—2030 年）[EB/OL]. https://wenku.baidu.com/view/830520a019e8b8f67c1cb9ca.html[2013-05-24].

[4] 严国敏. 韩国圣水大桥的倒塌[J]. 国外桥梁, 1996, 24(4): 47-50.

[5] 汪广丰. 美韩桥梁垮(坍)塌事故处置的启示与思考[J]. 中国市政工程, 2012, (6): 61-63, 73, 107.

[6] 新闻中心. 意大利热那亚高架桥坍塌是怎么回事？又是怎么坍塌的[EB/OL]. http://k.sina. com.cn/article_2011075080_77de920802000b957.html[2018-8-15].

[7] 黄道全, 谢邦珠, 范文理. 宜宾小南门金沙江大桥桥面系断裂事故分析与修复[C]. 中国公路学会桥梁和结构工程学会 2003 年全国桥梁学术会议, 成都, 2003.

[8] 《中国公路学报》编辑部. 中国桥梁工程学术研究综述•2014[J]. 中国公路学报, 2014, 27(5): 1-96.

[9] 赵少杰, 唐细彪, 任伟新. 桥梁事故的统计特征分析及安全风险防控原则[J]. 铁道工程学报, 2017, 34(5): 59-64.

[10] 观察者. 台湾宜兰南方澳跨海大桥坍塌 12 人受伤 5 人失踪[EB/OL]. https://www. guancha.cn/internation/2019_10_01_519957.shtml[2019-10-1].

[11] Chupanit P, Phromsorn C. The importance of bridge health monitoring[J]. World Academy of Science Engineering and Technology, 2012, 6: 135-138.

[12] 闫志刚, 岳青, 施洲. 沪通长江大桥健康监测系统设计[J]. 桥梁建设, 2017, 47(4): 7-12.

[13] Yang Y B, Lin C W, Yau J D. Extracting bridge frequencies from the dynamic response of a passing vehicle[J]. Journal of Sound and Vibration, 2004, 272(3-5): 471-493.

[14] Yang Y B, Yang J P. State-of-the-art review on modal identification and damage detection of bridges by moving test vehicles[J]. International Journal of Structural Stability and Dynamics, 2018, 18(2): 1850025.

[15] Lin C W, Yang Y B. Use of a passing vehicle to scan the fundamental bridge frequencies: An experimental verification[J]. Engineering Structures, 2005, 27(13): 1865-1878.

[16] Yang Y B, Lin C W. Vehicle-bridge interaction dynamics and potential applications[J]. Journal of Sound and Vibration, 2005, 284(1-2): 205-226.

[17] Yang Y B, Chang K C. Extraction of bridge frequencies from the dynamic response of a passing vehicle enhanced by the EMD technique[J]. Journal of Sound and Vibration, 2009, 322(4-5): 718-739.

[18] Yang Y B, Chang K C. Extracting the bridge frequencies indirectly from a passing vehicle:

Parametric study[J]. Engineering Structures, 2009, 31(10): 2448-2459.

[19] 陈上有, 夏禾. 从过桥车辆响应中识别桥梁结构基本自振频率的方法[J]. 工程力学, 2009, 26(8): 88-94.

[20] Chang K C, Wu F B, Yang Y B. Disk model for wheels moving over highway bridges with rough surfaces[J]. Journal of Sound and Vibration, 2011, 330(20): 4930-4944.

[21] Yang Y B, Li Y C, Chang K C. Effect of road surface roughness on the response of a moving vehicle for identification of bridge frequencies[J]. Interaction and Multiscale Mechanics, 2012, 5(4): 347-368.

[22] International organization for standardization. Mechanical vibration-road surface profiles-reporting of measured data; first edition[S]. ISO 8608:1995(E). Geneva: ARRB, 1995.

[23] Yang Y B, Li Y C, Chang K C. Using two connected vehicles to measure the frequencies of bridges with rough surface: A theoretical study[J]. Acta Mechanica, 2013, 223(8): 1851-1861.

[24] Yang Y B, Chang K C, Li Y C. Filtering techniques for extracting bridge frequencies from a test vehicle moving over the bridge[J]. Engineering Structures, 2013, 48: 353-362.

[25] Malekjafarian A, OBrien E J. Application of output-only modal method in monitoring of bridges using an instrumented vehicle[J]. Civil Engineering Research in Ireland, 2014, T15: 48-53.

[26] Li W M, Jiang Z H, Wang T L, et al. Optimization method based on generalized pattern search algorithm to identify bridge parameters indirectly by a passing vehicle[J]. Journal of Sound and Vibration, 2014, 333(2): 364-380.

[27] Kong X, Cai C S, Kong B. Numerically extracting bridge modal properties from dynamic responses of moving vehicles[J]. Journal of Engineering Mechanics, 2016, 142(6): 04016025.

[28] Yang Y B, Chen W F. Extraction of bridge frequencies from a moving test vehicle by stochastic subspace identification[J]. Journal of Bridge Engineering, 2016, 21(3): 04015053.

[29] Yang Y B, Zhang B, Qian Y, et al. Contact-point response for modal identification of bridges by a moving test vehicle[J]. International Journal of Structural Stability and Dynamics, 2018, 18(5): 1850073.

[30] Yang J P, Chen B H. Two-mass vehicle model for extracting bridge frequencies[J]. International Journal of Structural Stability and Dynamics, 2018, 18(4): 1850056.

[31] Yang J P, Lee W C. Damping effect of a passing vehicle for indirectly measuring bridge frequencies by EMD technique[J]. International Journal of Structural Stability and Dynamics, 2018, 18(1): 1850008.

[32] Sitton J D, Zeinali Y, Rajan D, et al. Frequency estimation on two-span continuous bridges using dynamic responses of passing vehicles[J]. Journal of Engineering Mechanics, 2020, 146(1): 04019115.

[33] Zhang Y, Wang L Q, Xiang Z H. Damage detection by mode shape squares extracted from a passing vehicle[J]. Journal of Sound and Vibration, 2012, 331(2): 291-307.

[34] Yang Y B, Li Y C, Chang K C. Constructing the mode shapes of a bridge from a passing vehicle: A theoretical study[J]. Smart Structures and Systems, 2014, 13(5): 797-819.

[35] Malekjafarian A, OBrien E J. Identification of bridge mode shapes using short time frequency domain decomposition of the responses measured in a passing vehicle[J]. Engineering

Structures, 2014, 81: 386-397.

[36] Oshima Y, Yamamoto K, Sugiura K. Damage assessment of a bridge based on mode shapes estimated by responses of passing vehicles[J]. Smart Structures and Systems, 2014, 13(5): 731-753.

[37] OBrien E J, Malekjafarian A. A mode shape-based damage detection approach using laser measurement from a vehicle crossing a simply supported bridge[J]. Structural Control and Health Monitoring, 2016, 23(10): 1273-1286.

[38] Malekjafarian A, OBrien E J. On the use of a passing vehicle for the estimation of bridge mode shapes[J]. Journal of Sound and Vibration, 2017, 397: 77-91.

[39] He W Y, Ren W X, Zuo X H. Mass-normalized mode shape identification method for bridge structures using parking vehicle-induced frequency change[J]. Structural Control and Health Monitoring, 2018, 25(6): e2174.

[40] Zhang Y, Zhao H S, Lie S T. Estimation of mode shapes of beam-like structures by a moving lumped mass[J]. Engineering Structures, 2019, 180: 654-668.

[41] Jeary A P. The description and measurement of nonlinear damping in structures[J]. Journal of Wind Engineering and Industrial Aerodynamics, 1996, 59(2-3): 103-114.

[42] McGetrick P J, González A, OBrien E J. Theoretical investigation of the use of a moving vehicle to identify bridge dynamic parameters[J]. Insight-Non-Destructive Testing and Condition Monitoring, 2009, 51(8): 433-438.

[43] González A, OBrien E J, McGetrick P J. Identification of damping in a bridge using a moving instrumented vehicle[J]. Journal of Sound and Vibration, 2012, 331(18): 4115-4131.

[44] Keenahan J, OBrien E J, McGetrick P J, et al. The use of a dynamic truck-trailer drive-by system to monitor bridge damping[J]. Structural Health Monitoring, 2014, 13(2): 143-157.

[45] Yang Y B, Zhang B, Chen Y N, et al. Bridge damping identification by vehicle scanning method[J]. Engineering Structures, 2019, 183: 637-645.

[46] 贾宝玉龙. 梁式结构基于间接测量法的损伤识别方法研究[D]. 重庆: 重庆大学, 2016.

[47] Bu J Q, Law S S, Zhu X Q. Innovative bridge condition assessment from dynamic response of a passing vehicle[J]. Journal of Engineering Mechanics, 2006, 132(12): 1372-1379.

[48] Kim C W, Kawatani M. Pseudo-static approach for damage identification of bridges based on coupling vibration with a moving vehicle[J]. Structure and Infrastructure Engineering, 2008, 4(5): 371-379.

[49] Nguyen K V, Tran H T. Multi-cracks detection of a beam-like structure based on the on-vehicle vibration signal and wavelet analysis[J]. Journal of Sound and Vibration, 2010, 329(21): 4455-4465.

[50] Yin S H, Tang C Y. Identifying cable tension loss and deck damage in a cable-stayed bridge using a moving vehicle[J]. Journal of Vibration and Acoustics, 2011, 133(2): 021007.

[51] Meredith J, González A, Hester D. Empirical mode decomposition of the acceleration response of a prismatic beam subject to a moving load to identify multiple damage locations[J]. Shock and Vibration, 2012, 19(5): 845-856.

[52] González A, Hester D. An investigation into the acceleration response of a damaged beam-type

structure to a moving force[J]. Journal of Sound and Vibration, 2013, 332(13): 3201-3217.

[53] Li Z H, Au F T K. Damage detection of a continuous bridge from response of a moving vehicle[J]. Shock and Vibration, 2014, 2014: 1-7.

[54] Kong X, Cai C S, Kong B. Damage detection based on transmissibility of a vehicle and bridge coupled system[J]. Journal of Engineering Mechanics, 2015, 141(1): 04014102.

[55] Li Z H, Au F T K. Damage detection of bridges using response of vehicle considering road surface roughness[J]. International Journal of Structural Stability and Dynamics, 2015, 15(3): 1450057.

[56] Hester D, González A. A bridge-monitoring tool based on bridge and vehicle accelerations[J]. Structure and Infrastructure Engineering, 2015, 11(5): 619-637.

[57] Feng D M, Feng M Q. Output-only damage detection using vehicle-induced displacement response and mode shape curvature index[J]. Structural Control and Health Monitoring, 2016, 23(8): 1088-1107.

[58] OBrien E J, Malekjafarian A. A mode shape-based damage detection approach using laser measurement from a vehicle crossing a simply supported bridge[J]. Structural Control and Health Monitoring, 2016, 23(10): 1273-1286.

[59] Hester D, González A. A discussion on the merits and limitations of using drive-by monitoring to detect localised damage in a bridge[J]. Mechanical Systems and Signal Processing, 2017, 90: 234-253.

[60] OBrien E J, Malekjafarian A, González A. Application of empirical mode decomposition to drive-by bridge damage detection[J]. European Journal of Mechanics-A/Solids, 2017, 61: 151-163.

[61] OBrien E J, Martinez D, Malekjafarian A, et al. Damage detection using curvatures obtained from vehicle measurements[J]. Journal of Civil Structural Health Monitoring, 2017, 7(3): 333-341.

[62] Zhang B, Qian Y, Wu Y T, et al. An effective means for damage detection of bridges using the contact-point response of a moving test vehicle[J]. Journal of Sound and Vibration, 2018 , 419: 158-172.

[63] Yang Y B, Zhang B, Qian Y, et al. Further revelation on damage detection by IAS computed from the contact-point response of a moving vehicle[J]. International Journal of Structural Stability and Dynamics, 2018, 18(11): 1850137.

[64] Law S S, Bu J Q, Zhu X Q, et al. Vehicle condition surveillance on continuous bridges based on response sensitivity[J]. Journal of Engineering Mechanics, 2006, 132(1): 78-86.

[65] Zhang Y, Lie S T, Xiang Z H. Damage detection method based on operating deflection shape curvature extracted from dynamic response of a passing vehicle[J]. Mechanical Systems and Signal Processing, 2013, 35(1-2): 238-254.

[66] Chang K C, Kim C W, Kawatani M. Feasibility investigation for a bridge damage identification method through moving vehicle laboratory experiment[J]. Structure and Infrastructure Engineering, 2014, 10(3): 328-345.

[67] Lederman G, Wang Z, Bielak J, et al. Damage quantification and localization algorithms for

indirect SHM of bridges[C]. Bridge Maintenance, Safety Management and Life Extension, Shanghai, 2014.

[68] McGetrick P J, Kim C. A wavelet based drive-by bridge inspection system[C]. Bridge Maintenance, Safety Management and Life Extension, Shanghai, 2014.

[69] McGetrick P J, Kim C W, González A, et al. Experimental validation of a drive-by stiffness identification method for bridge monitoring[J]. Structural Health Monitoring, 2015, 14(4): 317-331.

[70] Urushadze S, Yau J D. Experimental verification of indirect bridge frequency measurement using a passing vehicle[J]. Procedia Engineering, 2017, 190: 554-559.

[71] Kim J, Lynch J P. Experimental analysis of vehicle-bridge interaction using a wireless monitoring system and a two-stage system identification technique[J]. Mechanical Systems and Signal Processing, 2012, 28: 3-19.

[72] Cantero D, McGetrick P, Kim C W, et al. Experimental monitoring of bridge frequency evolution during the passage of vehicles with different suspension properties[J]. Engineering Structures, 2019, 187: 209-219.

[73] Siringoringo D M, Fujino Y. Estimating bridge fundamental frequency from vibration response of instrumented passing vehicle: Analytical and experimental study[J]. Advances in Structural Engineering, 2012, 15(3): 417-433.

[74] Yang Y B, Chen W F, Yu H W, et al. Experimental study of a hand-drawn cart for measuring the bridge frequencies[J]. Engineering Structures, 2013, 57: 222-231.

[75] Chang K C, Kim C W, Borjigin S. Variability in bridge frequency induced by a parked vehicle[J]. Smart Structures and Systems, 2014, 13(5): 755-773.

[76] McGetrick P J, Kim C W. An indirect bridge inspection method incorporating a wavelet-based damage indicator and pattern recognition[C]. Proceedings of the 9th International Conference on Structural Dynamics, Porto, 2014.

[77] Yang Y, Zhu Y H, Wang L, et al. Structural damage identification of bridges from passing test vehicles[J]. Sensors, 2018, 18(11): 4035.

[78] Yang Y B, Xu H, Zhang B, et al. Measuring bridge frequencies by a test vehicle in non-moving and moving states[J]. Engineering Structures, 2020, 203: 109859.

[79] Yang Y, Yang Y B, Chen Z X. Seismic damage assessment of RC structures under shaking table tests using the modified direct stiffness calculation method[J]. Engineering Structures, 2017, 131: 574-586.

[80] Zemmour A. The Hilbert-Huang transform for damage detection in plate structures[D]. Maryland: The University of Maryland, 2006.

[81] Yang Y, Liu H, Mosalam K M, et al. An improved direct stiffness calculation method for damage detection of beam structures[J]. Structural Control and Health Monitoring, 2013, 20(5): 835-851.

[82] 阳洋, 周锡元, 金国芳. OpenSees 系统识别工具箱开发及应用[J]. 四川建筑科学研究, 2011, 37(1): 7-10.

[83] 阳洋, 项超, 蒋明真, 等. 考虑粗糙度影响的桥梁损伤识别间接测量方法[J]. 中国公路学

报, 2019, 32(1): 99-106, 126.

[84]  Yang Y B, Lin B H. Vehicle-bridge interaction analysis by dynamic condensation method[J]. Journal of Structural Engineering, 1995, 121(11): 1636-1643.

[85]  Yang Y B, Lee Y C, Chang K C. Effect of Road Surface Roughness on Extraction of Bridge Frequencies by Moving Vehicle[M]. Vienna: Springer, 2014.

[86]  Araújo I G, Laier J E. Operational modal analysis using SVD of power spectral density transmissibility matrices[J]. Mechanical Systems and Signal Processing, 2014, 46(1): 129-145.

[87]  王济, 胡晓. MATLAB 在振动信号处理中的应用[M]. 北京: 中国水利水电出版社, 2006.

[88]  蒋明真. 基于车桥耦合的桥梁结构刚度识别初步研究[D]. 重庆: 重庆大学, 2018.

[89]  混凝土结构设计规范(GB50010-2010)[S]. 北京: 中国建筑工业出版社, 2010.